BORIS TZAPRENKO

Il sera...

TOME V
LES OVOÏDES

ilsera.com

Édition : BoD – Books on Demand,
12/14 rond-point des Champs-Élysées, 75008 Paris
Impression : BoD - Books on Demand, Norderstedt, Allemagne
ISBN: 9782322402472
Dépôt légal : Décembre 2021

(007110921)

Remerciements

Toute ma reconnaissance à :

Marjorie AMADOR
Harald BENOLIEL
Serge BERTORELLO
Lotta BONDE
Frédéric FLEURET
Nathalie FLEURET
Jacques GISPERT
Elen Brig Koridwen
Bernard POTET
Paul A THÉORÊT

À Cara

Avertissement :

Toute ressemblance avec des personnes réelles qui
existeront sera totalement fortuite.
Il ne pourra s'agir que de pures coïncidences.

Les signes de conversations :

—   Quelqu'un parle.
—::   Quelqu'un parle via le Réseau.

—>   Quelqu'un parle à une machine.
—<   Une machine parle à quelqu'un.

—::>   Quelqu'un parle à une machine via le Réseau.
—::<   Une machine parle à quelqu'un via le Réseau.

Introduction

Chères lectrices, chers lecteurs.

Pour introduire le tome V de Il sera... j'aimerais vous parler de sa scène.

Prenez un grain de sable, le plus petit possible. Il est beaucoup trop gros ! En vous aidant d'une puissante loupe, posez au bout de votre index la plus petite chose que vous puissiez discerner. Un grain de farine ou de pollen, quelque chose du genre. Ce qui importe c'est que...

Mais nous reparlerons de cette expérience juste un peu plus loin, car pour la poursuivre il est indispensable d'avoir quelques éléments en tête.

Les étoiles :

Les étoiles sont d'énormes masses de plasma quasi sphériques. Elles ont une taille telle que, sous la force de gravitation, leur centre atteint une pression et une température suffisantes pour entretenir une réaction de fusion nucléaire. L'étoile la plus proche de la Terre s'appelle « Soleil ». La Terre gravite autour de cet astre, en à peine plus de 365,25 jours, à une distance moyenne de presque 150 millions de kilomètres. En astronomie, cette grandeur, appelée Unité Astronomique, en abrégé UA, est utilisée pour exprimer de « courtes » distances dans l'espace.

Une UA est donc égale à la distance moyenne qui sépare la Terre du Soleil, soit plus précisément 149 597 870 km.

Par définition, la Terre se trouve donc à 1 UA du Soleil.

Voici à titre d'exemple la distance au Soleil de quelques planètes :

Mercure : 0,357 UA (soit 57 910 000 km).

Mars : 1,524 UA (soit 227 940 000 km).

Saturne : 9,050 UA (soit 1 429 400 000 km).

Neptune : 30,11 UA (soit 4 504 300 000 km).

Le Soleil est une étoile comme une autre parmi les milliards de milliards d'étoiles de l'Univers. La seule raison pour laquelle le Soleil nous apparaît beaucoup plus gros et beaucoup plus lumineux que les autres étoiles c'est qu'il est, comparativement, juste à côté de nous.

Mais, après le Soleil, quelle est l'étoile la plus proche ?

C'est Proxima du Centaure, qui comme son nom le laisse supposer est visible dans la constellation du Centaure. Elle se trouve à : 270 000 UA. Elle est donc déjà 270 000 fois plus éloignée de la Terre que le Soleil. Cette étoile est pourtant notre première voisine. On voit déjà que l'UA va devenir incommode pour exprimer des distances plus grandes encore. Il existe heureusement une unité plus pratique : l'« année-lumière » (symbole : « a.l. »).

Une année-lumière est la distance parcourue par la lumière durant un an à raison de presque 300 000 km par seconde, soit 9 460 895 288 762 km. Ce qui représente 63 241 UA.

Proxima du Centaure se trouve, disions-nous, à 270 000 UA ; ce qui fait 4,22 années-lumière.

Distances des quelques autres étoiles les plus proches en années-lumière :

Étoile de Barnard : 5,9 a.l.

Wolf 359 : 7,8 a.l

Lalande 21185 : 8,3 a.l

Sirius : 8,6 a.l

Luyten 726-8 : 8,7 a.l

Ross 154 : 9,7 a.l

Ross 248 : 10,3 a.l

Les galaxies :

Les galaxies sont de gigantesques concentrations d'étoiles, de tailles et de formes variées. La nôtre, celle qui contient le Soleil ainsi que les étoiles citées plus haut, se nomme la « Voie lactée » ou la « Galaxie » avec un G majuscule. Elle a une forme de spirale occupée en son centre par un bulbe sphérique. Le diamètre de la Voie lactée est de quelque 100 000 années-lumière. Il est tout à fait impossible de compter individuellement toutes les étoiles qui la composent, mais on estime ce nombre entre 100 milliards et 300 milliards.

Arrêtons-nous un moment pour laisser le temps à notre esprit d'appréhender de telles grandeurs ; aidons-le par quelques exemples ou comparaisons :

100 milliards c'est plus de dix fois la population mondiale. Il y a donc dix fois plus d'étoiles dans la Galaxie que d'humains sur Terre.

Comment se représenter 100 000 années-lumière ?

En imaginant que nous disposions d'un vaisseau capable d'atteindre la vitesse de la lumière, il faudrait 100 000 ans pour traverser la Galaxie. À l'aide d'un véhicule se déplaçant à 1000 km/h, ce qui est honorable sur Terre, il faudrait alors compter 3 405 922 303 954 320 000 années. Nombre péniblement lisible et totalement inconcevable qui n'a qu'un seul intérêt, c'est justement celui de nous faire réaliser que nous n'arrivons pas à le réaliser, tant il est vrai que nous ne sommes rien en regard de telles dimensions. Ce nombre d'années est si grand que la Galaxie n'existerait plus depuis longtemps avant que nous n'arrivions au terme de notre périple. Paradoxe absurde !

Mais il est à présent temps de reprendre notre expérience :

Prenez un grain de sable, vous disais-je, le plus petit possible. Il est beaucoup trop gros ! En vous aidant d'une puissante loupe, posez au bout de votre index la plus petite chose que vous puissiez discerner. Un grain de farine ou de pollen, quelque chose du genre. Ce qui importe c'est que cette chose soit à la limite de votre vision. La discernez-vous ? Et bien, elle est encore beaucoup beaucoup trop grosse ! Concevez alors une minuscule sphère invisible qui ne fasse que 170 nm de diamètre. (1 nm = un millionième de mm). L'imaginez-vous, posée sur votre doigt ?

Et bien, dites-vous que sa taille, comparée à celle de la Terre toute entière, est égale à la taille de la même Terre comparée à celle de la Galaxie ! C'est un fait ! notre monde n'est pas plus gros qu'un virus à l'échelle de la Voie lactée ! Donnons le coup de grâce à nos dernières prétentions en nous pénétrant de l'idée que cette dernière est à son tour quasi invisible dans l'Univers ! Nous voyons en effet dans celui-ci d'innombrables galaxies. Combien y en a-t-il ? Des centaines de milliards c'est certain. Quelle est la plus proche de la nôtre et à quelle distance se trouve-t-elle ?

C'est la galaxie d'Andromède. Elle est à 2,5 millions d'années-lumière ! 2,5 millions d'années-lumière ! Notre plus proche voisine ! Cela veut dire que la lumière qui nous vient d'elle a mis 2,5 millions d'années à nous parvenir ! Ce qui entraîne que nous ne la voyons pas ainsi qu'elle est maintenant, mais telle qu'elle était, et là où elle était, il y a 2,5 millions d'années. À l'époque de l'Homo habilis ! (Je sais que je point-d'exclamationne avec une visible frénésie, mais cela le mérite ! Non ?). Les autres galaxies sont beaucoup plus loin encore... Oui, l'infini c'est grand !

Nous, nous ne sommes immenses que dans la dérision, quand nous entreprenons de conquérir territoires, fortunes ou pouvoir durant notre éclair de vie sur notre monde-poussière !

L'homme s'est posé sur la Lune. Que représente ce voyage par rapport à celui qui nous amènerait près de Proxima du Centaure ? Il suffit de calculer le rapport des deux distances :

(Terre-Proxima du centaure : 39 924 978 000 000 km) / (Terre-Lune : 384 400 km) = 103 863 376.

La première étoile se trouvant en dehors du système solaire se trouve donc 103 863 376 fois plus loin de la Terre que la Lune.

Que représente ce chiffre ? Imaginons une construction 35 fois plus haute que la tour Eiffel. Imaginons aussi un intrépide spationaute qui poserait une feuille de papier de 1/10 de mm d'épaisseur sur le sol près de cet édifice. En montant sur cette feuille, il se rapprocherait du sommet de la construction dans le même rapport, celui qu'il y a entre les deux distances que nous voulions comparer. Rappelons qu'il ne s'agit pourtant que de l'étoile la plus proche !

Que peut-on déduire de tout cela ?

Qu'il est infiniment improbable que nous soyons les seuls êtres pensants de l'Univers, bien sûr ! Quelle vanité de le supposer un instant !

Que si des êtres sont capables de venir du fond de l'espace jusqu'à nous, ils sont forcément considérablement en avance sur les hommes. Nous ne serions que des primitifs pour eux. Leur avance serait telle qu'il serait ridicule d'espérer être en mesure de les voir s'ils ne veulent pas se faire remarquer de nous. Alors, d'ici à être capables de les repousser ! Si certaines œuvres cinématographiques n'hésitent pas à l'imaginer, elles ne sont pertinentes que pour une seule raison : leur naïveté rivalise de grandeur avec les dimensions de l'espace !

Faut-il pour autant craindre ces êtres (qui nous observent peut-être déjà depuis longtemps) ? Pourquoi en avoir peur ? Parce qu'ils voudraient nous voler notre planète ! Ah ! la belle affaire ! Exterminons-nous tous les singes pour leur voler leurs bananes, nous ? N'oublions pas que s'ils ont le pouvoir de venir jusqu'ici, ils ont aussi celui de créer des mondes artificiels, s'ils en ont besoin, ou tout simplement de vivre sans mondes, en tout cas, de s'affranchir des ressources qui nous sont indispensables et que nous pensons convoitées. Non, un David Vincent ne nous serait d'aucune utilité ! Pas plus que les singes n'ont besoin d'un chimpanzé capable de repousser seul toutes les armées humaines du monde pour empêcher les hommes de voler leurs bananes !

Il est plus raisonnable de penser que nous serons pour eux une richesse « écologique » précieuse à conserver. Et puis, en prétendant que nous sommes tout au sommet de l'évolution, nous les ferons tant rire qu'ils seront forcément de bonne humeur. Il n'y a visiblement qu'une seule chose à redouter de cette rencontre, c'est d'être ridicule. On dit que ce dernier ne tue pas. Soit ! Tâchons malgré tout de nous entendre enfin ! Évitons de nous détruire nous-mêmes, bien avant que ce face à face n'ait lieu.

1. Qu'a-t-il donc d'extraordinaire, son humain ?

La femme en fuite entendit un cri. Elle s'arrêta de courir et se retourna. Son compagnon était à plat ventre dans l'herbe. Son pied avait heurté une racine. Elle haletait. Son corps, inondé de transpiration, puisait dans ses dernières ressources. Elle était sur le point de s'effondrer près de l'homme. Celui-ci parvint difficilement à se relever en émettant des gémissements et des râles pantelants. Leurs yeux remplis d'épouvante sondèrent le sous-bois dans toutes les directions. Où fuir ? Les rugissements semblaient déjà si proches ! Le danger courait si vite ! Ils étaient tous deux bien trop épuisés pour se réfugier dans un arbre. De toute façon, en eussent-ils eu la force, cela n'eût que très peu retardé leur capture ! Les animaux traqueurs, sorte de félins couverts d'écailles bleues, eussent en effet flairé leur présence. Monter dans les frondaisons pour déloger les deux humains à coups de griffes ne leur eût pris alors qu'un instant. On entendait le feulement des fauves se rapprocher. Il n'y avait plus rien à faire pour espérer leur échapper. En ces lieux, il faisait très chaud. L'atmosphère était chargée d'humidité. Des voiles de brouillard erraient fantomatiquement.

Ils se prirent dans les bras, tremblants, gémissants, utilisant les forces qu'il leur restait pour se serrer l'un contre l'autre.

Une poignée de secondes plus tard, une trentaine d'animaux menaçants les encerclèrent. Excités par la poursuite, ils criaient, s'agitaient, montraient leurs dents et faisaient mine de bondir en avant. Mais, ils étaient bien dressés et il leur était interdit d'attaquer le gibier.

Leurs maîtres arrivèrent bientôt, surgissant tour à tour de la brume. Ils étaient sept. Vues par des yeux d'humains, entendons des humains solairiens, c'est-à-dire originaires du système solaire, les montures ressemblaient à d'énormes lapins blancs comme la neige, dépourvus de longues oreilles, mais équipés de redoutables cornes noires courbées vers l'avant.

Les chasseurs qui les chevauchaient étaient de forme ovoïde. Ils possédaient une centaine d'organes locomoteurs, sortes de filaments blancs souples et vigoureux, que l'on ne pouvait distinguer parce qu'ils étaient dissimulés par l'épaisse fourrure de la monture à laquelle ils s'agrippaient. L'un de ces grands animaux s'accroupit dans l'herbe. Son « cavalier » mit « pieds » à terre. Comme ses congénères, il avait deux bras flexibles, sans articulation précise, mais se courbant en tous sens à n'importe quel niveau. Chacun de ces membres se terminait par douze courtes ramifications opposables qui formaient ce qui correspondait à une main. Celle de son bras droit tenait un objet qui ne pouvait être qu'une sorte de pique ou de lance.

Les deux humains s'agenouillèrent, toujours enlacés. Leur regard et même toute leur attitude exprimaient la peur. Un mouvement ondulatoire agita les fils qui supportaient la créature ovoïde ; elle s'approcha du gibier comme en lévitation au-dessus de ces tiges porteuses. La main armée se leva. Les primates poussèrent un cri.

C'est alors que, du haut de sa monture, un autre des chasseurs utilisa sa manière de communiquer pour dire : « Arrête ! ».

La lance ne piqua personne. L'être qui était sur le point d'en faire usage tourna deux yeux pédonculés vers celui qui lui avait demandé de suspendre son geste. Sur la rotondité supérieure de ces créatures, on pouvait voir quatre organes souples qui eussent rappelé à un humain, de culture solairienne, les cornes d'un escargot. Les deux longues portaient les yeux tandis que les deux courtes, située devant, se terminaient chacune par une partie lumineuse. Elles s'agitèrent, clignotèrent et changèrent rapidement de couleur pour dire quelque chose qui pourrait se traduire de la sorte :

— Ne les tue pas. Ramenons-les vivants. Nous les engraisserons pour les fêtes.

En s'exprimant ainsi, la créature tapota le crâne du gros rongeur cornu sur lequel elle était juchée pour qu'il s'accroupisse. Le chasseur descendit, prit des cordes enroulées dans une sacoche fixée sur le flanc du « lapin géant » et en donna une à son compagnon. Les cinq autres regardaient, immobiles et silencieux, caressant parfois affectueusement la tête de leur monture. Les félins aux écailles bleues irisées s'étaient calmés dès l'arrivée de leur maître. Ils s'étaient même légèrement reculés et ils attendaient en observant la scène.

Les cordes comportaient un anneau à l'une de leurs extrémités. Les créatures ovoïdes étaient un peu plus grandes que les humains, et beaucoup plus rapides. Avant que l'homme et la femme ne pussent esquisser le moindre mouvement pour l'éviter, les chasseurs avaient ouvert l'anneau et l'avaient refermé autour de leur cou. Ce geste fulgurant n'avait été effectué que d'une seule « main », car l'autre bras pointait une lance tenant les primates en respect.

Celui qui avait apporté les cordes agita ses organes de communication en faisant varier leur luminosité pour dire :

— Tu as fait de grands progrès. C'est bien ! Mais reste sur tes gardes pour éviter les morsures. Prudence !

Puis, s'adressant aux autres, il ajouta :

— Allez ! Immobilisez-les. On rentre !

Deux des leurs mirent leurs cent « pieds » à terre, se saisirent de cordes et vinrent les aider. Les deux humains furent solidement ligotés. On les coucha à plat ventre, en travers sur le dos d'une monture, derrière celui qui semblait donner des ordres et qui était déjà de nouveau sur son animal. Quand cela fut fait, il s'élança dans le sous-bois et tous le suivirent, y compris la meute de félins bleus. Ce devait être le milieu de l'après-midi, quoiqu'il fut difficile de s'en rendre compte tant la brume dissimulait l'astre du jour.

***

Arrivés dans une clairière, en vue d'une colline très gibbeuse couverte d'un tapis d'herbe dense que perçaient quelques rochers moussus, ils traversèrent un pont qui enjambait une lente et large rivière et firent halte. Les deux humains furent remis sur pieds. Ils étaient totalement incapables de comprendre le langage des créatures ovoïdes, bien que les particularités de celles-ci n'eussent pour eux rien d'extraordinaire et qu'elles leur fussent même tout à fait familières tant souvent ils avaient été chassés par elles. En dépit de leurs méconnaissances de leur mode de communication, ils avaient deviné qu'ils ne mourraient pas tout de suite. Quoiqu'il en fût, ils étaient tous les deux beaucoup trop épuisés pour opposer la moindre résistance, aussi se laissèrent-ils mener au bout de leur corde avec la plus grande docilité. Toutes les créatures avaient laissé leur monture près de l'étendue d'eau, avec la meute de fauves. Elles se déplaçaient « à pied ».

Tandis qu'on entraînait la femme et l'homme vers la colline, le chasseur qui leur avait évité la mort sortit un petit appareil d'une de ses poches. Tous les êtres ovoïdes portaient une sorte de très large ceinture garnie de poches. Il agita un moment ses deux pédoncules de communication devant l'objet et le remit en place dans la même sacoche. Un observateur avisé n'eût pas manqué de remarquer que cette action eut pour conséquence de faire arriver, en courant si l'on peut dire, une créature ovoïde de petite taille. Elle venait de la direction de la colline en se déplaçant fort vite sur ses filaments ambulatoires. Le bandeau qui entourait la partie la plus large de son corps était bleu clair. Quand elle fut près du chasseur qui avait décidé qu'on ne tuerait pas le gibier tout de suite, ce dernier agita ses courts pédoncules qui décrivirent des arabesques aux couleurs changeantes pour dire quelque chose qui, traduit en langage humain solairien, s'approcherait de ceci :

— Coucou, ma fille ! Regarde les deux humains que je ramène ! Nous les gaverons pour avoir du foie gras durant les fêtes.

— Oui, oui, répondit l'enfant, visiblement indifférente. Tu sais, Maman est aussi partie chasser avec ses amies, juste après toi, mais elle n'est pas revenue.

— Ah ! Il n'est pas encore trop tard, elle va sûrement arriver dans peu de temps. Tu veux que je lui téléparle ?

— Ce n'est pas la peine, elle vient de m'appeler pour me dire qu'elle sera là bientôt.

— Ah… tu vois !

— Oui, elle m'a dit qu'elle a capturé un humain extraordinaire !

— Extraordinaire ? Et qu'a-t-il donc d'extraordinaire, son humain ? Te l'a-t-elle dit ?

— Oui. Il est extraordinaire parce qu'il a des habits très étonnants.

— Des habits très étonnants ?! Comment ça, des habits très étonnants ?

Toutes les créatures ovoïdes firent des mouvements de leurs petits pédoncules qui étaient plus ou moins, à quelques subtilités près, l'équivalent d'un rire bon enfant.

2. C'est sans doute une race de grand prix

L'homme et la femme avaient les bras attachés dans le dos et on leur avait fixé, à l'aide d'une courroie passant derrière la tête, une sorte de mentonnière qui recouvrait entièrement la bouche pour les empêcher de mordre.

La colline était si pansue que son pourtour était une paroi presque verticale. C'était un dôme allongé, cabossé çà et là, couvert d'herbe très verte et de quelques petits arbres. Ils approchaient d'un bloc minéral lisse ressemblant à un gros galet qui dépassait du bord de cette éminence. Les deux humains réalisèrent que ce rocher comportait un large trou. Toujours en les tirant au bout de leur corde et en les tenant en respect avec une lance, les créatures ovoïdes les firent entrer par cette ouverture à l'intérieur de la colline. La femme et l'homme écarquillèrent les yeux. Ils étaient dans un immense hémisphère en haut duquel quatre disques et une grande ellipse de matière transparente laissaient passer la lumière du jour. Au sol et sur la paroi courbe, ils virent des formes géométriques qu'ils n'avaient jamais vues. Des formes faites de plans et d'angles parfaitement rectilignes, comportant des ouvertures arrondies. Leurs yeux et leur esprit découvrirent des parallélépipèdes, des cylindres, des surfaces sphériques... Le sol à certains endroits incroyablement lisse et plat était à lui seul un motif de surprise intense. La leur était si grande qu'ils oublièrent un moment leur peur et leur fatigue.

Tandis qu'on les entraînait dans ce dédale de formes stupéfiantes, des créatures identiques à celles qui les avaient capturés se déplaçaient dans toutes les directions. Certaines, immobiles, se faisaient face et effectuaient des gestes lumineux avec leurs petites antennes. En ce lieu, elles portaient généralement des vêtements aux couleurs vives, contrairement aux sept chasseurs qui étaient vêtus en vert pour passer inaperçus dans la nature. Ces derniers s'arrêtèrent un moment pour tenir une concertation lumineuse et silencieuse. À la suite de quoi, cinq d'entre eux s'éloignèrent. Il ne resta plus pour garder les humains que celui qui était descendu de sa monture le premier pour faire usage de sa lance et celui qui avait stoppé son geste parce qu'il voulait les conserver vivants.

Ils firent entrer leurs prises dans une de ces formes, extraordinaires pour elles. Il s'agissait de la dépendance d'une habitation dans laquelle on enfermait les humains d'élevage, ou les humains sauvages que l'on capturait parfois.

À l'intérieur de cette pièce, une source d'éclairage artificiel située au centre du plafond suscita l'étonnement des primates. C'était là encore une chose qu'ils virent pour la première fois. Mais leur intérêt ne dura pas longtemps. La curiosité purement intellectuelle est un mets rare ordinairement consommé par certains esprits qui ont le temps et l'occasion de s'affiner dans le confort et la sécurité, bien plus rarement par ceux qui sont habités par la peur et préoccupés par les immédiates exigences matérielles inhérentes à la survie.

Sur les deux longueurs du local, qui devait mesurer quinze mètres sur cinq, on pouvait voir des barreaux verticaux. Derrière ceux-ci, des humains nus regardaient arriver les deux nouveaux. Ces derniers manifestèrent un intérêt encore plus grand à la vue de leurs congénères emprisonnés et ils émirent quelques cris pour l'exprimer. Les créatures ovoïdes ouvrirent une porte à barreaux, détachèrent leurs captures et les poussèrent à l'intérieur de la cage. Sans ménagement, mais sans brutalité non plus.

— Je vais peut-être les garder comme reproducteurs, finalement, dit celui qui leur avait sauvé la vie. Je ne sais plus trop, je vais y réfléchir.

Dans la faible clarté de ce lieu, on voyait plus nettement les arabesques lumineuses dessinées par leurs pédoncules de communication qui tournaient vivement en tous sens en changeant sans cesse de couleurs et d'éclats. Ces organes délicats produisaient un étrange halo autour de leur extrémité, une sorte de fine couche de brouillard dans lequel se diffusaient leurs signaux brillants.

— Quoi qu'il en soit, pense à en gaver deux ou trois pour les fêtes. Il nous faudra du foie gras.

— Oui. Je vais prendre une décision rapidement. On peut éventuellement gaver ces deux femelles.

Un de ses pédoncules lumineux se tendit vers deux femmes qui regardaient les nouveaux en tenant leurs barreaux à deux mains.

— Comme tu voudras, pourvu qu'on en gave au moins deux !

Ils sortirent dans un son discret, mais étrange, provoqué par le contact avec le sol de pierre polie de leur centaine de jambes non moins étranges. Étranges pour une culture solairienne, bien entendu !

Restés seuls, les humains habitués des lieux libérèrent toutes sortes de cris et de grognements à l'adresse des primates sauvages. Ces derniers leur répondirent du mieux qu'ils purent. Les grandes cages comportaient des séparations en grillage. Certains humains se trouvaient seuls, d'autres étaient en couple, avec ou sans progéniture. Les nouveaux étaient isolés dans un espace situé à peu près au milieu de la longueur du local. Les cages étaient remplies de paille. Une petite ouverture, en hauteur, sur le mur opposé à la porte d'entrée, offrait une faible lumière naturelle et laissait circuler un peu d'air. En dépit de cette aération, des fétidités d'urine et de matière fécale demeuraient. Ceux qui étaient là depuis longtemps n'en étaient peut-être plus incommodés, mais les nouveaux en éprouvèrent un inconfort certain. Ils restèrent collés l'un à l'autre, assis dans la paille, répondant de temps à autre aux cris qui leur étaient adressés.

***

Très peu de temps après, les humains sauvages ayant à peine fait le tour de leur cage pour renifler un peu de paille çà et là, la porte du local s'ouvrit pour laisser entrer un nouvel arrivant. Solidement ligoté et porté de chaque côté par les deux chasseurs, il gigotait en tous sens et poussait des cris tout à fait étranges pour tous. Une troisième créature ovoïde les suivait, ainsi qu'une quatrième, plus petite, celle qui était venue au-devant d'eux lorsqu'ils approchaient de la colline creuse. Cette dernière, très volubile et excitée, disait quelque chose qui, traduit en humain solairien, avait à peu près cette signification :

— Il est drôle, Maman, le tien ! On va le garder, hein ?

— Bien sûr qu'on va le garder, ma fille !

Le nouveau fut détaché et poussé dans un compartiment individuel qu'on referma.

— Je ne sais pas si nous pourrons le garder longtemps, intervint le père de la petite créature. Il a dû s'enfuir de chez ses maîtres. Sans doute a-t-on vu ta mère le capturer et le ramener. Ce qui est certain c'est qu'on nous a vus le conduire chez nous.

— Mais ! Il n'est peut-être à personne, répondit l'enfant, avec de la déception dans la gestuelle lumineuse de ses courtes cornes.

— Ma pauvre jeune sœur ! s'exclama celui qui eût piqué les deux prisonniers précédents avec sa lance, si son père ne s'y était pas opposé. Comment, selon toi, un animal sauvage pourrait-il se retrouver avec des habits ?

L'animal dont il était question hurlait. Il se pinçait le nez et donnait des coups de pied sur les barreaux de la porte.

— Il est étonnant tout de même, dit le père. C'est une drôle de race que je ne connais pas.

Plus rapide qu'un félin, il passa son bras gauche entre deux barreaux pour tâter l'entrecuisse de l'étrange humain en habits.

— C'est bien un mâle pourtant, mais il n'a presque pas de poils sur la gueule, commenta-t-il pendant que le sujet de la discussion visiblement emporté dans une fureur extrême poussait des hurlements d'une surprenante singularité.

— Ses cris sont également bien insolites ! fit remarquer la mère.

— En effet ! approuva le père. Étonnante espèce que je n'avais jamais vue. Je pense que nous devrions faire un communiqué pour dire que nous l'avons trouvé. Il doit appartenir à un de ces snobs qui aiment habiller leurs humains de compagnie. C'est sans doute une race de grand prix. Je ne voudrais pas être accusé de vol.

— Il a un bracelet au poignet gauche !

— Tiens, c'est vrai !

Il ne fallut qu'une demi-seconde à la mère pour se saisir de l'objet.

— Il n'y a aucune inscription dessus, dit-elle, en remettant le bracelet au bras de l'humain. C'est purement décoratif.

Ils sortirent tout en continuant à discuter.

***

Quand la porte se fut refermée derrière eux, la vive colère du dernier arrivé retomba pour laisser un peu de place à sa curiosité. C'est alors qu'il réalisa qu'il n'était pas seul. Tout excité par cette découverte, il se mit à émettre des sons tout à fait étranges pour tous, mais qui en Solairien donnaient exactement ceci :

— Ça alors ! Vous avez été capturés par ces saleries d'œufs mille-pattes, vous aussi ? Millions de grandes géantissimeries ! Que ça pue ici !

3. Il a même des habits à ses bouts de jambes !

Bartol se tut. Ses yeux s'accoutumaient peu à peu à la faible luminosité du fond des cages. Quand ses pupilles furent suffisamment dilatées, il vit bien plus nettement ses compagnons d'infortune.

Grande géanture ! se dit-il. Qui sont donc ces gens ?

Les personnes qu'il découvrait étaient toutes entièrement nues, crasseuses à faire peur et incroyablement hirsutes. Les hommes avaient le visage dévoré par un système pileux qui ne laissait plus qu'un peu de place autour de leurs yeux. Tous les regards apparaissaient sombres et profondément enfoncés sous des orbites proéminentes. Les corps étaient relativement velus et bien en chair.

— Mais ! Qu'est-ce que donc de qu'est-ce que mais... ? murmura le Marsalè, sans même s'en rendre compte.

Des voix sur sa droite le firent se retourner. C'étaient les hommes sauvages, ses voisins, qui lui adressaient quelques sons incompréhensibles, mais qui ressemblaient tout de même à des paroles plus ou moins articulées. Bartol ne pouvait pas savoir qu'ils étaient ici depuis peu de temps, quelques minutes de plus que lui-même seulement. La seule chose qu'il put constater c'est qu'ils étaient beaucoup plus maigres que les autres individus. À part cela, ils avaient une apparence très proche. Dès qu'il porta son regard sur eux, le leur se détourna ; ils se turent et reculèrent au fond de leur cage avec une attitude embarrassée. Il remarqua très vite que tous avaient un comportement craintif identique, évitant de croiser les regards. Essayant d'établir un contact avec ses voisins, il dit :

— Respect ! Je m'appelle Bartol. Il y a longtemps que vous êtes ici ? Quand avez vous été capturés ?

— …

— …

S'adressant à tout le monde, il répéta la même chose à plus haute voix. Comme il s'y attendait, il n'obtint aucune réponse. Chacun faisait mine de regarder ailleurs en gardant le silence ; il n'y eut qu'un gémissement d'enfant pour troubler ce dernier. Le Marsalè semblait les intimider. Sans conviction, il ajouta malgré tout :

— Comprenez-vous mes paroles ?

Sans attendre leur réaction plus de dix secondes, il cria soudainement à tue-tête :

— Hé ! Il y a quelqu'un ? Ho ! les œufs ! la plaisanterie est finie à présent ! Ça pue ici !

***

Sécurité 127 était en train de parler avec Électricienne 3030 quand son téléparleur clignota.

— Excuse-moi, dit-il. Une annonce.

Ils regardèrent les deux les tiges flexibles de l'appareil qui agitèrent leurs extrémités lumineuses en les faisant changer de couleur et d'intensité, à l'instar des organes de communication des créatures ovoïdes qu'ils étaient tous les deux.

— Je ne pense pas que nous ayons enregistré une disparition d'humain, s'étonna Sécurité 127 après avoir pris connaissance du message.

Électricienne 3030 eut un mouvement de ses petits appendices accompagné d'un clignotement de leur terminaison qui correspondait à une sorte de haussement d'épaules.

— J'ai toujours trouvé ça ridicule, dit-elle, d'habiller les animaux comme si c'étaient des gens !

— Oui, moi aussi, en fait, mais bon… Je te laisse régler cette affaire de ventilation. Si tu pouvais par la même occasion jeter un coup d'œil au chauffe-eau qui ne marche plus très bien. J'ai l'impression qu'il n'y a plus beaucoup d'eau chaude.

— Je m'en occupe.

Sécurité 127 tourna ses longs organes, ceux qui portaient ses yeux, vers sa jeune collègue et demanda :

— Dis, Sécurité 233 ! Disparition d'un humain de race, avec un habit du haut rouge sombre et un habit des jambes noir, ça te dit quelque chose ?

— Non. Je n'ai rien enregistré de ce genre. Mais, son maître va certainement se manifester.

— Certainement, oui. Tu as raison. Je vais tout de même aller voir ça sur place, c'est juste à côté. Chez un certain Propreté 680, une vieille connaissance. Je te laisse garder le bureau.

— D'accord, chef ! À tout à l'heure !

***

— Heum ! Il a même des habits à ses bouts de jambes ! s'étonna Sécurité 127, en regardant Bartol qui s'énervait derrière ses barreaux.

— Oui ! Et le plus étrange, fit remarquer Propreté 680, c'est qu'il semble tout à fait à son aise avec ça. Ma femme dit qu'il courait sans difficulté avec ces choses.

— Étonnant, en effet. Mais dis-moi, il y a si longtemps que nous ne nous sommes pas vus que je ne sais plus qui est ta femme.

— C'est Électronique 1012.

— Ah, oui ! ça me revient à présent. Tu as bien manœuvré, dis donc ! Il y avait du monde autour d'elle, je m'en souviens !

— Oui, répondit Propreté 680. Toi le premier, d'ailleurs !

— Je te l'accorde, concéda Sécurité 127, en décrivant des arabesques lumineuses exprimant la plaisanterie et la bonne humeur. Je reconnais même que si elle veut de moi pour un moment, je ne saurais lui résister.

— C'est votre affaire, répondit Propreté 680. Mais pour en retourner à cet humain, tu ne trouves pas qu'il a une drôle de mine et un drôle de cri ?

— Si. Sa tête avec des poils seulement sur le dessus, ses yeux qui nous fixent sans se détourner… Et un étrange cri, c'est vrai. Il doit s'agir d'un croisement, ou d'une race, que nous ne connaissons pas. Un animal de luxe, en tout cas. C'est étonnant, mais personne ne m'a signalé sa disparition… pour l'instant du moins. Et sur le bracelet qu'il porte… Il n'y aurait pas les coordonnées de son maître ?

— Non, rien. Nous avons vérifié. Aucune inscription.

La porte du local s'ouvrit. Une créature ovoïde apparut, ceinturée d'une étoffe écarlate. Une courte draperie de la même couleur pendait d'une sorte de manche qui entourait chacun de ce qui figurait ses avant-bras. Les petites ramifications qui étaient ses doigts étaient ornées d'un fin anneau rouge.

— Ah ! Électronique 1012 ! s'exclama Sécurité 127. Tu es tout à fait ravissante.

— Tiens, Sécurité 127 ! répondit-elle. Je ne t'avais pas vu depuis longtemps. Tu es très charmant aussi. Ma spermathèque attend tes ardeurs quand tu voudras. Que penses-tu de ce que j'ai trouvé à la chasse ? Étrange, non ? Pour ma part, je n'en avais jamais vu de pareil.

— Oui, j'en suis bien surpris. Comme je le disais à ton mari, je n'ai reçu aucune déclaration de perte à son sujet.

***

Bartol cessa de vociférer pour observer les créatures ovoïdes en détail. De toute évidence, il n'avait aucune chance de se faire comprendre d'elles sans faire un effort pour les comprendre elles-mêmes. Il les étudia donc avec une grande attention et réalisa vite qu'elles communiquaient au moyen de leur petit pédoncule. Ce qu'il avait vu de l'intérieur de la « colline », lorsqu'on l'avait transporté ici, l'avait convaincu qu'il s'agissait de créatures intelligentes qui érigeaient des architectures complexes particulièrement soignées et qui fabriquaient des objets d'une technologie indéniablement élaborée. Leurs vêtements étaient également un témoignage de leur savoir-faire et de leur raffinement. Il en vit une utiliser un petit dispositif qu'elle plaça devant ses antennes très mobiles tout en le regardant avec l'extrémité renflée de ses deux autres organes environ deux fois plus longs.

Il s'agit d'une sorte de croisement entre un œuf, une limace et un mille-pattes, maugréa-t-il intérieurement.

Considérant ses propres congénères dans les autres cages, il acquit soudainement la conviction que pour les Ovoïdes, c'est ainsi qu'il les baptisa spontanément, les humains occupaient le rang des animaux dominés. À partir de là, il ne lui fallut qu'une seconde pour comprendre qu'il devait être une curiosité pour ses ravisseurs.

Il décida de les surprendre encore plus dans le but de leur prouver qu'il était au moins aussi intelligent qu'eux et d'établir un dialogue. Les Ovoïdes l'observaient avec attention, c'était le moment. Il se baissa, saisit un brin de paille et le plia soigneusement en deux endroits pour former un triangle équilatéral. Cela fait, il leur montra sa réalisation et prononça :

— Triangle.

Comment juger de l'étonnement ou de l'indifférence des créatures ? Ce n'était pas plus facile de discerner une quelconque expression dans leur regard que dans celui d'un escargot ! Pour autant, il ne se découragea pas et à l'aide d'un deuxième brin de paille, qu'il plia cette fois en trois points, il fit un carré. Montrant alternativement une figure puis l'autre, il articula plusieurs fois les mots correspondants :

— Carré, triangle… Carré, triangle… Carré, triangle…

4. Pour exprimer l'équivalent d'un « Hein ? »

Sécurité 127 venait de téléparler à Sécurité 223, pour lui demander s'il n'y avait toujours aucun avis de recherche au sujet de l'humain de luxe. Il reposa son téléparleur dans sa poche et dit :

— Toujours rien... Je pense que je vais diffuser un communiqué pour...

Ses pédoncules de communication se figèrent de stupeur à la vue de ce que faisait Bartol.

— Il connaît des tours ! s'exclama Propreté 680, les appendices marquant la surprise.

— C'est peut-être un humain savant que son maître montrait dans des spectacles, suggéra Sécurité 127.

Les organes de communication d'Électronique 1012 furent parcourus par des vagues de vibrations de très hautes fréquences qui exprimaient la perplexité.

— Le matériau de ses vêtements est pour le moins insolite, dit-elle. Les habits de ses bouts de jambes sont particulièrement bizarres.

D'un geste d'une promptitude et d'une précision propre à son espèce, elle passa ses bras à travers les barreaux pour s'emparer d'une des chaussures de l'humain de luxe. Celui-ci fit tomber ses deux figures de paille et émit son étrange cri à plusieurs reprises. Son extrémité de jambe nue dans la paille, il secouait sa cage en s'égosillant.

— Il s'agit d'une matière assez surprenante, fit remarquer Électronique 1012, en examinant l'habit de bout de jambe. On voit que cet animal a l'habitude de marcher avec ça, car j'ai senti que sa peau est fine là où son corps est en contact avec le sol, beaucoup plus fine, à cet endroit, que celle des humains que nous connaissons.

Elle alla ranger l'objet qu'elle venait d'examiner dans une sorte de placard qui se trouvait à droite de la porte d'entrée et revint près de ses deux congénères avec des antennes toujours aussi perplexes.

— Déshabillons-le pour étudier ses vêtements et son corps, dit-elle.

Il ne fallut pas plus d'une seconde à Sécurité 127 et Propreté 680 pour le voir nu, l'un immobilisant fermement l'humain de luxe, l'autre lui ôtant ses habits.

Était-ce parce qu'il était fatigué de crier, ou bien parce qu'être entièrement nu le contrariait moins que d'avoir un seul bout de jambe découvert ? Elles ne savaient pas pourquoi, mais les créatures ovoïdes constatèrent que l'humain cria moins fort et moins longtemps.

— Voyez, dit Électronique 1012, en montrant le vêtement du haut, puis celui des jambes. Je n'avais jamais vu d'habits ainsi réalisés !

Propreté 680 et Sécurité 127 convinrent que la chose était en effet fort insolite.

— Regardez comme son corps est peu velu ! fit remarquer Propreté 680. Il a dû subir une sorte de toilettage ou de traitement pour humain de luxe.

— Certainement, dit Sécurité 127.

— Et si son maître était d'en face, suggéra Sécurité 127. Ce serait possible !

— Oui. Dans ce cas, je le garderais pour moi, assura Électronique 1012. Ils n'ont qu'à surveiller leurs animaux, en face.

***

À présent entièrement nu dans sa cage, Bartol ne savait comment réagir. Il se sentait plus humilié qu'il ne l'avait jamais été. Tandis que les Ovoïdes conversaient à son sujet à grand renfort de signes colorés exécutés avec leurs pédoncules, il tomba quelques secondes dans une attitude prostrée. C'est alors qu'un quatrième Ovoïde entra. Il était d'une taille approximativement identique à celle des trois autres. Peut-être un peu moins haut. Bartol estima que les plus grands devaient mesurer entre deux mètres et deux mètres vingt. Le plus petit, un instant aperçu, ne dépassait pas un mètre. S'agissait-il d'un enfant ? C'était probable, mais il n'en était pas certain. Cette différence de taille aurait tout aussi bien pu être expliquée par le fait qu'il existât différentes espèces de ces créatures. L'Ovoïde qui venait d'entrer portait un récipient cylindrique, une sorte de grand seau. Bartol ne le quitta pas des yeux. Les autres ne l'avaient pas compris, mais peut-être que celui-ci…

Alors que les compagnons de condition du terrien avaient été jusqu'ici plutôt calmes et silencieux, il y eut soudainement une forte agitation dans les cages. Des figures s'écrasaient contre les barreaux en poussant des cris de grande excitation. Seul le couple d'humains émaciés, à sa droite, gardait une attitude réservée.

Après avoir tenu un conciliabule de gesticulations lumineuses avec les autres, le nouvel Ovoïde se dirigea vers les cages qui faisaient face à celle de Bartol. Il prit quelque chose dans le récipient et le jeta à travers les barreaux. Des mains se refermèrent avidement sur la nourriture. Il y eut même quelques courtes disputes, entre ceux qui étaient enfermés ensemble, pour le choix des plus beaux morceaux. Cris et retroussements de lèvres menaçants furent soudain de mise. Une femme brava l'appétit de son mâle pour lui rappeler qu'il avait un enfant. Celui-ci finit par accepter de modérer sa cupidité salivaire ; non sans manifester sa mauvaise humeur, il se contenta de se goinfrer avec moins d'acharnement. Il y avait, apparemment des sortes de racines et peut-être aussi des fruits, ça y ressemblait.

Bartol détacha son regard de ce spectacle insoutenable et tenta sa chance auprès de ce nouvel individu :

— S'il vous plaît ! Hé ! Ho ! Regardez-moi ! Je voudrais me faire comprendre ! Pourquoi me mettez-vous en cage ? S'il vous plaît ! Vous voyez bien que je…

La créature traversa la pièce et lui lança un morceau de nourriture en plein visage puis jeta d'autres aliments encore sur la paille de sa cage.

***

— Voilà ! Voilà ! venait de s'exclamer Construction 855 en jetant de la nourriture à l'humain de luxe, cette drôle de bête semble bien affamée, en tout cas !

— Curieusement, non ! Regarde, elle ne mange rien.

— C'est vrai, ça alors !

— Il doit lui falloir une alimentation spéciale, suggéra Électronique 1012. C'est délicat ces animaux-là !

— Tu sais, c'est souvent fragile les races pures à cause de la consanguinité, dit Propreté 680.

— Il paraît, ajouta Construction 855.

— Il devient urgent pour son propriétaire de venir le chercher, si nous ne savons pas le nourrir, fit remarquer Sécurité 127. Je vous laisse. Je vais aller passer une annonce pour faire savoir qu'il est ici. Ça ne vous dérange pas que je vous en confie la garde, pour le moment ?

— Non, bien sûr, répondirent ensemble Propreté 680 et Électronique 1012.

Construction 855, qui était le frère d'Électronique 1012, demanda :

— Lesquels voulez-vous gaver, alors, pour les fêtes ? Les deux sauvages, ce n'est pas la peine d'y compter. Ils sont trop maigres ! Nous n'aurons pas le temps d'avoir du foie gras.

— Je pensais à ce couple, là, proposa Propreté 680. Qu'en dis-tu, Électronique ?

— Oui, oui, répondit-elle distraitement, en regardant sa capture pensivement, ça m'indiffère, pourvu qu'on ait du foie gras à temps. Je me demande à qui il appartient, cet animal. Il avait un comportement inhabituel. Quand je l'ai pourchassé, il a fui, mais quand je l'ai rattrapé, il ne semblait pas très effrayé. Il ne cessait d'utiliser son étrange cri et de gesticuler comme s'il voulait me dire quelque chose. On aurait dit qu'il parlait.

— Tous les animaux parlent à leur manière. On imagine qu'ils ont une sorte de langage un peu rudimentaire, sans doute, mais un langage tout de même.

— Bien sûr, mais les humains que l'on chasse sont bien trop effrayés pour papoter calmement, habituellement. Si tu avais vu celui-là…

— N'oublie pas que c'est un animal savant. Il a dû être dressé durant des heures, des jours et des années…

— Oui, tu as raison. C'est vrai que ça expliquerait son comportement singulier.

— Regardez ! les interrompit Construction 855, il a lancé sa nourriture à ses voisins, les humains sauvages. Conduite pour le moins étonnante !

— Certains animaux ont appris à ne manger que de la main de leur maître, dit Propreté 680. On les a dressés ainsi pour qu'on ne puisse pas les empoisonner.

— Certains humains de garde, oui, répondit Construction 855, mais pas les bêtes de luxe de ce genre.

— Sortons-le, proposa Électronique 1012.

Les antennes de ses deux congénères ondulèrent pour exprimer l'équivalent d'un « Hein ? » très étonné.

— Oui, sortons-le. Voyons s'il est capable de revenir chez son maître. Peut-être qu'il s'était perdu et que... J'ai entendu dire que certains humains de compagnie avaient fait des distances énormes pour retrouver leur maître.

— Tu as raison ! s'enthousiasma, Propreté 680. Sortons-le. Nous verrons bien...

5. Tous exprimaient un étonnement identique

Bartol supposait que l'endroit le plus haut du plafond, qui comportait cinq vastes ouvertures laissant entrer la lumière de l'extérieur, devait se trouver à huit cents ou mille mètres au-dessus du sol. Il lui était plus difficile d'évaluer les dimensions horizontales à cause de toutes les constructions qui limitaient la portée du regard, comme dans toutes les agglomérations, mais, pour peu qu'il s'y intéressât vraiment, il eût parié que cette ville intérieure mesurait au moins quinze ou dix-huit kilomètres de longueur sur dix ou douze de largeur.

Réaliser une estimation précise de ses dimensions n'était toutefois pas du tout la première préoccupation du Marsalè. Et pour cause : son humiliation venait d'atteindre un nouveau seuil. On lui avait rendu ses chaussures et ses vêtements, mais il était à présent promené en laisse, comme un chien. En plus, de toute évidence pour l'empêcher de mordre, on lui avait de nouveau mis sur le visage quelque chose qui ressemblait tout à fait à une muselière. Autant qu'il pût en juger, il n'était pas le centre de convergence de tous les regards, mais certains appendices oculaires se tournaient visiblement vers lui. Ces organes montés sur tiges étaient si loin de ce que le terrien avait déjà vu qu'il lui avait fallu un certain temps pour être sûr qu'il s'agissait vraiment d'yeux. Leur extrémité ovale bleu foncé montrait un rond noir en leur centre.

Tous les Ovoïdes portaient un large bandeau qui faisait le tour de leur « équateur ». Il y en avait de toutes les couleurs avec une grande variété de motifs.

Quand on lui avait passé le collier de la laisse autour du cou et qu'on l'avait tiré pour le faire sortir du local des cages, Bartol avait dans un premier temps décidé de faire montre de la plus mauvaise volonté pour avancer. Il avait saisi le lien à deux mains, pour éviter une douloureuse traction sur son cou, et avait tenté de résister à sa tension. Celui qui le tenait en laisse était malheureusement beaucoup plus fort que lui ; Bartol s'était fait tracter en glissant sur ses pieds d'une manière si humiliante qu'il avait préféré céder et marcher. D'autant plus facilement qu'il lui était venu à l'esprit que ce serait une bonne chose de découvrir les pourtours de sa prison pour concevoir un plan d'évasion. À l'extérieur du local, il fut étonné de constater qu'on ne l'obligeait plus à avancer. La laisse restait molle. Les deux Ovoïdes, celui qui tenait cette dernière et celui qui l'accompagnait, semblaient attendre qu'il se décidât à prendre une direction. Au bout d'un moment, il avait vérifié cette hypothèse en se mettant à marcher. Ils l'avaient aussitôt suivi sans le moins du monde tirer sur la laisse.

Il s'efforçait à présent de donner l'impression qu'il déambulait tranquillement tout en essayant, l'air de rien, de retrouver la sortie de cette colline creuse. Puisqu'on le prenait pour un animal, il avait dans l'idée d'en profiter en jouant les idiots. Quand il repérerait l'endroit où il était entré ici sous la contrainte, il ferait mine de ne pas s'y intéresser et s'en éloignerait même en se déplaçant aléatoirement.

La ville close des Ovoïdes était propre. Les murs, le plus souvent blancs, ou de couleurs très claires, semblaient tous neufs ou fraîchement ravalés. Les toits, tous verts, turquoise foncé exactement, étaient ondulés et inclinés. Ce qui donnait à penser qu'il devait pleuvoir en dépit du fait que la ville fût enfermée. Les fenêtres étaient la plupart du temps rondes, ou ovales avec leur grand axe horizontal. Elles ne disposaient pas de volets visibles. On y apercevait à l'occasion les occupants des habitations. Ces dernières se présentaient fréquemment sous la forme de tours majoritairement rondes, mais d'autres étaient de section carrée, hexagonale et même octogonale. Elles étaient parfois réunies au milieu de leur hauteur par des formes oblongues. Une grande harmonie se dégageait de l'ensemble, même pour des yeux humains d'une culture solairienne. Il n'y avait pas à proprement parler de rues, car on ne distinguait aucun alignement dans l'agencement des constructions, mais il y avait suffisamment de place entre elles pour circuler confortablement. Aucun véhicule n'était visible ; tous allaient « à pied ». Bartol crut reconnaître certains édifices devant lesquels il était passé lorsque les chasseurs l'avaient conduit dans sa prison. Il prit grand soin de n'avoir l'air de rien, poussant même la feinte de son indifférence jusqu'à s'imposer de marcher lentement, comme s'il flânait, et à s'arrêter par moments pour regarder passer des habitants. Un peu plus loin, il fut pratiquement sûr d'avoir déjà remarqué une sorte de petite place, au centre de laquelle se trouvait un jardin fleuri agrémenté d'une cascade qui tombait dans une étendue d'eau au pied d'un rocher. Il eut de la difficulté à ne pas tenter de s'enfuir. Même s'il parvenait à leur échapper combien de temps resterait-il libre ? De toute façon, la sortie n'était pas encore en vue. Rien ne lui garantissait qu'elle fût vraiment un peu plus loin, dans cette direction qu'il pensait être la bonne. Peut-être se trompait-il. Et même s'il finissait par la trouver, comment être certain que la porte serait ouverte ? Il se contint.

***

Propreté 680, qui tenait la laisse, et Électronique 1012 observaient le comportement de l'humain de luxe.

— Cet animal est vraiment étonnant ! dit Électronique 1012. Il n'est apparemment pas du tout pressé de retrouver son ancien lieu de vie, mais il paraît manifester de la curiosité pour tout ce qui l'entoure, comme s'il n'était pas d'ici. Il n'est pas comme les autres qui tirent sur leur laisse et ne pensent qu'à se nourrir.

— En parlant de nourrir, celui-ci n'a toujours rien mangé.

— Ça ne semble pas du tout le préoccuper.

— Je crois que nous devrions rentrer. L'expérience n'est pas concluante. Il ne nous montera pas où habite son maître.

— Oui, ne le laissons pas trop longtemps dehors, tu as raison. Et puis, il pourrait contracter une maladie. On dit tellement que les humains de race sont fragiles… Je ne voudrais pas que son propriétaire nous reproche d'avoir pris ce risque.

***

Administration 562 regarda une seconde fois l'annonce téléparlique qui disait :

« Un humain de luxe, de race rare, a été trouvé par Électronique 1012. Son propriétaire est invité à se manifester pour récupérer son animal. »

Un court visuel montrait l'humain en question. On le voyait s'agiter derrière les barreaux de sa cage. Administration 562 regarda longuement ces images. Il ne savait pas à qui appartenait cet animal, mais il enviait cette personne. Grand connaisseur et amateur d'humains de compagnie, il en avait huit de très pur pédigrée. Il en avait vu des centaines. Celui-ci était tout à fait étonnant. Et ce qui était véritablement incroyable c'est qu'il n'en eût jamais entendu parler avant cette annonce ! Comment son propriétaire avait-il pu se le procurer et le posséder sans que les milieux avertis fussent au courant de son existence ?

Administration 562 passa fiévreusement plusieurs coups de téléparleur à des amis qui partageaient sa passion. Il découvrit que tous exprimaient un étonnement identique et se posaient les mêmes questions. Les amateurs d'humains de race étaient en pleine effervescence. Deux d'entre eux appelèrent eux-mêmes Administration 562 avant qu'il n'eût eu le temps de les contacter entre deux conversations téléparliques. Tous recoupements faits, il se confirma que jusqu'à ce jour personne n'avait entendu parler de cet animal de luxe là. Et aucun n'en avait déjà vu un lui ressemblant de près ou de loin.

En consultant l'annuaire, Administration 562 eut la satisfaction de constater qu'Électronique 1012 n'habitait pas très loin de chez lui. Bientôt, nombreux seront ceux qui voudront voir ce phénomène, augura-t-il. Aussi, mieux valait-il être parmi les premiers pour éviter la bousculade et sans doute l'agacement d'Électronique 1012. Il regarda une seconde par la fenêtre, se mit en bandeau de soirée et se prépara à y aller. Avant de sortir, il posa une caresse sur la tête de Brave Bête, son humain le plus affectueux.

6. L'étrangeté de ce toucher lui fit immédiatement lâcher prise

Les deux Ovoïdes promenaient encore l'humain, mais ils avaient décidé de rentrer. Au moment où Propreté 680 s'apprêtait à tirer sur la laisse pour faire demi-tour, une connaissance s'arrêta pour les saluer. C'était Jardinage 880, une vieille amie qui employait son temps libre à s'occuper des animaux abandonnés.

— Oh, le bel humain que je vois ! gagatisa-t-elle, en caressant la tête de l'animal de luxe. Il en a de beaux habits ! Il en a de beaux habits ! C'est qu'il est mignon ! D'où sortez-vous cette petite merveille ? Il ne lui manque que la parole ! Mais pourquoi lui mettre une muselière à ce petit chéri ? Il a l'air si gentil !

— Je l'ai trouvé en chassant, dit Électronique 1012, avec une fierté mal dissimulée.

— Ah ! Mais, oui... Il est trop mignon ! Je peux le caresser, ce petit chérubin ?

***

Si, d'une manière générale, il était regrettable pour Bartol de ne pas comprendre le langage lumino-gestuel des Ovoïdes, c'était en l'occurrence une chance inouïe, tant son effort pour rester calme tandis qu'on lui caressait la tête était déjà grand. Alors qu'il en supportait difficilement l'affront, le contact de l'étrange main noire, si l'on pouvait appeler cet organe préhensile ainsi, avait quelque chose qui le faisait frémir. Les douze petites ramifications atteignaient quelque vingt centimètres de long et environ un centimètre de diamètre. Contrairement aux doigts humains, elles avaient toutes la même longueur, n'avaient rien qui correspondait à un ongle et, à l'instar de leur bras, n'avaient aucune articulation précise. Comme des tentacules, elles pouvaient se plier dans tous les sens. La chose passa plusieurs fois dans ses cheveux et lui tapota affectueusement la tête. Si c'était en soi une bonne nouvelle de découvrir qu'il existait au moins une manière commune d'exprimer quelque chose entre les humains et ces êtres, le Marsalè eût préféré s'en apercevoir en d'autres circonstances et d'une autre manière. Le contact était plutôt froid, pas glacé, mais désagréablement frais, assez doux en revanche.

Les longs bras des Ovoïdes semblaient constitués d'une succession de cylindres en dégradé de gris. Cet aspect annelé n'était pas sans évoquer le bambou. Il n'y avait visiblement aucun rapport entre la liaison des tronçons et l'articulation des membres puisqu'ils pouvaient se courber au milieu de l'un d'eux. Ces anneaux semblaient donc n'être que des nuances de couleur de la peau.

Luttant contre son appréhension, Bartol saisit de sa main droite le « poignet » de la créature, pour repousser, le moins brusquement qu'il put, les caresses intempestives de l'Ovoïde trop affectueux. Il sentit dans sa paume une peau très lisse, un peu glissante. L'étrangeté de ce toucher lui fit immédiatement lâcher prise, plus à cause de la surprise et d'un réflexe de protection de son propre épiderme que par réel dégoût.

Son comportement dut être mal interprété, car à peine sa main s'était-elle un court instant refermée autour du bras de l'embarrassant personnage, que ce dernier, prenant sans doute ce contact pour un geste affectueux, redoubla de caresses et de tapotements de tous les côtés à l'aide de ses deux membres et ses vingt-quatre doigts. Bartol, au supplice, se débattit subitement pour éviter ces attouchements qui le faisaient frémir de la tête aux pieds. Il fit brutalement quelques pas en arrière. C'est alors qu'il se rendit compte avec stupeur que sa laisse n'était plus tenue à son autre extrémité. Son brusque mouvement l'avait libéré.

Il est des actions dans lesquelles on se lance sans réfléchir, pour la bonne raison que les circonstances ne nous en offrent pas le temps. C'est ainsi que, sans vraiment le décider, le Marsalè s'élança droit devant lui aussi vite qu'il le put. Au bout de plus d'une minute de course effrénée, la sortie n'était toujours pas en vue. Il eut la rapide conviction qu'il s'était perdu ; en tout cas, il ne reconnaissait plus rien. Ce n'était pas le moment de faire demi-tour pour retrouver ses repères, mais il jeta un œil derrière lui pour voir s'il était poursuivi. Oui. Il l'était. Ce constat dut décupler ses forces, car il parvint à accélérer encore un peu. Électronique 1012 et Propreté 680 étaient à ses trousses, paraissant glisser sur leurs centaines de pattes filiformes comme sur des coussins d'air.

Tout en courant à se briser les jambes, il porta les mains à son cou et tâtonna, jusqu'à sentir ce qu'il cherchait : le système de fixation qu'il avait entraperçu quand on l'avait attaché. C'était une sorte de mousqueton muni d'un loquet de sécurité empêchant qu'il s'ouvre trop facilement. Il ne lui fallut que deux secondes pour se débarrasser de la laisse qu'il jeta.

Certains Ovoïdes se retournaient sur son passage, mais fort heureusement aucun n'intervenait. Se voyant perdu, car ses poursuivants semblaient plus rapides que lui, il prit encore une fois une de ces décisions que l'on prend si vite qu'on a la nette impression que ce sont plutôt elles qui happent notre esprit : au détour de l'angle d'une construction, hors de vue de ceux qui étaient sur le point de le rattraper, il s'engouffra à l'intérieur d'une habitation.

Le violent effort qu'il venait de fournir avait à tel point consommé toutes ses ressources, qu'il fut incapable de se rendre compte de ce qu'il y avait autour de lui. Épuisé, il s'écroula à quatre pattes, haletant, tempes battantes et membres tremblants. Deux choses seulement avaient de l'importance en ce moment pour lui : boire et se reposer.

Les yeux dirigés sur le sol entre ses deux mains, il essayait de reprendre son souffle, quand la luminosité chuta dans un claquement. Il comprit que quelqu'un venait de refermer la porte derrière lui, mais n'eut pas la force de se retourner pour le vérifier. À moins qu'elle ne se fût refermée seule, mais c'était peu probable. Il bascula sur les genoux. Assis sur ses jambes repliées, les mains en appui sur les cuisses, la respiration encore bruyante, il regarda autour de lui. À droite, juste à côté de lui, un mur en bois. Tous les murs étaient de bois. À gauche, il vit un Ovoïde s'éloigner silencieusement sur sa touffe renversée de fils ondulants. Il n'eut pas la force de se lever pour s'enfuir à nouveau. De toute façon, la créature venait d'entrer dans une autre pièce et elle continuait à s'éloigner, alors… En face, la pièce se prolongeait. C'était seulement un large couloir, apparemment. Deux portes ouvertes dans son mur droit. Au fond, une autre porte, fermée celle-là. Contre la cloison gauche de cette pièce s'élevait un escalier assez large, mais avec un très grand nombre de petites marches ; elles devaient à peine faire trois centimètres de haut. Bartol comprit qu'il était conçu pour les pieds filiformes des Ovoïdes.

Un mouvement sur le bord gauche de son champ de vision lui fit brusquement tourner la tête. Un Ovoïde approchait. Était-ce celui qu'il avait vu partir tout à l'heure ou en était-ce un autre ? Il n'aurait su le dire. L'idée de fuir qui lui traversa l'esprit le redressa un peu. Très peu en fait ; il ne fit qu'enlever les mains en appui sur ses cuisses pour relever son buste, mais il resta assis sur ses jambes repliées. Fuir pour aller où ? Dans une autre pièce ? La belle affaire ! Dehors ? Il n'était même pas certain d'avoir la force d'ouvrir la porte pour sortir.

Il regarda l'occupant des lieux approcher lentement. L'être portait quelque chose. C'était un objet cylindrique blanc. Bartol resta immobile, tâchant de fixer cette forme d'existence dans ses yeux perchés au bout de ses longs pédoncules. Il essaya de lire des intentions, des émotions ou quelque sentiment dans ce regard si éloigné de celui des humains. La créature s'arrêta à moins d'un mètre du Marsalè et fit une chose étrange : elle plia ses fils locomoteurs de façon à s'incliner vers lui. Bien qu'il eût depuis longtemps remarqué que ces jambes-là ne possédaient pas d'articulation, Bartol eut malgré tout l'impression que c'était sa manière à elle de se mettre à genoux.

Vus de si près, ses yeux saillants avaient quelque chose d'hypnotique dans leur fixité. Ils étaient manifestement dénués de paupières. Noirs, très noirs. Et brillants, très brillants. Ils paraissaient être à quelques millimètres de profondeur dans un ovale bleu foncé juché à l'extrémité du pédoncule. Comment lire dans un tel regard ?

Un long bras flexible lui tendit le cylindre gris. C'était un récipient plein d'eau. Bartol le saisit, hésita à peine une seconde et le porta à sa bouche.

7. La créature fit un geste devant l'appareil

Le récipient ne rencontra pas ses lèvres. Bartol avait complètement oublié qu'un objet lui couvrait la bouche. À peine eut-il le temps de s'en morfondre. Il essayait de se l'enlever quand d'un mouvement d'une rapidité et d'une dextérité inouïe, douze ramifications digitales le débarrassèrent de cette muselière. Le geste avait été si prompt qu'on eut dit que la chose avait simplement et subitement disparu. Mais, elle était bien à présent dans la main de l'Ovoïde.

Sans attendre, Bartol but goulûment. Il se désaltéra en plusieurs étapes, devant s'arrêter de temps en temps pour respirer deux secondes. Quand il eut vidé le récipient, il le tendit machinalement à son bienfaiteur qui le reprit. Un des doigts de ce dernier effleura la main de Bartol. Cette fois, ce contact, toujours aussi frais et lisse, ne lui provoqua pas un réflexe de répulsion incontrôlable. Son hôte raidit ses fils porteurs pour se relever et repartir dans la pièce voisine, fort probablement dans l'intention de retourner chercher de l'eau. L'effort fourni par Bartol avait été très violent, mais relativement court. Ses muscles commençaient déjà à donner quelques signes de bonne volonté. Quand l'Ovoïde revint, le Marsalè était tout à fait redressé, les jambes toujours molles, mais debout. La créature lui tendit de nouveau ce qu'il y avait tout lieu d'appeler un verre, ou un gobelet. Le Terrien le prit et but encore, plus calmement cette fois, en s'arrêtant toutes les trois ou quatre gorgées pour observer l'habitant de ce lieu.

Ses petites antennes bougeaient ; leurs extrémités changeaient sans cesse de couleur, clignotaient ou variaient plus lentement d'intensité lumineuse. Grâce à la persistance rétinienne,
Bartol pouvait voir toute sorte de figures luminescentes se
former. Des cercles, des spirales, des huit, des boucles et toutes
sortes d'arabesques fantastiques semblaient sur le point de
l'hypnotiser. Ces fascinants motifs psychédéliques baignaient
dans leur stupéfiant halos brumeux. Il eut la conviction que la
créature lui parlait. C'était d'une évidente clarté !

Que me veut-elle ? se demanda-t-il. Me considère-t-elle
comme un être intelligent avec lequel elle tente de communiquer, d'une certaine manière d'égal à égal ? Ou me parle-t-
elle, comme moi-même et mes semblables nous nous adressons
à un chien pour le flatter ou le calmer ? Comment le deviner
dans ce charabia coloré, bien joli, mais incompréhensible ?

Le corps ovoïde de ces créatures était lui aussi d'une apparence des plus étranges. Bleu clair dans sa masse, il présentait
un aspect translucide qui laissait voir une forme rouge à l'intérieur et sa surface était couverte d'une petite granulation claire.
Bien que le moment fût peu propice à la curiosité, ou à l'émer-
veillement, Bartol éprouva une forte fascination en réalisant à
quel point ces êtres étaient différents de lui, en se demandant
de quel monde tournant autour de quelle étoile ils étaient originaires.

Pour l'instant, celui-ci ne semblait en tout cas pas déterminé
à lui nuire. Le Terrien lui rendit le gobelet vide en s'interro-
geant. Comment faisait-il pour boire, lui ? Buvait-il ? Où sa
bouche se trouvait-elle, ou du moins l'orifice qui correspondait à
une bouche ? Mais ces questions ne le préoccupèrent qu'un bref
instant ; son attention fut vite portée sur la découverte de l'intérieur de cette habitation. Alors qu'il tournait les yeux à droite et
à gauche, l'être tendit doucement un bras pour approcher sa

main de son cou. Bartol se figea et fixa les motifs lumineux des organes de communication. Le mouvement était lent. L'être lui parlait en faisant cela. L'humain fit un effort pour ne pas reculer. Il sentit bientôt le contact froid sur la peau de son cou. Cela ne dura que deux secondes, sans doute moins même. Il se sentit libéré de quelque chose qui le gênait, comme un col un peu trop serré. Le bras se rétracta. Bartol vit le collier de la laisse dans la main de l'Ovoïde.

— Merci ! dit-il, convaincu qu'il ne pouvait être compris, mais également convaincu que ça ne coûtait rien d'exprimer malgré tout sa reconnaissance.

Les petits tentacules lumineux se tortillèrent en clignotant, dessinant des sinusoïdes en trait pointillé. Il me parle bien, lui ! se dit le Marsalè.

— Merci pour tout, vraiment, grande géanture ! ajouta-t-il.

L'Ovoïde lui tourna le dos, pour autant qu'on pût prétendre qu'il en avait un, et s'éloigna vers les marches qu'il commença à gravir.

— Euh… fit Bartol, tu me laisses tout seul ?

Mais à mi-hauteur de l'escalier, le singulier personnage s'était à moitié retourné. Il paraissait attendre l'humain.

— Tu m'invites ? demanda Bartol.

Comme son hôte ne changeait pas d'attitude, qu'il restait parfaitement immobile, mis à part ses pédoncules de communication qui ne cessaient de s'activer, Bartol se décida à le suivre.

— Drôle de mecdule ! s'exclama-t-il en posant la main droite sur la rampe qui semblait en bois. Tu es un géantissime bavard, géante géanture ! Mais je ne comprends absolument rien à ce que tu me racontes, tu sais… Alors comme ça vous usinez le bois, vous aussi ! J'en suis presque déçu. Avec la tête que vous avez, je m'attendais à plus d'exotisme !

En fait d'escalier, pour Bartol ça ressemblait presque à un plan incliné rainuré horizontalement, tant les marches étaient petites. Il ne lui était en tout cas pas possible de poser un pied entier sur une seule d'entre elles. En dépit de cela, il parvint à monter sans trop de difficultés. L'Ovoïde se remit à progresser dès qu'il vit l'humain le suivre.

Qu'a-t-il donc en tête ? s'interrogea ce dernier. Où est sa tête, au fait ? Certainement quelque part en haut, sous ses quatre antennes. À moins que je me pose une question idiote. Un peu comme s'il se demandait où sont mes propres antennes de communication. En tout cas, j'espère qu'il ne m'invite pas pour un repas. Le sien. Je n'ai pas envie d'entrer dans sa marmite. Disparaître dévoré par un œuf ! Cauchemardesquation ! C'est certainement la mort la plus ridicule !

Arrivé à l'étage supérieur, l'humain découvrit une vaste salle, aux murs, sol et plafond en bois, au centre de laquelle se trouvait une table des plus ordinaire. Il en fut presque désillusionné, avant de se dire qu'il n'y avait pas un grand nombre de manières de concevoir un plan surélevé pour y faire quoi que ce soit plus commodément qu'au sol. Autour de cette table, on pouvait voir ce qui était sans doute l'équivalent de chaises pour des humains. Ces meubles ressemblaient à des tabourets dont le siège serait très creux. L'humain eut un petit sourire en réalisant qu'ils n'étaient pas sans évoquer de gros coquetiers.

Trois fenêtres éclairaient cette pièce. L'Ovoïde ferma les rideaux de chacune. Bartol eut la conviction qu'il prenait cette précaution pour éviter qu'on ne le vît de l'extérieur, lui, le fugitif. Distrait par tout ce qu'il venait de vivre à l'instant même, il avait momentanément oublié ses poursuivants, mais cela le lui rappela et il se demanda s'ils le cherchaient toujours ou s'ils avaient abandonné la traque.

Outre la table qui n'avait donc rien d'extraordinaire, on voyait aussi, appuyé sur un des murs, un meuble qui eût pu également équiper une habitation humaine. Seule sa taille, adaptée à la hauteur des Ovoïdes, le rendait quelque peu inhabituel. Comme la table et la rampe de l'escalier, il était de toute évidence en bois clair. Le besoin de maintenir au moins un semblant de dialogue poussa le Marsalè à commenter :

— Encore du bois ! Décidément, tu ne fais pas autant d'efforts pour me surprendre avec ton intérieur qu'avec ta propre apparence !

Sur une des étagères de cette sorte de buffet se trouvait un appareil qui en revanche étonna fort Bartol. Figurons-nous un cube d'un mètre de côté environ, uniquement représenté par ses arêtes formées par des tiges transparentes, des tiges d'un demi-centimètre de diamètre, pas plus. L'ensemble était fait d'une matière qui faisait penser à du cristal. Mais de cristal souple, car, à l'avant, au centre de l'arête supérieure, s'agitaient deux petits cylindres flexibles qui ressemblaient fort aux pédoncules de communication des Ovoïdes. Mis à part le fait qu'elles fussent transparentes, on eût dit celles de son hôte, et, tandis qu'elles s'animaient, leurs extrémités étaient tout aussi bavardes.

La créature fit un geste devant l'appareil. Une image en trois dimensions apparut dans son cube. Bartol sursauta. Il se vit nu dans la cage de ceux qui l'avaient capturé. Un plan montra également ses vêtements et ses chaussures. Il réalisa qu'il s'agissait d'un communiqué de recherche qui signalait sa disparition et que son hôte lui faisait comprendre qu'il était au courant. Au lieu de s'en effrayer, il en éprouva de la satisfaction. Il semblait enfin que quelqu'un ici supposait qu'il était suffisamment intelligent pour comprendre et peut-être pour communiquer.

8. Tu me l'as enlevé de la bouche, grande géanture !

Quand Administration 562 arriva devant la demeure d'Électronique 1012 et Propreté 680, il constata que quelqu'un l'avait déjà devancé, quelqu'un qu'il connaissait. Un amateur, comme lui.

— Bonjour, Énergie 843 ! dit-il. Tu as été plus rapide que moi !

— Bonjour, Administration 562. Oui, je suis venu dès que j'ai reçu l'annonce, dans l'intention d'être le premier, mais peine perdue, il n'y a personne.

— Ah ! C'est ennuyeux... Ah, mais tiens, voilà quelqu'un qui approche. Ce sont peut-être eux ! À moins qu'il ne s'agisse d'autres amateurs comme nous qui voudraient voir le phénomène.

— Non, ce sont bien eux. J'ai regardé leur photo dans l'annuaire avant de partir.

— Ah ! C'est une heureuse chose que nous puissions les rencontrer avant que tous les autres arrivent ! Mais... je leur trouve un air bien préoccupé.

En effet, les propriétaires des lieux approchaient, la mine visiblement abattue. Comme il était là avant lui, Administration 562 laissa Énergie 843 leur parler le premier :

— Bonjour Propreté 680 et Électronique 1012 ! dit ce dernier. Je m'appelle Énergie 843 et je suis venu après avoir reçu l'annonce concernant l'humain que vous avez trouvé.

— Bonjour Énergie 843, répondit Électronique 1012. Es-tu son maître ?

— Non, non... mais, j'aimerais beaucoup le voir de près si c'est possible.

Comme les yeux des deux arrivants se tournaient à présent vers lui, Administration 562 déclina son identité et expliqua qu'il était là pour demander la même faveur.

Très embarrassés, Électronique 1012 et Propreté 680 se consultèrent un moment du regard.

— Je pense que ce ne sera pas possible, dirent finalement les antennes de Propreté 680.

— Nous sommes vraiment désolés, affirmèrent celles d'Électronique 1012, mais nous ne pourrons le montrer qu'à son maître.

Les deux amateurs d'humains de luxe affichèrent une attitude désappointée.

— Bonjour ! lança un cinquième personnage en arrivant à toutes jambes, expression prenant une signification particulière quand on en possède autant !

Tous les regards se tournèrent vers lui.

— Je suis Métallurgie 2007, ajouta-t-il. Je souhaiterais parler à Électronique 1012 ou à Propreté 680.

— Je suis Électronique 1012. Tu veux certainement voir l'humain perdu, n'est-ce pas ?

— Oui, c'est tout à fait cela !

— Ce sera malheureusement impossible ! Je disais justement que nous ne le montrerons qu'à son maître.

— Mais, je SUIS son maître ! affirma le nouveau venu. Je suis désolé d'avoir mis tout ce temps à me manifester et je vous suis extrêmement reconnaissant de l'avoir retrouvé. Puis-je le voir ?

***

Après avoir regardé l'annonce qui parlait de sa disparition, Bartol fit cinq pas le long de la table et tenta de vérifier dans l'attitude de son hôte s'il lui était permis de visiter les lieux. Celui-ci ne fit rien d'autre que diriger ses yeux vers lui. Prenant cette conduite pour un consentement, le Marsalè se remit en mouvement. Il s'approcha d'une fenêtre et voulut légèrement écarter le rideau pour jeter un œil à l'extérieur, en bas. La créature l'avait rejoint si silencieusement qu'il ne s'en était pas aperçu. Elle interrompit son geste. Il sentit quelque chose de frais s'enrouler autour de son poignet et bloquer son bras sans violence, mais avec fermeté. Une fermeté qui lui confirma qu'il était très loin d'être de taille à lutter physiquement contre un Ovoïde adulte.

— D'accord ! dit-il. Tu ne veux pas que je me fasse repérer. Mais, j'avais dans l'idée d'être prudent, tu sais ! Je n'ai pas du tout envie qu'on me retrouve, moi non plus. Je ne souhaite pas retourner en cage, grande géanture !

La main à douze doigts lâcha le poignet de Bartol pour écarter le rideau d'un centimètre à peine, aussi discrètement que le Marsalè s'apprêtait à le faire, en fait. Ce qu'il ne put s'empêcher de dire :

— Oui, ben… Je ne l'aurais pas écarté davantage, mon brave œuf !

Il n'y avait apparemment aucune agitation particulière dans les environs.

— Euh… personne ne m'a vu entrer ici, semble-t-il. Je ne sais pas quelles sont tes réelles motivations, mais, si tu n'as pas l'intention de me consommer, j'aurais chez toi un moment de répit. Je ne vois pas encore comment je vais pouvoir quitter ce patelin, mais je pourrais au moins y réfléchir plus sereinement que dans une cage qui renifle à te faire tomber le nez !

Pour toute réponse, il y avait de fortes chances pour que cela en fût une, l'Ovoïde fit bouger ses pédoncules qui devinrent rouges chacun leur tour. On eût dit une braise qui passait rapidement de l'un à l'autre.

— Bien sûr, bien sûr ! s'exclama Bartol. Je vois ce que tu veux dire…

Regardant, par la fine ouverture du rideau, un Ovoïde qui promenait son humain en laisse, le Marsalè ajouta songeur :

— Tu ne m'as pas l'air trop antipathique, pour l'instant du moins, mais j'avoue que tous tes petits copains… J'aurais du mal à le fréquenter par pur plaisir.

Il s'éloigna de la fenêtre pour s'intéresser au reste de l'intérieur. Près d'un mur, il vit quelque chose qui ressemblait à une large colonne cristalline dont la surface miroitait. Le Terrien s'en approcha, suivit par l'Ovoïde. Le cylindre transparent devait faire quelque quatre mètres de diamètre. Sortant d'un fin cercle apparemment métallique posé sur le plancher, il montait jusqu'au plafond, à six mètres de hauteur environ. Toute sa surface était parcourue par des ondulations. Cette chose faisait penser à une matière plastique transparente et souple contenant de l'eau qui s'agiterait pour quelque mystérieuse raison. Mais si cette matière est suffisamment molle pour laisser des vagues se former, comment peut-elle retenir une telle masse sans s'étirer ? se demanda Bartol. Il voulut machinalement toucher sa surface d'un index interrogatif, mais à sa grande surprise son doigt ne rencontra pas le contact attendu. Au lieu de ça, il entra dans l'élément comme s'il s'enfonçait verticalement à travers la surface d'une étendue d'eau. Cette colonne n'avait apparemment pas de contour matériel pour retenir le fluide. C'était tout simplement un cylindre d'eau.

Bartol plongea sa main dedans et la ressortit sèche. Une mystérieuse chose confinait le liquide à l'intérieur de ce volume sans paroi matérielle décelable. Il adressa un regard à l'Ovoïde :

— Quelque chose me dit que tu es content de mon étonnement et que tu fais même un peu l'intéressant, là. Euh... Pas mal pour un œuf ! Je dois reconnaître que vous possédez une certaine technologie... Je me demande comment le plancher supporte un tel poids. Sans subir de dommages dus à l'humidité, en plus ! Et, mais qu'est-ce que tu fais !?

La créature venait d'enlever son vêtement, un bandeau bleu turquoise avec des rayures noires.

— Holà ! euh... Grande géanture ! Tu ne comptes pas avoir des relations sexuelles avec moi, j'espère !

Les antennes de l'Ovoïde parurent ignorer la remarque du Marsalè. Il laissa son habit sur le sol et entra entièrement dans l'eau. Presque entièrement, en fait ! En effet, seuls les deux longs pédoncules oculaires restèrent à l'extérieur pour regarder l'humain interdit.

— D'accord, Œuf Affable ! Je suis plutôt impressionné, j'avoue.

Comme s'il avait compris et qu'il voulait en rajouter, l'Ovoïde fit quelques gestes de ses grands bras et ses jambes fili-formes s'animèrent d'ondulations vibratoires. Tandis que ces mouvements le faisaient monter dans la colonne, ses yeux qui dépassaient toujours de l'élément liquide restèrent fixés sur Bartol. Il redescendit bientôt en inversant le sens des ondula-tions de ses filaments et sortit de l'eau.

— Bien, bien ! dit Bartol. J'espère que tu ne m'en voudras pas, mais je n'ai pas vraiment le temps de te regarder prendre des bains. Il faut que je trouve un moyen de partir d'ici.

Les organes de communication s'enroulèrent l'un autour de l'autre, se déroulèrent pour s'enrouler à nouveau dans l'autre sens trois ou quatre fois en changeant chaque fois de couleur.

— Tu me l'as enlevé de la bouche, grande géanture ! rétorqua le Marsalè. J'étais sur le point de te le dire… Mais que !… Que, qu'est-ce que mais… ?

Cela avait été si rapide qu'au moment où l'humain réalisa que l'Ovoïde venait de le toucher, il constata en même temps qu'il était nu. Voyant ses vêtements dans les mains de son hôte, il hurla :

— Non, géant cauchemardage ! Je ne veux pas m'accoupler avec toi !

9. Vous prendrez bien un petit lichen ?

Électronique 1012 et Propreté 680 eurent le plus grand mal à dissimuler leur embarras. Ils semblaient s'être tous les deux figés dans un mutisme inattendu et incompréhensible qui s'éternisait, comme s'ils eussent soudainement été frappés par une étrange maladie.

Ce fut Électronique 1012 qui sortit du silence la première :

— Métallurgie 2007, dit-elle d'un mouvement des pédoncules altéré par la gêne, entre.

Puis s'adressant aux autres :

— Excusez-moi...

Ils se reculèrent poliment pour laisser passer les propriétaires des lieux et Métallurgie 2007 qui avait l'air très satisfait.

Après avoir soigneusement refermé la porte, Électronique 1012 fit signe à ce dernier de la suivre. Au lieu de le faire entrer dans le local des humains, elle l'invita dans son salon.

— Pose-toi, lui dit-elle, lui désignant le centre de la pièce occupé par la traditionnelle table entourée de tabourets.

Comme Bartol l'avait remarqué, ces « tabourets » étaient très creux, car évidemment conçus pour le confort des Ovoïdes. Métallurgie 2007 parut surpris et hésita un moment avant de « s'asseoir ». Ainsi installé, le centre inférieur du corps d'un Ovoïde s'enfonçait légèrement dans la concavité rembourrée des sièges. D'aucuns verraient dans cette partie de leur corps l'équivalent de leurs fesses, mais ce serait une comparaison anthropomorphique, arbitraire et douteuse. Les filaments locomoteurs, qui pendaient tout autour du tabouret, faisaient penser à un rideau de fils.

Il y eut un moment de flottement durant lequel Propreté 680 et Électronique 1012 échangèrent quelques regards.

— Tu prendras bien un petit lichen ? proposa Électronique 1012, en posant au centre de la table un bocal transparent à demi plein d'objets ayant l'apparence de petites pommes de terre fripées, puis, devant son invité, quelque chose qui ressemblait à une soucoupe.

— Merci, mais… essaya de répondre Métallurgie 2007, je ne suis pas venu pour ça…

Comme si elle n'avait pas remarqué sa tentative de refus, Électronique 1012 utilisa une sorte de carafe pour mettre un peu d'eau dans la soucoupe.

La traduction du langage des Ovoïdes en langue humaine solairienne ayant ses limites, il devient inévitable en ce point du récit d'expliquer la signification du mot « lichen » dans ce contexte. Il est tout à fait inenvisageable d'écrire phonétiquement un mot qui ne se formule qu'avec des gestes et des changements de couleurs. Chaque fois que c'est possible, la traduction utilise le mot humain rattaché au concept comparable dans le système linguistique des Ovoïdes. Mais il y avait chez ces derniers nombre de choses qui n'existaient pas chez les humains solairiens. C'est le cas de ce que la traduction essaie de restituer avec le terme « lichen ». « Vous prendrez bien un petit lichen ? » s'efforce de faire une analogie avec l'équivalent culturel de : « Vous prendrez bien un petit verre ? », bien qu'il ne s'agît nullement de boisson.

Dans le monde des Ovoïdes, se développaient sur le tronc de certains arbres des organismes qui, comme les lichens, étaient une association entre une algue et un champignon, mais qui en plus vivaient en symbiose avec un petit animal de la taille d'une souris. Ce petit animal se nourrissait de cette sorte de lichen en consommant une partie de sa masse. En échange, il le défendait contre les parasites et le transportait dans l'arbre pour le placer dans les conditions d'humidité et d'exposition à la lumière les plus favorables pour lui.

Il est impossible de donner le nom de cet organisme, ni celui de son compagnon, car il n'existait et il n'existe toujours rien d'approchant chez les Solairiens. Le seul moyen qui permettrait de le faire serait de décrire les mouvements et les changements de couleurs aux extrémités des pédoncules de communication des Ovoïdes. Comment cela pourrait-il être conçu comme un mot, par un humain ?

Ces « lichens » avaient plus ou moins la forme de petites boules cabossées. Les Ovoïdes avaient coutume de les cueillir pour les faire sécher puis de les conserver dans un bocal. Dès qu'on réhydratait ces organismes, chacun d'entre eux émettait d'étonnantes combinaisons de couleurs luminescentes qui variaient sans cesse. Pas un n'offrait le même spectacle. Les Ovoïdes, dont le système de communication était en très grande partie basé sur les modulations des couleurs, appréciaient ses attractions jusqu'à l'équivalent pour eux de l'ivresse. Mais, une fois réhydratée, la chose ne restait en vie que quelques minutes, loin de son petit compagnon animal et de son arbre. D'une certaine manière, le moment convivial que passaient les Ovoïdes entre eux à observer un « lichen » était comparable à celui que vivaient les humains autour d'une bonne bouteille.

— Je vous remercie, répondit Métallurgie 2007, c'est vraiment très aimable de m'accueillir ainsi, toutefois je préférerais le voir tout de suite.

Électronique 1012 ouvrit le bocal et le pencha vers lui.

— Faites votre choix, lui dit-elle.

Devant l'air ennuyé, presque exaspéré, de Métallurgie 2007, elle ajouta :

— Ce sont des « sur arbres blancs en bordure d'étang » !

Ce qui était en quelque sorte l'équivalent culturel de : « C'est la meilleure année d'un excellent cépage ».

— Je voudrais le voir, répondit Métallurgie 2007, sans toucher aux lichens.

— Nous allons en parler… Nous allons en parler…

— Il s'est enfui, intervint Propreté 680. Nous en sommes désolés.

Les antennes de Métallurgie 2007 s'enroulèrent pour former deux anneaux vus de face tandis qu'il répéta :

— Enfui !?

— Oui, avoua Électronique 1012. Il n'est plus avec nous. Il nous a échappé, en effet.

— Mais quand cela s'est-il passé ? Quand et où ? Pourquoi n'avoir pas dit cela dans l'annonce qui vient à peine d'être diffusée ?

— Nous l'avons perdu à l'instant même. Nous étions en train de le chercher quand vous nous avez vus revenir. Et puis, ce n'est pas nous qui avons passé l'annonce, mais Sécurité 127. Il n'est pas encore au courant puisque votre humain vient de nous échapper.

— Comment est-ce arrivé et où ?

Électronique 1012 et Propreté 680 lui expliquèrent tout.

— Pas un mot à qui que ce soit de tout ce que vous venez de me raconter, dit Métallurgie 2007. Allons ensemble à l'endroit où vous l'avez vu pour la dernière fois. Tout à l'heure, en sortant, si les autres sont encore là, faisons comme s'il était toujours chez vous. Nous prétexterons que je vous en confie la garde pour un moment encore.

Électronique 1012 et Propreté 680 furent un peu étonnés par cette réaction, mais, ne sachant pas vraiment à qui ils avaient affaire, ils préférèrent garder un profil bas et faire montre d'acceptation.

— Où a-t-il disparu à vos yeux, alors ? demanda Métallurgie 2007.

— Pas loin du bâtiment de la direction de l'eau, dit Électronique 1012.

— Bien. J'ai changé d'avis, n'y allons pas ensemble. Donnons-nous rendez-vous là-bas. J'ai peur qu'on trouve ça louche de nous voir partir tous les trois et que l'on nous suive. J'irai le premier et je vous y attendrai. Ne tardez pas, car plus le temps passe et moins nous aurons de chances de le retrouver.

10. Vous mentez tous les deux !

L'Ovoïde poussa doucement Bartol vers le cylindre liquide.

— Ah, tu veux que je prenne un bain… mais c'est que j'ai d'autres préoccupations… C'est qu'il insiste, le mecdule !

La créature venait d'entrer de nouveau dans l'eau. Tenant l'humain par la main, elle l'entraînait avec lui. Le Marsalè n'eut pas la possibilité de protester bien longtemps, car nul homme ne sait parler entièrement immergé. Les yeux écarquillés dans l'élément liquide, il tenta de voir l'Ovoïde au-dessus de lui. Il se sentit tracté vers le haut. Une poignée de secondes plus tard, il atteignit la surface supérieure de la colonne et sa tête émergea. Regardant autour de lui, il découvrit que tout se passait comme s'ils émergeaient d'un puits débouchant sur une terrasse. L'Ovoïde, qui lui avait lâché la main, sortit de ce puits et eut une attitude donnant l'impression qu'il attendait que l'humain en fît de même. Bartol appuya ses coudes sur le rebord et prit pied à son tour sur la terrasse. Celle-ci était assez vaste. Son sol était fait d'une matière jaune très clair, lisse et un peu caoutchouteuse. Un mur de deux mètres de haut en faisait le tour.

— Peu commun, ton ascenseur aquatique, Œuf Affable ! Peu commun, grande géanture !

Œuf Affable gesticula des antennes en faisant clignoter la gauche. Une bosse en forme de petite colline très arrondie s'élevait au centre de ce lieu. Cette chose avait approximativement la taille d'une grande maison. D'une grande maison d'humains de deux étages. Couverte d'herbe et d'arbrisseaux, elle rappelait la ville fermée vue de l'extérieur. Sur un rocher attenant à cette éminence, une porte en augmentait encore la ressemblance.

Œuf Affable se dirigea justement vers cette dernière, l'ouvrit et regarda le Terrien pour l'inviter à le rejoindre.

— Il faut que je vienne avec toi, dans cette maquette de ta ville ? Que veux-tu m'y montrer ? Qu'est-ce que je vais y trouver, des bestiaux comme toi, mais en miniature ?

L'Ovoïde garda les antennes muettes, mais son attitude n'était pas équivoque.

— Bien, bien, j'arrive, mille grandes géantures ! Tu es plus têtu qu'une mule ! Ça te paraîtra peut-être stupide, mais nous, les humains, de là où je viens en tout cas, nous ne nous sentons pas très bien complètement nus devant le premier venu. Fût-il un œuf très gentil ! C'est certain que c'est difficile à expliquer rationnellement, mais c'est comme ça ! Tu cerveautes ce que je te dis ?

En parlant ainsi pour tromper son embarras et combler la vacuité de sa réserve d'idées pour quitter les Ovoïdes, Bartol rejoignit son hôte et le suivit dans l'ouverture du rocher. Un court tunnel les conduisit à l'intérieur de ce qui ressemblait à une habitation pour Ovoïde. Il y avait manifestement plusieurs pièces, mais celle dans laquelle il était contenait une table avec le même type de tabourets, déjà vus en bas, autour d'elle. Un meuble du genre buffet contre un mur… Rien de vraiment nouveau.

— Tu as une maison sur ta maison, d'accord, c'est géantissime. M'as-tu fait monter ici pour me montrer ça ?

La créature dit un certain nombre de choses avec des antennes visiblement très volubiles, puis avant que Bartol n'eût le temps de pressentir ce qui allait se passer, elle s'éloigna, sortit et ferma derrière elle.

— Hé là ! hurla l'humain en courant cogner des poings et du pied sur la porte. Holà, Visquerie d'Œuf Affable ! Ne m'enferme pas, oh !

Il eut beau crier et taper, la porte demeura close. La défoncer, la briser, le Marsalè l'eût fait avec plaisir, mais c'était un grand panneau en bois sombre, très épais, suffisamment solide pour que les coups du Marsalè ne le fissent même pas légèrement trembler.

De toute évidence, il était prisonnier. Ça lui parut tout à fait incongru de penser à cela dans le contexte présent, mais il fut chagriné de constater que se sentir nu le rendait psychologiquement plus faible. De plus, une forte envie d'uriner venait augmenter l'inconfort de sa situation.

Je ne vais tout de même pas pisser par terre ! se dit-il.

Être sous le joug de problèmes si simples, si basiques, si ordinaires dans une position si peu commune renforça l'impression de ridicule qu'il se mit à ressentir vis-à-vis de lui-même. Il eut une pensée pour l'Éternelle.

Si elle me voyait ! se mortifia-t-il. Son grand séducteur ne sait pas où faire pipi…

***

Au rez-de-chaussée, Œuf Affable sortit sur le seuil de sa demeure et regarda un moment les trois individus qui discutaient avec un de ses voisins, quatre maisons plus loin. Il referma la porte et s'approcha d'eux.

— Bonjour ! leur dit-il, je suis Eau 631. Ne seriez-vous pas à la recherche de cet humain de luxe dont on parle ? J'ai vu l'annonce et je me demandais…

— Bonjour, répondit précipitamment l'un d'eux. Je suis Métallurgie 2007. Oui, effectivement, nous le recherchons. Je suis son maître. L'avez-vous aperçu ?

Eau 631 constata que tous étaient suspendus à ses pédoncules, même son voisin était visiblement intéressé.

— Bien sûr, il est passé tout près de moi, affirma Eau 631.

— Où est-il ?

— Je ne sais pas. Mais je l'ai vu fuir par là.

Les yeux se tournèrent dans la direction indiquée par l'antenne gauche d'Eau 631.

— Je ne comprends pas ! C'est étonnant ! intervint Électronique 1012, car nous étions sur le point de le rattraper quand il a disparu soudainement au détour de cet angle là-bas. S'il avait continué dans le sens que tu nous montres, nous l'aurions remarqué.

— C'était toi qui étais à ses trousses ? s'informa Eau 631.

— Oui, moi et mon compagnon Propreté 680. Aucun de nous deux ne l'a vu fuir dans cette direction.

— Pensez-vous tous les deux que je mente ?

— Euh… firent les pédoncules de communication d'Électronique 1012, un peu décontenancée qu'elle était par le ton abrupt de la question.

— Nous ne pensons pas que tu mentes, dit Propreté 680 pour venir en aide à sa compagne, mais…

— Et bien, moi, je le soupçonne fort, que vous mentez tous les deux !

Propreté 680 et Électronique 1012 en bégayèrent des antennes.

— Tu penses que nous mentons ? réussirent à articuler celles de Propreté 680 au bout de deux secondes.

— Bien sûr ! Je trouve que cette hypothèse est fort probable. Vous mentez parce que vous avez certainement simulé cette évasion pour garder l'humain de Métallurgie 2007 pour vous-mêmes. Un de vos complices aura récupéré le malheureux animal à quelques pas de là, un peu plus loin.

Métallurgie 2007 regarda Électronique 1012 et Propreté 680 d'un air suspicieux.

— Vous prétendez que l'humain n'a pas pu poursuivre sa course dans cette direction, ajouta Eau 631, car cela n'aurait pas pu vous échapper. Mais, moi, je vous maintiens que je l'ai vu. Il n'avait même pas de laisse !

— C'est exact ! intervint une Ovoïde qui, attirée par l'attroupement, était venue se rendre compte de ce dont il s'agissait. Oui, c'est vrai. J'habite quelques maisons avant et j'ai vu l'animal détaler sans laisse.

— Ah, vous entendez ça ! s'exclama Œuf Affable. Sans laisse, comme je vous le disais ! C'est un peu louche tout ça…

— Justement, nous avons retrouvé la laisse derrière lui en le poursuivant, expliqua Électronique 1012.

— Bien sûr ! Dites-nous qu'il l'a enlevée lui-même, tant que vous y êtes ! railla Eau 631.

Il lança un dernier regard significatif à Métallurgie 2007 et conclut :

— Bon… Moi, j'ai apporté mon témoignage. Je dois vous laisser, car j'ai à faire.

— Merci, Eau 631, dit Métallurgie 2007.

— De rien ! fit Œuf Affable en se retirant.

11. Tu peux tournicoter tes petits lampions dans tous les sens !

Au moment où Œuf Affable revint voir Bartol, quelques ins-tants plus tard, ce dernier était en train d'uriner dans un réci-pient qui avait tout l'air d'être une carafe. Il tenait l'objet de la main gauche et son sexe de la main droite. Visiblement, il se concentrait à cette tâche avec beaucoup de sérieux, mais cette application à vouloir bien faire ne l'empêcha pas de s'exclamer :

— Ah ! te voilà, toi ! Alors, ça, c'est géant ! Je n'arrive pas à croire que tu existes ! Je t'ai un peu trop rapidement surnommé Œuf Affable, tu es une sacrée fécalerie en vérité ! Regarde ce que je suis obligé de faire ! Et surtout, ne te plains pas pour ta vaisselle, sinon une rafale de baffes va passer précisément par le lieu où tu te trouves, sois-en sûr !

Œuf Affable resta immobile à observer le Terrien, jusqu'à ce que celui-ci eût fini de soulager sa vessie.

Bartol, embarrassé malgré son ton bourru, lui tendit le réci-pient. Cet objet transparent était très léger. Ses parois étaient fines. Sa matière évoquait un plastique rigide. L'humain remarqua que l'Ovoïde portait quelque chose, un cylindre muni d'une poignée. Il n'y prêta pas une attention immédiate, car il était gêné de tenir son urine à la main et il avait hâte de s'en débarrasser.

— Si tu peux le vider quelque part dans tes toilettes où je ne sais où... Au fait, comment fais-tu, toi ?

L'humain détailla l'anatomie de son hôte. Il n'y avait rien à voir en fait...

— Tu n'as même pas de… comment dire ?… Tu es un mâle ou une femelle ?

Eau 631 prit le récipient dans une gesticulation multicolore de ses appendices d'élocution.

Bartol qui crut y voir quelque reproche maugréa :

— Oui, ben, je voudrais t'y voir ! Si tu t'imagines que je me suis entraîné à habiter chez un œuf !

Bartol n'urinait que très rarement depuis qu'il s'était fait implanter un endosynthétiseur protéique. L'appareil purifiait et recyclait la réserve d'eau nécessaire au corps. Il agissait sur la sensation de la soif pour provoquer l'absorption de juste ce qu'il fallait afin de compenser les pertes dues à la respiration et à la transpiration. À cause du violent effort que le Marsalè avait fourni, cette sensation de soif avait momentanément échappé au contrôle du dispositif qui s'était débarrassé du liquide superflu dans la vessie de son hôte.

L'Ovoïde se dirigea vers une autre pièce, la carafe à la main. L'humain le suivit.

— C'est vrai, t'es pas fâché, alors ? demanda-t-il.

Œuf Affable versa le contenu du récipient dans une sorte de demi-entonnoir métallique qui était fixé sur un mur, à un mètre cinquante du sol. Bartol regarda à l'intérieur. Ça ressemblait à un évier conique sans robinet ni bouchon. Cette chose ne semblait servir qu'à évacuer des liquides. Sur le même mur, à la même hauteur et juste à côté, se trouvait un trou circulaire de quatre-vingts centimètres de diamètre. L'Ovoïde y jeta la carafe. L'humain passa la tête dans cette ouverture. Elle donnait sur un conduit vertical dont on ne voyait pas le fond.

— C'est ton vide-ordure, commenta le Terrien, en rattrapant Œuf Affable pour le suivre.

Ils retournèrent dans la première pièce. Là, l'Ovoïde resta planté devant quelque chose qui ressemblait à un four et qui était posé sur une des étagères du meuble, près de la table.

— Bon ! Merci pour tout ! Je vois que tu t'apprêtes à cuisiner… Je pense qu'à plus ou moins court terme, je vais te laisser. Je devrais sans doute attendre la nuit pour… Tu t'en fous, bien sûr, de ce que je te dis ! Tu préfères parler avec ton four…

En effet, les pédoncules de communication d'Œuf Affable s'agitaient en changeant de couleur devant l'appareil, mais ses yeux tout au bout des deux longues antennes se tournèrent un instant vers l'humain. L'Ovoïde ouvrit la porte de ce que Bartol prenait pour une sorte de four et plongea les deux bras à l'intérieur. Il en ressortit une dizaine de carafes identiques à celle que le Marsalè avait utilisée pour uriner.

Celui-ci se mit sur la pointe des pieds pour regarder dans le dispositif.

— Oh ! dit-il. Cette chose a fabriqué ces carafes. Ce doit être un système d'assemblage moléculaire. Nous avons ça aussi. Nous appelons ça un sam. Le tien a une interface vocale… Enfin, vocale… je me comprends, géantissimerie !

Œuf Affable tendit une carafe à Bartol.

— Non, merci. Je n'ai plus envie, là.

L'Ovoïde posa les dix récipients sur le sol, alignés contre le mur près de la porte d'entrée, et fit un dernier signe pour montrer qu'ils étaient à la disposition de l'humain. S'intéressant ensuite au cylindre qu'il portait en arrivant et qu'il avait laissé sur la table, il l'ouvrit devant le regard mi-curieux mi-méfiant du Marsalè. Œuf Affable versa une partie du contenu à l'intérieur d'un objet carré et creux qu'il prit dans le meuble. Après quoi, il mit cette sorte d'assiette sur le sol et observa Bartol. Ce dernier réalisa qu'il lui proposait d'étranges tubercules et d'autres nourritures difficiles à identifier, mais le tout ressemblait fort à ce qu'on avait apporté à manger aux hommes en cage.

— Premièrement, je n'ai pas pour coutumes de manger par terre. Ensuite, je n'ai pas besoin de m'alimenter, dit le Marsalè, touché dans son amour propre. Non seulement je ne suis pas un animal, mais en plus je suis une créature suffisamment évoluée pour posséder un endosynthétiseur protéique. Je peux rester sans nourriture plusieurs mois ! Oui, Monsieur l'œuf ! Je me suis équipé de cet endosynthétiseur pour faire comme mon Éternelle, pour ne pas être un vieux rétrograde à ses yeux… Tu ne vois donc pas que je ne suis pas un **toutou** ! Visquerie d'œuf ! Tu ne cerveautes rien, vraiment…

Bartol baissa la tête d'un air triste et abattu :

— Excuse-moi. Ce n'est pas de ta faute. Tu fais ce que tu peux et tu m'as peut-être sauvé la vie. Essaie de comprendre que je ne suis pas comme les humains que j'ai vus dans des cages.

Œuf Affable tendit une main et caressa Bartol dans les cheveux. Celui-ci repoussa son organe préhensile plus violemment qu'il ne l'aurait voulu en hurlant !

— Ah et ne me fais pas le coup des caresses ! Je ne suis pas ton petit toutou ! Cauchemardesquation !

La main rudement chassée de l'Ovoïde était restée ouverte devant l'humain. Celui-ci la regarda avec un étonnement croissant. C'était la première fois qu'il la voyait grande ouverte et immobile si près de lui. Au centre de la paume, tout autour de laquelle rayonnaient régulièrement les douze longs doigts fins, se trouvait quelque chose qui avait toutes les apparences d'un œil. Il était noir et brillant, comme une perle noire.

— Géantissimerie de géante géanture ! Tu as un œil dans la main ! Ah, le décerveautant bestiau que tu es !

Bartol était si surpris par cette découverte qu'il en avait oublié sa réticence à toucher ce corps froid. C'est presque sans s'en rendre compte qu'il prit la main dodécadigitale par un de ses doigts pour l'examiner de plus près. L'Ovoïde laissa l'humain l'étudier. Le Marsalè réprima un sursaut quand l'œil dans la paume cligna. Il se sentit fixé par lui. Levant brusquement son propre regard vers les deux pédoncules oculaires, il balbutia :

— Tu m'observes avec trois yeux en ce moment ? Tu dois avoir un cerveau géantissimesque pour gérer des points de vue si différents ! Je n'arrive pas à croire que tu existes ! En tout cas, je comprends à présent votre dextérité. Douze doigts, tous opposables et avec un œil au centre pour les guider !

Comme s'il réalisait soudainement que cette promiscuité avait quelque chose de gênant, il lâcha son hôte, se recula et conclut :

— Oui, bon. Tu peux tournicoter tes petits lampions dans tous les sens ! Ça n'empêche pas que je ne suis pas un chien. Même, si je n'ai que deux yeux, moi. Si tu pouvais observer à l'intérieur de mon corps, tu le verrais l'endosynthétiseur protéique. Ça te convaincrait que je viens d'un endroit où les humains sont vos égaux.

12. En espérant vivement qu'elle voulait seulement jouer

Eau 631, surnommé Œuf Affable par Bartol, fixa ce dernier un moment. Ses organes de communication complètement immobiles étaient mollement posés vers l'avant sur cette partie supérieure de lui, que l'humain était tenté de considérer comme une tête.

— Ah ! te voilà muet ! Ça t'étonnes tant que ça que je ne mange pas ? On dirait que ça t'en bouche un coin ! Quoique pour trouver un coin sur toi, ça ne doit pas être facile ! Sur moi non plus... Je te l'accorde ! Je ne sais pas qui a inventé cette visquerie d'expression complètement stupide, mais ce n'est pas du tout le moment de parler d'étymologie, en fait ! Si tu pouvais enfin comprendre que je ne suis pas un animal dépendant et que je veux qu'on me rende ma liberté, ça me ferait vraiment plais... Où vas-tu ?

L'humain suivit son hôte qui s'éloignait :

— Je ne pense pas te laisser partir comme ça, cette fois-ci ! Je n'ai pas envie de passer le reste de mes jours dans une maison d'œuf. Même s'il est d'une meilleure compagnie que les autres !

L'Ovoïde s'arrêta devant une porte fermée et se mit à agiter ses pédoncules.

Le Terrien s'étonna :

— Tu parles à tes portes aussi ?... Que, qu'est-ce que mais... ?

La porte venait de s'ouvrir, libérant une créature humaine qui avait précipitamment contourné Œuf Affable pour renifler Bartol. Le Marsalè recula. Elle avança, les narines dilatées et frissonnantes. C'était une femme. Velue. Yeux bleus. Cheveux bruns. Elle était ridiculement habillée d'un large bandeau rouge qui faisait simplement le tour de son ventre et de ses reins. Elle semblait déguisée en Ovoïde. Bartol avait beau tenter de se soustraire à cette humiliante et gênante prise de connaissance olfactive, elle ne cessait de le suivre pour le sentir de bas en haut, quoiqu'en insistant au milieu, sur ses parties génitales plus précisément. Ce qui mettait le Marsalè au comble de l'embarras. Exaspéré par son comportement, il essaya désespérément de communiquer aussi clairement qu'il le put :

— Euh… Madame… Je… Mais ! qu'est-ce que donc de qu'est-ce que mais… ?

En désespoir de cause, il demanda de l'aide :

— Œuf Affable ! Je t'en prie ! Retiens-la ! Mais ! Où es-tu passé ?

L'Ovoïde était hors de vue. Bartol courut dans la pièce voisine, celle qui contenait ce qu'il avait appelé le vide-ordure, mais son hôte n'était pas là. En revanche, la femme était là, elle. Elle l'avait aussitôt suivi et cette petite course semblait beaucoup l'avoir amusée, car elle en redemandait.

***

Au rez-de-chaussée, Eau 631 remit son habit-bandeau et entrebâilla la porte d'entrée. Il glissa discrètement un pédoncule oculaire par la fente et constata qu'Électronique 1012 et Propreté 680 n'étaient plus dans les environs. Les maisons du voisinage étaient fermées. Apparemment, plus personne ne semblait s'occuper de cette histoire d'humain dans le quartier.

Le jour déclinait et il rentrait déjà beaucoup moins de lumière à travers les grandes surfaces transparentes qui s'étendaient au milieu du toit de la ville. Œuf Affable sortit, ferma la porte de son logis et marcha rapidement.

Les Ovoïdes possédaient en moyenne une centaine de filaments locomoteurs. En moyenne parce qu'ils en perdaient régulièrement et qu'il en poussait tout autant pour les remplacer. Chez l'adulte, ces organes ne dépassaient pas un demi-centimètre de diamètre et ils mesuraient entre un mètre et un mètre cinquante de longueur selon les individus. Ceux d'Œuf Affable formèrent un cercle mouvant d'herbes frémissantes quand il traversa une pelouse. Cela ressemblait tant à un mouvement d'air, qu'on l'eût crue survolée à basse altitude par un engin du type hélicoptère.

Comme cela a déjà été dit, il n'y avait pas vraiment de rues dans cette ville couverte. Rien n'était prévu pour la circulation de véhicules larges et l'on n'avait jamais trouvé l'intérêt d'aligner les habitations, ni de les appuyer les unes contre les autres. Pour un regard proche de l'horizontale, la vue ne portait donc loin dans aucun sens privilégié. On traversait une succession de places plus ou moins grandes que dessinait la distribution des constructions. À la tombée de la nuit, les zones libres les plus étendues, qui contenaient des espaces verts, étaient fréquentées par des promeneurs du voisinage qui venaient s'y retrouver et s'y détendre.

Eau 631 fit ce qu'il put pour ne rencontrer personne. Non point qu'il fut d'un caractère asocial ou solitaire, mais parce qu'il avait hâte de rendre visite à une connaissance et qu'il n'avait pas envie d'être retardé. Il s'agissait de son amie Biologie 455. Elle demeurait en banlieue, près de la paroi nord de la ville, au cinquième étage d'une construction faite de cinq sphères superposées reliées entre elles par un tronçon de tour. Comme ces boules étaient de plus en plus petites du bas vers le haut, l'ensemble avait un peu la silhouette d'un sapin.

Œuf Affable arriva devant le tronc de cet arbre architectural, sous la plus grosse sphère, sans avoir rencontré quelqu'un qui lui fît perdre du temps. Il entra dans la construction.

***

C'était non sans mal que Bartol était parvenu à repousser jusqu'ici les avances et les familiarités pour le moins incongrues de la femme. Il était en ce moment juché sur la table ; tout en l'empêchant d'y monter, il s'efforçait désespérément de communiquer. Il avait eu l'idée d'essayer de parler plusieurs langues anciennes, dans l'espoir que cette humaine en reconnut au moins une. Mais sa céph n'étant pas reliée au Réseau, il n'avait pu le tenter, car il ne connaissait absolument rien des langues anciennes si ce n'était qu'elles étaient usitées autrefois sur Terre.

La femme l'avait léché et reniflé un peu partout comme l'eût fait un chien joueur.

Il repoussa une de ses tentatives de le rejoindre sur la table et dit :

— Je m'appelle Bartol. Et vous ? D'où venez-vous ?

Il ne savait plus combien de fois il avait posé ces questions.

— Comment êtes-vous arrivée dans Symbiose ?

Il n'obtint, comme précédemment, que quelques sons à peine articulés et noyés dans des cris qui laissaient à peine deviner une voix féminine.

— Il y a longtemps que vous habitez ici, chez ces œufs mille-pattes ?

Il avait espéré un moment que tout cela ne fut qu'une sinistre farce, qu'il fût le sujet d'une expérience, en apparence idiote, mais indispensable, qui finirait par prendre fin et dont les acteurs lui présenteraient des excuses. Mais, plus il observait le regard et le comportement de cette femme, plus s'éloignait ce stérile espoir. Que les humains jouassent ici le rôle d'animaux exploités ou dépendants n'était pas facile à accepter, mais il n'avait de toute évidence d'autre choix que de se faire à cette idée. Quant au rang « normalement » occupé par les hommes, c'était manifestement les créatures ovoïdes qui le tenaient. La femme se déplaçait légèrement courbée vers l'avant. Ses bras étaient proportionnellement assez longs. Elle prenait de temps à autre brièvement appui sur le sol avec une de ses mains, à l'aide des premières phalanges fermées. Cela donnait l'impression qu'elle était sur le point de courir à quatre pattes. Peu de temps après avoir découvert la présence de Bartol, elle avait vu, ou senti, la nourriture qui était destinée à ce dernier et qu'Œuf Affable avait laissée sur le sol. Bien qu'elle se fut servie de ses mains, elle avait tout dévoré en quelques secondes, comme l'eût fait un chien affamé. Et tandis que le Marsalè effaré s'était approché d'elle pour la regarder tout engloutir ainsi, elle avait retroussé ses lèvres d'un air menaçant en émettant un grognement significatif.

Ses mains étaient encore maculées de nourriture ainsi que le pourtour de sa bouche, mais à présent, elle semblait seulement désireuse de jouer. Elle gratta sa poitrine velue et fit une grimace à Bartol qui eût pu passer pour un sourire. Il eut un frisson en espérant vivement qu'elle voulait seulement jouer.

13. En emmêlant à nouveau toutes ses jambes

Dans l'unique appartement de la plus haute sphère du bâtiment, la vue portait relativement loin. On dominait de là une bonne partie de la ville des Ovoïdes.

Biologie 455 accueillit Eau 631 en entortillant beaucoup de ses jambes autour des siennes. C'était un geste d'une très grande intimité, un équivalent du baiser amoureux des humains solairiens en quelque sorte. Tandis que leurs membres étaient ainsi entrelacés, Biologie 455 sentit ceux d'Œuf Affable frémir d'une certaine impatience. Elle dénoua cette tendre étreinte pour le laisser s'exprimer et fit se toucher l'extrémité de ses deux pédoncules de communication qui formèrent ainsi une sorte de pont. Chez les Ovoïdes, cette attitude exprimait la bonne humeur et une disposition d'esprit accueillante, quelque chose qui était si proche du sourire humain qu'il est permis de penser que c'est ainsi que ces créatures souriaient. Ce fut donc après avoir souri de cette manière qu'elle dit ce qui peut être traduit ainsi :

— Tu as l'air bien pressé de me parler, mon chéri ! Je me trompe ?

— Non, mon amour, répondit Œuf Affable. Il faut que je te raconte quelque chose de fou !

— Je t'écoute, dit-elle en l'entraînant sur un énorme coussin très épais et très moelleux dans lequel ils s'enfoncèrent sur le flanc.

— Tu sais que je suis par moments la chaîne Canal Animal, pour me distraire et aussi pour écouter les conseils qu'on y donne.

— Mais tu t'occupes très bien de ton humaine ! Tu n'as plus besoin de recommandations !

— Peu importe, toujours est-il que j'étais sur Canal Animal quand j'ai entendu un communiqué au sujet d'un humain de compagnie perdu. Il s'agissait d'après cette annonce d'un animal de race probablement de grand prix. Une bête de luxe.

— Oui… alors ? lumino-gesticulèrent les pédoncules de Biologie 455.

Elle mélangea toutes ses jambes à celles d'Œuf Affable d'une manière provocante et taquine. Son compagnon sourit, mais poursuivit son propos :

— Et donc, tu sais quoi ? L'humain en question, il est chez moi !

Une lueur d'étonnement se lut dans les antennes de Biologie 455.

— Comment cela se fait-il ?

— Je rentrais à peine, les bras chargés de courses que je venais de faire ; je n'avais même pas encore fermé la porte. Au moment où je m'apprêtais à le faire, passant devant la fenêtre, un mouvement à l'extérieur a attiré mon attention. C'est alors que j'ai vu cet animal faire quelque chose d'extraordinaire. Je n'aurais jamais cru qu'un humain puisse faire une telle chose.

Les organes de communication de Biologie 455 s'enroulèrent pour former deux anneaux vus de face, ce qui exprimait l'interrogation.

— Alors qu'il courait, poursuivi par deux personnes, il est parvenu à enlever sa laisse. Je l'ai vu le faire ! Il l'a détachée et jetée.

— On le poursuivait, dis-tu ! Pourquoi le poursuivait-on ?

— Je suppose qu'il leur a échappé. Les deux personnes qui galopaient derrière lui sont celles qui l'ont trouvé dans la forêt, en chassant. Enfin, l'une d'entre elles chassait quand elle l'a capturé. Il s'agit d'une certaine Électronique 1012. Mais, donc, attends la suite ! À peine ai-je le temps de m'étonner de le voir enlever seul sa laisse, que cet humain se précipite dans ma maison et s'écroule sur le sol. En appui sur les articulations de ses quatre membres il se tenait comme un quadrupède. Il était à bout de souffle. J'ai bien vu qu'il était dans un état d'épuisement total. J'avais instinctivement presque refermé la porte pour être à l'abri des regards, mais quand j'ai jeté un œil par l'entre-bâillement, j'ai remarqué que les deux personnes qui le poursuivaient avaient perdu sa trace. Elles s'étonnaient de sa disparition et tournaient leurs yeux de tous les côtés. J'ai alors fermé discrètement la porte.

— Et tu as gardé l'humain avec toi ?

— Oui. Je lui ai donné à boire, car il mourait de soif.

— Bon… Et bien… Que veux-tu que je te dise ? Il faudra bien que tu le rendes un jour ou l'autre. Non ?

— Peut-être…

— Comment ça, peut-être ?

— Peut-être que je le rendrai. L'animal a un bracelet, mais il n'y a aucune inscription dessus. Pour l'instant, on ne sait pas avec certitude à qui il appartient. N'importe qui peut dire qu'il est à lui.

— Il est forcément à quelqu'un puisqu'il a un bracelet !

— Nous en reparlerons, mais pour le moment n'y pensons pas. Ce serait bien que tu le voies. Je suis sûr qu'il t'intéresserait.

— Enfin… mon chéri, j'ai déjà vu plus d'un humain !

— Celui-ci n'est pas comme les autres.

— Pourquoi ?

— Je t'ai dit qu'il a enlevé sa laisse tout seul !

— Tu en es certain ? Peut-être qu'elle était mal fixée, que…

— Non, non. Je te jure qu'il faudrait que tu le voies. Il est vraiment spécial, j'en suis sûr.

— Si tu y tiens tant ! Mais qu'est-ce qui te fait penser qu'il est si différent ?

— Beaucoup de choses.

— Par exemple ?

— Il était très curieusement vêtu.

— Tu sais, ces humains de snobs ont souvent un habit un peu excentrique. Ce sont les maîtres qui sont singuliers, pas leurs animaux…

— Il possède des vêtements. Pas un seul vêtement, mais plusieurs ! Un pour ses organes porteurs et un pour la partie supérieure de son corps et même un pour chacune des extrémités de ses membres inférieurs. Il a tellement l'habitude de marcher avec ces sortes de protections que ses bouts de jambes sont tout, comment dire… fragiles et délicats. La peau y est toute fine au lieu d'être épaisse. Il n'a presque pas de poils sur le corps. Seulement une touffe sur le dessus de lui. Regarde ces photos :

Œuf Affable montra une série d'images prises avec son téléparleur. Sur certaines, on voyait l'humain nu, sur d'autres, il était avec ses habits.

— Race surprenante, en effet ! Je n'en avais jamais approché de semblable. Et les vêtements sont également très inhabituels. On peut expliquer ça en supposant que cette bête doit appartenir à un riche excentrique. Mais en ce qui concerne l'aspect physique, j'avoue que je n'ai jamais vu cette espèce. Ce n'est pas très beau d'ailleurs, cette peau presque nue. On dirait un animal malade !

— L'aspect physique n'est pas du tout ce qui le rend le plus étrange. C'est son comportement qui m'étonne le plus.

— Heum ? firent les antennes de Biologie 455.

— Au lieu de se précipiter sur la nourriture, il refuse simplement de manger.

— Il doit être malade… C'est justement ce que je suggérais.

— Il n'en a pas l'air du tout. Mais attends, j'ai gardé le meilleur pour la fin, sans doute de peur que tu ne me prennes pour un fou. Figure-toi que je l'ai surpris en train d'uriner dans une carafe.

Cette fois, les antennes de Biologie 455 formèrent encore deux anneaux, mais en vibrant à haute fréquence pour refléter la perplexité.

— Il est toujours temps que je te prenne pour un fou, tu sais ! dit-elle.

— Ma chérie, je te supplie de me croire, tout ce que je te raconte est parfaitement vrai ! Cet humain n'est pas comme les autres. Il est propre. Il ne cesse de s'exprimer. Son langage semble complexe.

— Comment ça, son langage semble complexe ?

— Oui, il produit des modulations sonores d'une richesse inhabituelle.

— Ce doit être propre à sa race, les oiseaux…

— Il étudie chacun de mes gestes. Il observe les meubles, les appareils de la maison…

— Beaucoup d'animaux sont curieux…

— Pas les humains, en général.

— C'est vrai ! Mais c'est peut-être un humain savant. Son maître lui aura appris à uriner dans une bouteille pour impressionner les amis qui viennent lui rendre visite. Il y a tant de gens qui trouvent malin de forcer les animaux à se comporter d'une certaine manière !

— Écoute, ma chérie, il faut que tu me fasses confiance. Je suis absolument certain que cette bête est différente et je voudrais que tu l'observes de près. Tes compétences en biologie générale seront précieuses pour percer ce mystère. Je ne t'ai pas téléparlé à ce sujet pour éviter d'être entendu. Il faut que tu viennes à la maison le voir.

— Oh, percer ce mystère ! Tu en donnes de l'importance à cette affaire d'humain trouvé !

— …

— Bon… Tu as réussi à éveiller ma curiosité ; je veux bien le voir, mais tu sais bien que ce serait beaucoup plus facile pour moi de l'étudier ici, chez moi. J'ai tout mon appareillage.

— Tu as raison. Je te l'amènerai ici. Il faut que je trouve comment le faire sans que personne ne le remarque.

— D'accord, conclut Biologie 455 en emmêlant à nouveau toutes ses jambes autour de celles de son compagnon.

Sur cette nouvelle sollicitation, Œuf Affable estima qu'il était grand temps de penser à tout autre chose.

14. Œuf Affable risquait de rentrer d'un instant à l'autre

Pendant que Biologie 455 et Eau 631 discutaient de l'animal égaré et passaient du bon temps ensemble, Électronique 1012 et Propreté 680 s'efforçaient de regagner la confiance de Métallurgie 2007.

Ils venaient de lui montrer le local dans lequel Bartol avait séjourné. Propreté 680 avait désigné une cage vide en plaidant :

— Nous l'avions mis dans celle-là. Tu peux voir qu'elle est propre ! Ce dénommé Eau 631 a dit des paroles qui ont visiblement jeté la suspicion sur nous. Je sens bien que tu nous soupçonnes de t'avoir volé ton humain… Notre intention était pourtant de le rendre, puisque nous l'avions signalé à Sécurité 127, qui peut te le confirmer.

Sécurité 127, qui était venu malgré l'heure tardive pour aider son ancien ami à se tirer de ce mauvais pas, attesta laconiquement :

— C'est vrai, j'en témoigne.

Métallurgie 2007 ne répondit pas. Il regardait trois humains enfermés dans des cages individuelles si petites qu'ils ne pouvaient que rester assis, sans même pouvoir étendre les bras. Leur tête dépassait d'un trou pratiqué dans le grillage. Elle était maintenue renversée en arrière par un tube enfoncé dans leur bouche. Tandis que ce dispositif leur remplissait l'estomac à intervalles réguliers d'une purée nourricière spécialement conçue pour favoriser l'hypertrophie de leur foie, un tapis roulant, qui passait sous la cage, avait la charge d'enlever leurs déjections.

Électronique 1012 vit le regard de Métallurgie 2007.

— Aimes-tu le foie gras, lui demanda-t-elle ?

— Oui, j'aime. Mais je dois avouer que je préfère la méthode à l'ancienne, où on les gavait, certes ! mais on les laissait courir ensuite dans une cage plus grande. Cette façon de faire doit être bien plus efficace, mais je la trouve un peu cruelle, tout de même ! Est-ce que mon humain a vu ça ?

— Non. Notre fils vient de le mettre en place, presque à l'instant même. Quand ton animal était là, ces trois-là étaient dans les grandes cages.

— Dis-moi, intervint Propreté 680, nous avons pu admirer tes talents de dresseur. Je me demande comment tu as pu faire pour lui apprendre ces tours incroyables !

— Ah, oui ! C'est bien vrai ! approuva Électronique 1012.

— Quels tours ? s'étonna Métallurgie 2007.

— Nous l'avons vu former un carré puis un triangle avec un brin de paille. Et il poussait des cris différents en tenant chaque figure.

— Euh… Ah, oui… Vous parlez de ce tour-là !

— Oui, j'imagine qu'il doit en connaître beaucoup d'autres ! s'exclama Sécurité 233. Ces animaux sont intelligents tout de même, hein ! Mais comment as-tu fait pour lui apprendre ça ?

— Ah… ce n'est pas facile à expliquer comme ça…

— Je m'en doute. Tu prendras bien un petit lichen avec nous avant de rentrer chez toi ? Ça nous permettra de faire le point et de rassembler nos idées pour retrouver ton humain. À propos, quelle est donc sa race ? Comment t'es-tu procuré ses extraordinaires vêtements ?

***

La nuit était tombée dans la ville close. Dans l'appartement d'Œuf Affable, un éclairage venant du plafond s'était graduellement allumé au fur et à mesure que la lumière de l'extérieur avait décliné.

Bartol avait fini par descendre de la table, se résignant à être suivi par la femme velue dès le moindre de ses déplacements. Il avait décidé de visiter toute l'habitation dans l'espoir de trouver une issue quelconque pour s'enfuir en profitant de l'obscurité. Comme il s'y attendait, Babine se mit aussitôt à lui emboîter le pas. Il lui avait donné ce nom parce qu'il avait été impressionné par sa réaction lorsqu'elle avait retroussé les lèvres pour lui montrer ses dents au moment où il s'était approché d'elle pendant qu'elle mangeait. Pour l'heure, elle ne le reniflait plus, c'était déjà ça !

Il regarda à travers la grande baie vitrée qui couvrait la moitié de la surface d'un des murs. Impossible de sauter ! Le sol se trouvait au moins vingt mètres plus bas sur une place publique encore occupée ou traversée par de nombreux Ovoïdes.

Il approcha de la porte qu'Œuf Affable avait ouverte pour libérer Babine. Aucun mécanisme d'ouverture n'était visible au premier abord, ni même en y regardant de plus près. Se souvenant qu'elle pivotait en poussant, il appuya aussi fort qu'il put sur son panneau, mais elle ne bougea pas. Le contraire l'eût surpris. Cette manière de procéder avait quelque chose de primaire, il en avait conscience, mais ne sachant comment mieux faire, et étant plus pressé par l'urgence que préoccupé par l'élégance de la méthode, il prit son élan et tenta de la défoncer d'un coup d'épaule. Elle ne bougea pas davantage. Lui vint alors une idée, qu'il trouva lui-même farfelue, mais il ne put résister à l'envie de la mettre en œuvre. Après tout, il n'y avait aucun risque à essayer et personne, ici, pour se moquer de lui. Babine ne comprendrait certainement pas ce qu'il ferait et en plus il avait de la peine à imaginer qu'elle pût rire… et quand bien même ! Il se recula donc de deux pas et posant le dos de ses mains sur son front, il tenta de parler à la porte en imitant les organes de communication des Ovoïdes avec ses index dressés. Il avait vu qu'Œuf Affable avait « parlé » avec la porte pour qu'elle s'ouvre. Une petite sensation de ridicule le troubla un petit peu quand il fit bouger ses doigts dans tous les sens. Il n'obtint bien entendu aucun résultat, mais cette petite sensation de ridicule eut l'avantage de le plonger dans un degré intense de colère. Après avoir hurlé :

— Salerie de porte de visquerie de ville de fécalerie d'œufs !

Il se jeta avec toute sa rage sur le panneau, épaule droite en avant. Il y eut un craquement et il se retrouva allongé à plat ventre dans la pièce voisine.

Babine se mit à pousser des petits cris aigus et elle se laissa tomber sur lui. Le Marsalè, dont la surprise de ce succès inattendu avait calmé le courroux, se débattit pour se libérer de son étreinte. Sentir son corps velu sur sa peau nue lui donna envie d'être très explicite :

— Pas maintenant, Babine ! Pas maintenant, géantissimerie ! J'ai la libido anémiée, là. Je te jure ! Il n'y a rien contre toi, mais…

Babine ne voulait rien savoir. À croire que l'exploit du Marsalè avait exacerbé la sienne, de libido ! Il dut se montrer très autoritaire pour la décourager.

Elle le laissa finalement se lever. Il réalisa alors qu'il se trouvait encore dans une pièce qui baignait dans un éclairage tamisé venant du plafond. Un des murs, courbe concave, comme s'ils étaient à l'intérieur d'une tour, offrait une petite fenêtre circulaire qui faisait penser à un hublot. Elle était à moitié ouverte.

Toujours suivi par Babine, qui affichait à présent un air chagrin et presque craintif, il s'en approcha.

— Babine ! Ne fais pas cette mine de chien battu ! Je te dis que tu n'es pas en cause ! Ce n'est pas le moment, c'est tout !

Le panneau vitré était en partie relevé. Il le souleva entièrement et passa sa tête par la fenêtre. La faible lumière environnante n'empêchait pas de se rendre compte que, de là, l'évasion était parfaitement possible. C'est du moins ce qu'il se dit, en massant son épaule droite endolorie par l'exploit qui avait séduit Babine.

Il n'y avait pas de temps à perdre en réflexions superflues. Œuf Affable risquait de rentrer d'un instant à l'autre et, tout aussi affable qu'il fût, rien ne laissait présager de sa réaction quand il verrait sa porte brisée.

Bartol pensa distinguer un toit, quelque quatre mètres plus bas. C'était une bonne hauteur, mais dans la pesanteur légèrement réduite de ce monde, il se dit que ça valait le coup d'essayer. Il espéra ne pas se tromper, car ses yeux n'étaient pas encore bien accommodés à l'obscurité, mais le temps pressait.

— Bon ! fit-il. Babine, je te dis peut-être à bientôt, ou à plus tard ! Qui sait ?

Babine poussa un petit gémissement en le voyant sauter.

15. À la fin de la troisième seconde

Sensation de chute. Perception de l'air glissant sur son corps nu. Peur de blesser ses pieds sans protection. Dos rond. Bras vers le sol pour aider les jambes à amortir le choc de l'atterrissage.

Il eut lieu sans douceur. Quelque chose de dur stoppa brutalement sa trajectoire verticale. Ses jambes violemment pliées frappèrent sa poitrine et son menton heurta un genou. Les mains entrèrent en contact une fraction de seconde plus tard que prévu, quand il bascula vers l'avant. Il devina alors qu'il avait atterri sur quelque chose qui était incliné. Normal pour un toit ! fut la pensée qui effleura son esprit la durée d'un éclair. Ses doigts se plièrent un moment au-delà de leur habitude. Leurs articulations souffrirent. Les tendons se distendirent. Il ne put retenir sa culbute vers l'avant. Rentrant la tête, menton sur le plexus, pour protéger son visage, il roula sur lui-même, entraîné par la pente. Il y eut une deuxième chute, avec la même sensation de l'air glissant sur son corps nu. Mais l'appréhension de l'atterrissage fut bien plus grande que la première, car cette fois son dos était dirigé vers le sol. Bientôt, l'élément durée lui fit savoir qu'en plus il tombait de beaucoup plus haut. Aucune situation vécue n'est capable d'allonger la perception du temps qui s'écoule autant que la chute ; pour celui qui tombe, chaque seconde supplémentaire est un angoissant augure. À la fin de la troisième seconde, Bartol se vit mort ou estropié. Durant le dernier quart de celle-ci, il se dit que l'Éternelle ne saurait jamais ce qu'il était advenu de lui. Alors que cette pensée était encore en train de se former dans son esprit, d'y prendre corps, de s'y répandre d'une synapse à l'autre, il fut soudainement le centre d'une formidable gerbe. Vive fraîcheur. Bouillonnement. Il se sentit couler. De quelques mouvements des bras et jambes, il remonta à la surface. Il secoua la tête et se passa une main sur le visage pour chasser l'eau de ses yeux. Dans quoi était-il tombé ? Il n'en avait aucune idée… Quelques regards rapides lui apprirent qu'il était en train de nager dans un cours d'eau. Il ne s'était pas douté qu'il en existât un dans cette ville fermée. Aussi inattendu que cela fût, il ne put que s'en féliciter vivement. Ce canal, ou cette rivière, ne devait faire qu'une dizaine de mètres de largeur, autant qu'il pouvait en juger dans l'obscurité et il se trouvait près de l'une des rives. Le flot y glissait lentement, mais à une vitesse suffisante pour qu'il n'eût nul besoin de nager pour s'éloigner de la maison d'Œuf Affable. En se laissant porter au fil de l'onde, il devait avancer comme un homme qui marche calmement.

L'eau n'était pas froide. Approchant de la rive droite, il sentit bientôt le fond au bout de ses pieds. Le contact était mi-sableux mi-vaseux. Son corps contusionné de tous les côtés lui faisait mal en de nombreux endroits. Ses doigts envoyaient des signaux douloureux de protestation quand il tentait de les faire bouger. L'arrière de son crâne semblait avoir servi à casser des rochers. Afin d'économiser ses forces, il approcha encore un peu du bord, pour se laisser porter par le courant en prenant suffi-samment appui sur le fond pour ne pas être obligé de nager, mais en restant tout de même immergé jusqu'au cou pour être moins visible. Dans la pénombre, la berge lui parut herbeuse. Par endroits, souvent près des habitations, elle était plus dégagée, la végétation laissant la place à de petites plages de sable. Un silence étrange, presque onirique, régnait sur la ville. Le système de communication des Ovoïdes n'étant pas basé sur les sons, nulle musique, nul cri, nul avertisseur, nul haut-parleur ne se faisait entendre. L'absence totale de véhicules motorisés éliminait également nombre d'éventuelles sources sonores. Cette ambiance irréelle donnait l'impression d'un monde où tous chuchotaient. Le moindre bruit de clapotis que faisait Bartol prenait pour lui les proportions d'un tapage nocturne qui eût pu être entendu jusqu'à l'autre extrémité de la ville.

Il n'avait aucune idée de l'endroit où l'emmenait le courant. Mais, se disait-il, aller quelque part, peu importe où, c'est toujours mieux que de rester sur place dès lors qu'on désire s'évader.

***

Métallurgie 2007 avait eu du mal à se débarrasser de Propreté 680 et d'Électronique 1012. Il avait accepté de prendre un petit lichen avec eux, dans l'unique dessein d'essayer de savoir s'ils mentaient. Il s'était dit que rester un peu plus longtemps en leur compagnie, lui permettrait peut-être de découvrir chez eux un indice révélateur. Mais il n'avait en fin de compte rien appris et, jusqu'à preuve du contraire, il les pensait sincères. Au moment de prendre congé d'eux, ils s'étaient étonnés qu'il partît si tôt et ils avaient multiplié les cérémonials de bienséance et autres salamalecs à n'en plus finir. Il avait finalement réussi à les quitter et il marchait à présent dans la pénombre de la ville bientôt endormie. Ses cent douze jambes soulevèrent un nuage de poussière à peine visible quand il traversa une étendue de sable fin.

Il se disait que si Électronique 1012 et Propreté 680 étaient sincères, peut-être qu'Eau 631 mentait. C'était dans l'espoir de le découvrir qu'il se dirigeait vers la maison de ce dernier. En chemin, il caressait d'un doigt le bracelet qui ornait son poignet gauche en pensant à Jardinage.

Quand il arriva sur la place publique proche de l'habitation d'Eau 631, deux ou trois promeneurs y flânaient et quelques jeunes gens dansaient en « écoutant » une « musique » en vogue en ce moment et en ces lieux. Le verbe écouter et le substantif musique sont ici entre guillemets pour rappeler que ces mots ne doivent pas être pris au sens strict. Là encore, la traduction fait de son mieux pour tenter de trouver les termes humains solairiens les plus approchants de leur équivalent dans le langage lumino-gestuel. En l'occurrence, il ne s'agissait même pas de son ; la musique dont il était question était diffusée par un appareil disposant de deux tiges flexibles pourvues d'extrémités lumineuses qui, on l'aura compris, produisaient les mêmes effets que les pédoncules de communication des ovoïdes. De ce fait, il serait donc sans doute tout aussi pertinent de dire « voir de la musique » que « entendre de la musique ». Ces créatures bénéficiaient d'une vue couvrant trois cent soixante degrés. N'ayant nul besoin d'orienter leurs organes oculaires pour distinguer les mouvements ou les changements de luminosité tout autour d'elles, elles ne braquaient leurs yeux vers quelque chose que pour l'observer avec une netteté beaucoup plus grande ; comme les hommes bien sûr, sauf que ceux-là ne voient rien derrière eux.

Métallurgie 2007 avisa un couple qui jouait avec leur jeune enfant. Le jeu qu'ils pratiquaient n'ayant aucun équivalent dans la culture humaine solairienne, il est inenvisageable de traduire son nom, mais on pourrait simplement parler de lui en disant : jouer aux anneaux ou au multi-bilboquet, à la rigueur. Il consistait en effet à essayer d'attraper, à l'aide de ses jambes, le plus grand nombre possible de petits cercles lancés en l'air. On jetait ces sortes de bagues en direction du joueur qui tentait d'enfiler ses fils locomoteurs dans leur trou. Ceci demandait tant d'adresse qu'il était rare que les plus habiles dépassassent dix anneaux enfilés. Le record, détenu par un adulte spécialiste de ce sport, était de seize.

Métallurgie 2007 s'approcha de l'enfant qui venait d'attraper six bagues et le félicita. Le petit Ovoïde ne fut pas le seul à apprécier le compliment, le père et la mère remercièrent Métallurgie 2007 pour cet encouragement.

— Voilà de toute évidence un futur champion ! feignit de s'enthousiasmer Métallurgie 2007, en joignant chaleureusement ses antennes de communication.

Les parents entrèrent volontiers en discussion avec ce sympathique admirateur de leur fils. Métallurgie 2007 en profita pour leur demander s'ils habitaient dans les environs. Il lui fallait lier des connaissances pour faire sa petite enquête.

— C'est un quartier agréable, dit-il. Savez-vous s'il y a des appartements en location dans le coin… je…

Il s'interrompit et, au moment où on allait lui répondre, il partit en disant :

— Excusez-moi, j'ai à faire…

Il venait de voir passer Eau 631 qui rentrait probablement chez lui.

— C'est curieux, lumino-gesticula la mère en le regardant s'éloigner. J'ai l'impression d'avoir déjà vu ce type quelque part, mais je ne me souviens plus où.

16. Se rendre maître du train de grossièretés qui lui échappa

Œuf Affable s'arrêta sur le pas de sa porte, mais n'entra pas tout de suite chez lui. Après un regard distrait accordé à des adolescents qui dansaient sur l'œuvre à la mode de Musique 882, il jeta un œil vers l'enfant qui jouait aux anneaux avec deux adultes, puis observa les alentours en se demandant comment il pourrait sortir avec Pipi Carafe sans se faire remarquer. Ce nom lui venant en tête à l'instant même, les extrémités de ses deux pédoncules de communication se touchèrent brièvement, traduisant un petit sourire amusé. Il se dit que s'il attendait jusqu'à une heure avancée de la nuit, il y aurait moins de monde, donc moins de risques d'être vu. Mais, moins de risques c'est encore un risque... Il faut que je trouve une solution pour qu'on ne fasse pas du tout attention à moi quand je sortirai avec cet humain, médita-t-il. Ses pédoncules de communication marquèrent machinalement le rythme de la musique lumino-gestuelle, pendant qu'il réfléchissait, les mains dans les poches de son bandeau rouge. Une idée se forma dans son esprit. Il entra chez lui sans se douter qu'il était discrètement observé par Métallurgie 2007, qui se tenait dans l'ombre derrière l'angle d'un mur.

Quand Œuf Affable arriva à l'étage supérieur, il entendit les petits gémissements que poussait Affamée. Il avait nommé son humaine ainsi parce qu'elle ne pensait qu'à manger. Bien sûr, tous les humains ne pensaient qu'à manger, mais Affamée y pensait encore plus que les autres. Il était à peu près certain qu'elle pourrait se gaver à se faire éclater l'estomac, si on la laissait faire. Ces gémissements lui parurent étranges. Il ouvrit la porte et entra. Elle se jeta sur lui, le léchant partout.

— Que se passe-t-il, Affamée ? demanda-t-il, en lui posant une main sur la tête.

L'humaine poussa quelques petits cris en fixant les antennes de communication. Elle avait appris à y lire nombre de choses, notamment l'humeur de son maître.

— Tu as fait connaissance avec Pipi Carafe ? Pourquoi n'es-tu pas avec lui ? J'espère que tu as été aimable avec lui ! C'est un invité…

Œuf Affable remarqua la porte ouverte. En s'approchant, il s'aperçut qu'elle avait été forcée. Il entra dans la pièce, mais il n'y avait personne. Sur le point d'aller voir ailleurs, il se ravisa, regarda par la fenêtre et comprit que Pipi Carafe s'était enfui. Quelque quatre mètres plus bas, le toit portait la marque de sa chute ; il était en effet, légèrement mais indéniablement, enfoncé.

Ce n'est pas un humain comme les autres, non, vraiment pas ! songea-t-il en se précipitant vers la sortie. Espérons qu'il sache nager !

Une fois dehors, Œuf Affable ferma la porte de sa demeure. Il emprunta ensuite l'étroit passage qui séparait son habitation de celle de son voisin pour faire le tour de sa propre maison. De l'autre côté, il se retrouva près du cours d'eau dans lequel Bartol était tombé. Ses yeux scrutèrent les flots puis les berges. Quelque chose bougea dans la végétation en aval, sur la rive opposée. Il força sa vision… Non, ce n'était pas lui, mais seulement deux amoureux couchés dans l'herbe qui entrela-çaient leurs jambes. Mieux valait rapidement détourner le regard d'eux. Ce n'était pas le moment d'avoir des problèmes avec ceux d'en face.

Rien ne lui permettait de savoir depuis quand l'humain était tombé. Il ne pouvait donc deviner si ce dernier avait eu le temps de beaucoup s'éloigner. Était-il resté dans le courant pour se laisser porter ? Avait-il traversé tout le canal pour débarquer sur l'autre rive ? Ou bien, au contraire, était-il sorti immédiatement de l'eau pour s'enfuir sur celle-ci ? S'était-il tout simplement noyé ? Dans le cas contraire, était-il capable et avait-il eu le désir de retrouver le chemin qui conduisait au domicile de son maître ? Toutes ces questions s'entassaient dans son esprit sans trouver un semblant de réponse. Œuf Affable ne put qu'espérer qu'il n'avait pas eu la très mauvaise idée d'aller chez ceux d'en face. Il décida de courir en aval, souhaitant que ce fichu Pipi Carafe fût encore dans les environs.

Métallurgie 2007 se mit à le suivre à distance. Décidément, cet Eau 631 avait un comportement pour le moins insolite ! Quelle raison le poussait-il à trotter ainsi en pleine nuit le long du canal ?

***

Bartol recouvrait un peu de vigueur et ses douleurs étaient moins vives, moins handicapantes. Ses yeux s'accoutumaient de plus en plus à l'obscurité. Il regretta de ne pas posséder l'hyper-acuité visuelle de Sandrila Robatiny. *Si je survis à cette aventure géantissimement cauchemardicale, je songerai sérieusement à m'équiper comme elle*, se promit-il. Le niveau de l'eau commença à baisser peu à peu au fur et à mesure que le canal s'élargissait et que le courant ralentissait. Dans un premier temps, il plia les jambes pour ne pas trop dépasser de la surface, marchant sur le fond presque en position assise, mais il dut bientôt s'éloigner du bord afin de rester suffisamment immergé pour diminuer le risque d'être vu. Se retrouvant au milieu du cours d'eau, il lui fut plus aisé de distinguer la rive gauche. À cet endroit, on n'y apercevait aucune habitation. Cela le décida à traverser complètement le canal pour débarquer sur la rive opposée. C'était sans aucun doute une chance à saisir, car rien ne permettait de savoir où le conduirait le courant. Si c'était vers un danger, il n'aurait certainement pas la force de le remonter en cas de besoin. Plus il approchait de la rive opposée, plus il eut la conviction que c'était là un excellent endroit pour reprendre pied, car il se confirma qu'il n'y avait pas de maisons dans les environs, mais en plus, de hautes herbes lui offraient l'opportunité de se cacher aisément.

Il avança bientôt sur un fond vaseux assez glissant qui semblait vouloir aspirer ses pieds. De l'eau jusqu'aux genoux, entouré de joncs et d'autres plantes vertes, il progressa lentement dans ce dédale végétal. Ses mains le faisaient moins souffrir, l'arrière de son crâne également, mais il marcha plusieurs fois sur des épines ou des pierres tranchantes dissimulées sous la vase qui lui arrachèrent des grimaces de douleur ; il eût payé cher pour avoir ses chaussures. Son pied droit s'enfonça profondément dans un fond plus mou qu'ailleurs. Il força pour se libérer de la succion de la vase. Celle-ci lui rendit sa jambe presque à regret et si brusquement qu'il tomba à la renverse dans la boue. Il se releva en maugréant et tenta de reprendre sa progression, mais une longue tige de ronce qui s'était sournoisement glissée entre ses jambes accrocha quelques épines dans son aine et à ses testicules. La douleur fut grande. Il parvint à retenir le cri qu'elles eussent voulu lui arracher, mais, paradoxalement, il ne put en revanche se rendre maître du train de grossièretés qui lui échappa à très haute voix. Furieux contre lui-même, il se tapit dans l'herbe en regardant autour de lui. Les Ovoïdes avaient-ils l'ouïe fine ? Quel était leur niveau de sensibilité aux sons ? Il regretta de ne pas avoir cherché à le savoir, par exemple en faisant du bruit dans le « dos » d'Œuf Affable. Comme personne ne semblait avoir entendu sa prose, il reprit sa marche et finit par prendre pied sur un sol sec et stable, mais toujours aussi herbu. Ce n'était pas facile de progresser entièrement nu sur un tel terrain ! Bartol se rendit compte à quel point, dans certaines circonstances, un homme pouvait être handicapé sans chaussures et sans vêtements. S'estimant bien heureux d'être au moins à l'abri de la nécessité de se nourrir, il loua l'Éternelle de lui avoir plusieurs fois recommandé de se faire implanter un endosynthétiseur protéique.

Il se demanda ce qu'elle faisait en ce moment, si elle songeait à lui. La température était providentiellement assez clémente, il avait un peu froid, mais c'était supportable. Une pensée pour Cara lui vint également à l'esprit. S'inquiétait-elle à son sujet ? Ou était-elle rentrée chez elle sans se poser de questions ?

Il s'interrogea : quelle direction prendre pour espérer enfin trouver le moyen de sortir de cette ville sous la colline ?

17.   Ses griffes ont la même couleur !

Œuf Affable descendait la pente d'une butte quand il entra-perçut un mouvement derrière lui. Il s'arrêta brusquement. En grande partie dissimulé par l'élévation qu'il venait de franchir, il se retourna et pointa ses pédoncules oculaires pour fouiller l'obscurité sur le chemin. C'est alors qu'il vit que quelqu'un courait sur ses pas. Rien ne lui permettait de savoir s'il s'agissait d'une simple coïncidence d'itinéraire, ou s'il était intentionnel-lement suivi. Mais, tenant compte de la très faible fréquentation de ce lieu à l'heure qu'il était, son intuition créditait la seconde hypothèse d'une forte probabilité. Il se dissimula donc derrière un buisson, en retrait de la berge d'une quinzaine de mètres, et attendit, tout en se disant que cet inconnu lui faisait sans doute perdre un temps précieux. Quel qu'il fût, il se promit de lui en accorder le moins possible.

Le gêneur s'arrêta en haut de la butte et regarda autour de lui. Ses yeux se tournèrent même un bref instant vers sa cachette, mais il ne risquait pas d'être vu à travers l'épais fourré. L'inconnu paraissait dépité. En tout cas, son comportement prouvait bel et bien qu'il le suivait, puisqu'il ne continuait pas sa route. Œuf Affable ne fut pas long à reconnaître celui qui s'était présenté comme le maître de Pipi Carafe.

— Pourquoi me suis-tu ? demanda-t-il brusquement en sortant de la végétation.

Métallurgie 2007 sursauta.

— Je… en fait… bredouilla-t-il.

— C'est-à-dire ?

Métallurgie 2007 reprit toute son assurance :

— Je pensais que tu étais peut-être en train de chercher mon humain.

— Pourquoi le chercherais-je ?

Tandis qu'ils s'exprimaient tous les deux, leurs terminaisons luminescentes, à l'extrémité de leurs pédoncules de communication, dessinaient des figures complexes dans l'obscurité. Des figures complexes que les Ovoïdes savaient interpréter aussi aisément que les humains savaient interpréter les complexes modulations sonores de leur voix.

— Pourquoi courais-tu, ici en pleine nuit ?

Comme Eau 631 ne répondait pas, Métallurgie 2007 ajouta :

— Étant donné que c'est bien dans les environs qu'il a été aperçu pour la dernière fois… Je me suis dit que tu l'avais sans doute vu passer par là et que tu t'étais lancé à sa poursuite.

— Tu te trompes, je ne l'ai pas du tout vu passer. Ni là ni ailleurs. Je te serais reconnaissant de m'autoriser à courir où bon me semble et quand bon me semble. Si tu pouvais mettre cette demande en pratique dès l'instant et me laisser seul, je serais ton ami pour la vie !

Métallurgie 2007 fit taire sa fierté et fit demi-tour sans répondre. Œuf Affable l'observa s'éloigner. Quand il fut hors de sa vue, il reprit sa marche précipitée le long de la berge. Tout en progressant et en essayant de percer l'obscurité du regard dans l'espoir d'apercevoir ce fichu humain quelque part, il sortit son téléparleur d'une de ses poches. Cet appareil disposait, entre autres, d'une surface plane et lisse sur laquelle il traça rapidement quelques figures à l'aide de deux doigts. Ces figures étaient en quelque sorte les lettres de la forme écrite de son moyen d'expression.

Il écrivit simplement : « Je suis occupé pour un moment. Je te recontacte dès que j'ai plus de temps. Je t'aime. »

***

Propreté 680 ouvrit la porte pour laisser entrer Sécurité 127. Celui-ci avait appelé pour demander à être reçu.

— Alors, lança Propreté 680, en l'invitant à le suivre dans la salle de séjour, tu es bien matinal ! Viens-tu pour voir un vieil ami ou pour la spermathèque de sa femme ?

— En fait, ni l'un ni l'autre ! C'est le travail qui m'amène.

— Ah bon ! De quoi allons-nous parler ? Veux-tu un petit lichen ?

— Non, merci.

— Comme tu voudras ! Eh bien, assieds toi !

Sur cette invitation, Sécurité 127 se posa dans le creux rembourré d'un « tabouret » et dit sans attendre :

— Figure-toi que c'est toujours au sujet de cet humain un peu spécial qu'Électronique 1012 a trouvé. N'est-elle pas là, au fait ?

— Elle est allée voir en bas si le gavage se passe bien. Elle va arriver. Ah ! ben, tiens !...

Électronique 1012 entra et salua Sécurité 127 :

— Bonjour ! Tu es venu pour ma spermathèque ?

— Euh, non, répondit le responsable de la sécurité de la ville, en « rougissant » légèrement.

Les deux pédoncules de communication, qui se croisaient et tombaient mollement vers l'avant en devenant entièrement bleus, était en effet une attitude, pour un Ovoïde, qui était assez proche de celle d'un humain qui rougissait. C'était en tout cas l'expression lumino-gestuelle qui traduisait le mieux ce qu'il aurait lieu d'appeler la timidité chez un humain solairien.

— Non ? répéta Électronique 1012 en joignant ses antennes, amusée et flattée qu'elle était par le trouble qu'elle faisait si visiblement naître en lui.

— Non, je disais justement à Propreté que je suis venu vous voir pour le travail et que c'était au sujet de l'animal que tu as ramené.

— Ah bon ! s'étonna-t-elle, en s'asseyant de l'autre côté de la table. C'est ce Métallurgie 2007 qui te met la pression pour que tu le retrouves, n'est-ce pas ? Je suppose qu'il doit être influent. Il a des manières de riche. Moi, il ne me plaît pas…

— Non, non. Ce n'est pas lui. Je ne l'ai même pas revu depuis, alors…

— Dans ce cas, en quoi le sort de cette bête te concerne-t-il tant que ça ?

— Vous allez être tous les deux étonnés, mais figurez-vous que cet animal intéresse les plus hautes instances. Heum… Je savais que vous seriez surpris.

En effet, les pédoncules de communication des deux Ovoïdes formèrent quatre anneaux.

— Qui exactement s'intéresse à cet humain et pourquoi ? s'enquit Électronique 1012.

— Président 234, lui-même !

Tous les deux manifestèrent un vif ahurissement et demandèrent pourquoi.

— Un certain Biologie 237 a vu quelques images de l'animal que vous avez trouvé, celles que j'ai passées dans l'annonce. Cela a suscité sa curiosité, en tant que biologiste.

— Quel rapport avec notre président ? s'impatienta Propreté 680.

— Laisse-moi poursuivre, j'y arrive. Il se trouve que cela a intéressé le savant, car il n'avait jamais observé cette race d'humain, mais à cause de ses occupations il a tardé à faire des démarches pour l'examiner. Entre-temps, la coïncidence a voulu qu'il rencontre des amis qui lui ont fait voir des images qu'ils avaient prises en forêt dans les environs, paraît-il. Ces gens ne sont pas des chasseurs, ils ont simplement filmé une humaine qui ressemble beaucoup à celui que vous avez ramené. Regardez :

Sécurité 127 montra sur son téléparleur quelques scènes où l'on voyait effectivement une bien curieuse humaine.

— Malgré les vêtements, on reconnaît que c'est une femelle aux renflements des mamelles, commenta-t-il.

— Ça alors ! s'exclama Électronique 1012. C'est vrai, elle a des habits du même style que ceux de l'animal que j'ai trouvé, la même peau sans poils !

— Et également des habits pour les bouts de jambes, elle aussi ! fit observer Propreté 680.

— Oui, fit Sécurité 127, drôle de bestiole, vraiment ! Notez la couleur de ses longs poils d'en haut.

— Et vous avez vu, ses griffes ont la même couleur ! Mais oui, regardez !

— C'est exact, des griffes et des poils du dessus mauves ! s'exclama Propreté 680.

— Étonnant n'est-ce pas ! dit Sécurité 233. Biologie 237 est vivement intrigué. Il a su faire partager son intérêt à son proche ami, Président 234. Ce qui explique que ce dernier m'ait convoqué pour parler de tout ça. Nous avons dans un premier temps supposé que ces animaux, celui que tu as trouvé, Électronique, et cette femelle, ont été transformés on ne sait trop comment par leur maître. Le problème de cette hypothèse est que celui-ci reste tout à fait inconnu et qu'il ne fait rien pour se manifester alors que ses animaux, apparemment très rares, se seraient enfuis de chez lui.

— Mais, intervint Électronique 1012, le maître du mâle que j'ai capturé s'est spontanément présenté ! Pourquoi dis-tu que...

— Parce que je n'ai trouvé aucune déclaration de propriété d'humain au nom de Métallurgie 2007. Il n'est donc officiellement en possession d'aucun humain de compagnie.

— Ah, le menteur ! s'écria Propreté 680. Il espérait se faire remettre l'animal et il se serait évanoui dans la nature avec !

— Je comprends à présent pourquoi il était si peu loquace et pourquoi il était si peu enclin à parler de lui en particulier, dit Électronique 1012.

Sécurité 127 ne répondit pas, mais son silence fut éloquent.

— Peut-être que le maître, le vrai, est un d'en face ! suggéra-t-elle.

— Nous y avons songé, mais c'est très peu probable. Au contraire, si ceux d'en face l'avaient perdu, ils ne manqueraient pas de nous le réclamer !

— C'est vrai, admit-elle. Mais alors avez-vous abouti à d'autres hypothèses, voire à une conclusion ?

— Biologie 237 pense qu'il s'agit peut-être d'une race mutante. Toujours est-il qu'il a tant su exacerber la curiosité de notre président que ce dernier m'a donné pour mission de retrouver le mâle qui vous a échappé. Je voulais donc commencer par rencontrer celui qui s'est présenté comme étant son maître pour l'interroger, et je suis venu vous demander si vous pouvez me faire savoir où le trouver. Je me suis rendu à son domicile déclaré et il n'y a personne.

— C'est que nous n'en avons aucune idée, répondit Électronique 1012. Ce Métallurgie 2007 n'est pas très bavard. Il a déguerpi sans rien nous dévoiler de sa vie.

18. J'ai fait peur à votre pote !

Œuf Affable avait fini par renoncer à retrouver Pipi Carafe. Il était en train de rebrousser chemin quand il reçut sur son téléparleur un message écrit de Biologie 455 qui eût pu être traduit ainsi : « Essaie de régler ce qui t'occupe le plus rapidement possible. Il faut que je te voie au plus tôt. Moi aussi, je t'aime. »

Œuf Affable accéléra l'allure. Malgré le terrain peu propice à une performance, ses cent dix-sept jambes le portèrent à une vitesse proche de trente kilomètres à l'heure.

***

Être à distance de l'agglomération avait l'avantage de diminuer les risques d'être repris. C'était certain ! Mais cela avait malheureusement aussi un inconvénient : Bartol n'y voyait presque rien. Essayant de percer l'opacité de la nuit du regard, il prit encore une fois la mesure de l'atout que pouvait apporter un endo-amplificateur de lumière oculaire tel celui qui décuplait les performances des yeux de l'Éternelle. Sandrila Robatiny fut donc de nouveau présente dans son esprit, mais il eût également une pensée pour Cara Hito. Un sentiment fugace, qu'il aurait eu du mal à définir, s'il avait eu le temps et l'envie de le faire, mais qui avait certainement un petit goût de triste tendresse. Il avançait avec une lenteur exaspérante dans cette végétation qui lui piquait les pieds, lui griffait les jambes et même tout le corps. Pour tout aggraver, il progressait sans avoir la moindre idée d'où il allait et des rencontres qu'il risquait de faire plus loin devant lui. Peut-être que tous ses efforts ne servaient qu'à le rapprocher d'un nouveau danger. Le terrain était légèrement vallonné. À cette allure de limace, il lui fallut presque dix minutes pour franchir une centaine de mètres et atteindre le sommet d'un renflement, qui n'excédait pas trois mètres de hauteur, mais qui porta malgré tout son regard plus loin en l'élevant au-dessus des hautes herbes. C'est alors qu'il découvrit l'éclairage d'une agglomération. Un instant, il pensa que c'était celle qu'il venait de quitter. Avait-il perdu le sens de l'orientation ? Aurait-il fait demi-tour sans s'en rendre compte ? Il se retourna et vit une autre agglomération. Non, il ne s'était donc pas trompé, il y en avait bien deux, une de chaque côté du cours d'eau.

La belle affaire ! pensa-t-il. Me voilà bien avancé de le constater !

Il n'imaginait qu'une seule méthode pour s'échapper de cette colline creuse : trouver une sortie. C'était une lapalissade ! Mais il en vint tout de même à se demander si c'était vraiment l'unique solution, car, s'il y avait de fortes chances pour qu'il y eût plusieurs ouvertures donnant sur l'extérieur, il était en revanche beaucoup moins probable qu'elles lui permissent de sortir sans se faire remarquer. Il tenta d'imaginer toutes les possibilités de passer inaperçu. Se déguiser en Ovoïde nécessitait tant de moyens que c'était inenvisageable, mais se grimer en humain sauvage était beaucoup moins difficile. Moins difficile, mais encore trop… Comment pourrait-il se coller des poils sur le corps et le visage ? Il abandonna l'idée du déguisement en se remettant en route dans la direction des maisons. Il estima qu'elles devaient être à moins de deux kilomètres. Son intention était de se rapprocher à la fois d'un groupe d'habitations et bien sûr de la paroi de la colline creuse pour trouver une sortie ; les Ovoïdes devaient probablement résider à proximité des ouvertures pour des raisons pratiques. Il décida de chercher activement une telle ouverture puis de se poster à distance en discrète observation en attendant une idée géniale ou une occasion favorable pour s'y glisser sans être vu.

Il en était là de ses réflexions, marchant avec à chaque pas la crainte d'être blessé, quand il entendit sur la droite un bruit dans les herbes. Un bruit proche, très proche. Il se retourna vivement. Trois Ovoïdes venaient d'apparaître. L'idée de fuir se forma bien entendu dans son esprit, mais courir était pour lui aussi enthousiasmant que de danser nu-pieds sur une planche à clous. De plus, deux autres créatures surgissant de l'obscurité se plantèrent devant lui. Il en vint d'autres et il fut bientôt entouré par neuf d'entre elles. Un cercle d'arabesques lumineuses fantastiques s'agita alors autour de lui. Il devina qu'il était au centre et le centre d'une conversation animée. Ce qui était le cas de le dire vu le langage utilisé. Il n'avait bien sûr aucune intuition de ce qui pouvait se raconter, ça, on s'en doute, mais il lui était également impossible d'avoir la moindre impression au sujet de l'humeur ambiante. Lorsqu'il arrivait que des humains ne pratiquant pas la même langue se rencontrent, ils pouvaient se faire une idée de leurs sentiments réciproques grâce aux expressions faciales qu'ils avaient en commun. Un sourire était un sourire dans toutes les langues, un regard menaçant était un regard menaçant dans toutes les langues et même les intonations de la voix donnaient de précieuses indications sur l'état d'esprit de ceux avec qui l'on tentait de communiquer. Bartol fut écrasé par son impuissance à deviner à qui il avait affaire.

— Cauchemardesquation ! s'écria-t-il. Arrêtez vos visqueries, les mecdules ! J'ai l'impression de dialoguer avec un troupeau de lampes de poche surexcitées !

L'un des Ovoïdes s'éloigna imprévisiblement. Bartol le regarda se diriger vers les habitations.

— Vous avez vu ? J'ai fait peur à votre pote ! dit Bartol. C'est un géantissimesque costaud pourtant ! Faites gaffe, je suis dangereux, en fait ! Fuyez tous, tant qu'il est encore temps !

***

Biologie 455 ouvrit la porte pour laisser entrer Eau 631.

— Alors ? firent les pédoncules de communication de ce dernier. Qu'y a-t-il de si urgent ?

— Quelle était cette occupation importante qui te retenait loin de moi ? répondit-elle.

— Pipi Carafe s'est enfui de chez moi.

— Qui ça ?

— Pipi Carafe, l'humain étrange dont je t'ai parlé. Il s'est enfui, je te disais. J'ai essayé de le retrouver, mais mes recherches n'ont rien donné. Et toi ? Que voulais-tu me dire ?

Refermant la porte et l'entraînant vers le salon pour qu'il ne reste pas planté devant l'entrée, elle expliqua :

— Je souhaitais t'apprendre que ton Pipi Carafe semble être le centre d'intérêt de mon chef, Biologie 237.

— Ah bon ! Pourquoi ça ? Comment ce…

Il s'interrompit pour saluer la jeune sœur de Biologie 455 qui vivait dans le même appartement :

— Bonsoir, Écologie 982 !

— Bonsoir, Eau 631 ! Je m'apprêtais à sortir. Je vous laisse. Bonne soirée, tous les deux !

Elle claqua la porte sans attendre leur réponse.

— Ton animal intéresse même Président 234 ! reprit Biologie 455.

— Président 234 ! mais… pourquoi ?

— Je ne sais pas.

— Tu vois, quand je te disais que ce n'est pas un humain comme les autres !

— En effet, j'en suis convaincue maintenant ! J'aurais bien aimé le voir du coup !

— Malheureusement… Je ne sais où le trouver à présent.

— Comment s'est-il évadé ?

Œuf Affable lui expliqua tout ce qu'il avait vu et constaté. Après l'avoir écouté, elle resta pensive quelques secondes avant de dire :

— Forcer une porte et sauter par cette fenêtre dénote une détermination incroyable pour un humain, en effet ! Tu sais, il faut aussi que je t'apprenne quelque chose qui vient s'ajouter à toute cette étrangeté. On a peut-être trouvé sa femelle…

Les antennes d'Œuf Affable s'enroulèrent comme deux anneaux vus de face.

— Oui, des amis de Biologie 237 ont pris des images dans un bois environnant. Regarde !

Elle lui tendit son téléparleur.

19. Violemment expulsé vers le plafond

Bartol était toujours au centre d'un cercle d'arabesques, de boucles, de méandres, de volutes et autres figures lumineuses, de toutes les couleurs, en traits pleins ou en pointillés. Nu. Dans l'obscurité. Perdu dans la végétation d'un monde inconnu. Blessé, contusionné, griffé. Fatigué. Entouré par huit créatures impénétrables dont il était le sujet de conversation. Telle était sa situation.

Comme il était dans sa nature d'agir en toutes circonstances, idiosyncrasie qu'il partageait avec Sandrila Robatiny, il décida d'avancer en passant entre deux des Ovoïdes qui lui faisaient face.

— Bien, bien, les mecdules ! Très jolies, vos guirlandes, là, mais je dois vous laisser... Votre physique disgracieux de sinistres lurons me fane le moral, en fait...

Au troisième de ses pas, un des sinistres lurons en question se mit devant lui dans une posture significative. Bartol évalua les options d'action.

Combattre celui qui lui barrait le passage ? Probabilité de succès proche de zéro, estima-t-il. Même si, par le plus inattendu des miracles, j'arrive à avoir le dessus, il restera tous ses congénères. Autant envisager de creuser un tunnel avec les ongles pour passer sous eux ! Offrir un grand coup de pied dans les gonades de celui qui me nargue me remplirait d'allégresse, mais en a-t-il quelque part, des gonades ?

Détourner leur attention en hurlant le doigt tendu : « Oh ! le truc là-bas ! » ? J'ai autant de chances d'obtenir une réaction que de faire sursauter une enclume en la chatouillant ! Il n'y a vraiment aucun moyen de communiquer avec ces bestiaux !

Il s'apprêtait à chercher autour de lui une grosse pierre ou un solide morceau de bois, quelque objet qui pût être une arme, quand il vit approcher un neuvième Ovoïde. Le prenant sur le moment pour un nouveau, il supposa ensuite qu'il s'agissait de celui qui était parti un instant auparavant.

Tout se déroula à une vitesse surprenante. Le Marsalè eut à peine le temps de remarquer que cette créature tenait un objet qu'il ne reconnut pas. Elle donna la chose à celle qui s'était mise sur son passage. Cette dernière s'approcha de Bartol, qui par fierté ne bougea pas d'un millimètre. Il y eut un mouvement si vif qu'il fut à peine discernable, à la suite duquel Bartol fut de nouveau tenu en laisse.

Une rage soudaine prit le contrôle du Terrien. Il se saisit d'une pierre de belle taille pour la projeter de toutes ses forces et avec toute sa hargne sur la créature qui l'humiliait tant.

***

762 Jardinage s'apprêtait à marcher vers son village, accompagné par ses amis et sa sœur. Il tenait en laisse l'étrange humain qu'ils venaient de trouver près du cours d'eau. C'était 543 Médecine, sa jeune sœur, qui était allée chercher la laisse. Elle pensait qu'il s'agissait d'un animal qui avait dû s'égarer, ou qui avait été abandonné par ses maîtres.

— Il y en a qui délaissent leurs bêtes, disait-elle. C'est révoltant d'imaginer ça !

— C'est sans doute quelqu'un d'en face qui s'en sera débarrassé parce qu'il est tout pelé ! supposa un des Ovoïdes.

C'est à ce moment précis que 762 Jardinage reçut une pierre dans les jambes. Il en perdit deux sous le choc. Ce qui n'avait rien d'un événement dramatique ! Elles repousseraient en quelques jours. L'incident n'était pas plus douloureux que la perte d'un cheveu pour un homme, mais sa cause provoqua tout de même la surprise de toutes les créatures. Cette surprise suscita une série de commentaires que la traduction restituera avec une fidélité acceptable ainsi :

— Vous avez vu ! s'exclama celui qui venait d'être délesté de deux membres. Ai-je rêvé ou… ?

— Il t'a jeté une pierre, confirma l'un d'eux. C'est incroyable ! Il essaie de s'enlever la laisse en plus, regardez !

Alors qu'ils étaient tous en ligne pour se diriger vers les habitations, ils firent de nouveau cercle autour de l'humain. Les remarques fusèrent :

— Cet animal n'est vraiment pas commun, ni par son aspect, ni par son comportement !

— Moi, je le trouve bien laid, tout pelé ! Ce doit être une race dégénérée. Il y a des gens pour aimer ça.

— Oui, ben… Ce n'est pas de sa faute, le pauvre ! Tu es méchant de dire ça !

— Mais, non, je ne suis pas méchant ! Je dis seulement qu'il est laid, le pauvre… Ça ne donne pas envie de le caresser, en tout cas ! On dirait qu'il a une maladie… Vous le trouvez beau, vous autres ?

— Beau, certainement pas, mais il semble intelligent ! Non ? Il cherche la fermeture du collier autour de son cou, regardez !

— C'est un humain dressé pour faire des tours savants, c'est sûr. C'est son maître qui a dû lui enseigner ça.

— Ça s'est retourné contre lui, parce que ça expliquerait comment cette bête s'est enfuie.

— Oui c'est possible ! Il y a toujours des tordus qui aiment apprendre des trucs tordus aux animaux pour faire les beaux devant leurs amis tordus !

— Oui, ben… avec ça, il va réussir à s'enlever la laisse !

— Donne-moi le filet, 513 Énergie ! On va être obligé de l'attacher.

513 Énergie tendit le filet de pêche à 762 Jardinage qui s'en servit pour ligoter l'humain, les bras le long du corps. Ce qui fut fait en moins d'une seconde.

— Avez-vous noté ? dit 623 Communication. Regardez ses poils du dessus.

— Les seuls qu'il a en fait, répondit 762 Jardinage.

— Certes ! mais que constatez-vous ? …

— Quoi ?

— Ils sont mouillés, fit remarquer 623 Communication.

— Et alors ?

— Et alors… tu demandes ! Mais ça prouve qu'il était dans l'eau. Donc qu'il vient peut-être de chez ceux d'en face !

— C'est bien possible, ricana 822 Administration. Ça expliquerait pourquoi il est si moche !

— Arrête un peu tes plaisanteries racistes, tu es lourd ! s'indigna 501 Mathématiques.

Tout le monde savait que celui qui venait de lancer cette phrase avait une liaison amoureuse avec une d'en face. 822 Administration regarda les autres d'un air entendu. Mais, comme on lui adressait discrètement des mimiques d'antennes qui étaient équivalentes à une aimable moue de réprobation, il lâcha à l'intention de 501 Mathématiques :

— Je plaisante… Ne le prends pas mal !

— Bon ! Rentrons, décida 762 Jardinage pour faire diversion. Il est vraiment tard !

***

Le lendemain, Œuf Affable et Biologie 455 avaient du mal à se réveiller tant ils avaient veillé à la recherche d'une idée pour retrouver Pipi Carafe. Ils prenaient le premier repas de la journée, à table. C'est alors qu'Écologie 982 entra.

— Bonjour, les amoureux ! leur dit-elle.

— Bonjour, sœur !

— Bonjour, belle-sœur !

Elle vint s'asseoir près d'eux.

Les Ovoïdes s'alimentaient en introduisant leur nourriture dans ce qu'il était logique d'appeler « leur bouche », une ouverture située tout au-dessus d'eux. Nulle trace d'elle n'apparaissait quand elle était fermée ; ils l'ouvraient uniquement pour manger et jamais pour une autre raison, la respiration se faisant à travers leur enveloppe. Dépourvus de dentition, ils ne mâchaient pas. Leurs sucs digestifs très puissants étaient en mesure de dissoudre rapidement quelque aliment que ce fût.

Œuf Affable fit disparaître une sorte de gousse dans son orifice buccal puis il eut un mouvement de ses pédoncules de communication qui exprima explicitement un plaisir gourmand.

Tous ses proches savaient combien il aimait ces fruits produits par une plante endémique à son monde. À chaque déjeuner, il faisait appel à sa volonté pour éviter de s'en gaver sans retenue.

En le voyant faire, Biologie 455 et Écologie 982 firent se rencontrer les extrémités de leurs antennes d'une manière entendue.

— Alors, demanda Biologie 455, qu'as-tu de nouveau à nous raconter, ma sœur ?

— Rien de spécial...

— Et ce soupirant soupire-t-il toujours ? plaisanta Biologie 455 qui était au courant de toutes les aventures amoureuses de sa sœur.

Il s'agissait en l'occurrence d'un jeune Ovoïde qui redoublait d'efforts pour la séduire. Mais il y avait un problème…

— Oui, oui… Il m'a appelée tout à l'heure encore. Et vous ? Vous semblez bien fatigués, tous les deux… Vous avez dû en dépenser de l'énergie cette nuit !

— Nous avons parlé.

— Parlé… De quoi ?

— Demande à Eau…

— D'un humain, dit Œuf Affable.

— D'un humain ? Vous avez parlé toute la nuit d'un humain !

— D'un humain pas comme les autres, précisa Œuf Affable en enfournant un nouveau fruit. Un animal vraiment étrange.

— Ah bon ! C'est surprenant… Je me demande ce que vous avez tous avec vos humains étranges !

— Comment ça, tous ? s'étonna Œuf Affable, en faisant disparaître un énième fuit.

— Je dis ça, parce que nous parlions à l'instant de 501 Mathématiques. Il vient justement de me raconter qu'ils ont trouvé un humain étrange en revenant de la pêche au filet.

Ce serait sans doute prendre un risque de comparaison anthropomorphique de prétendre qu'à ce moment-là Œuf Affable toussa. Toujours est-il que le puissant suc digestif, dont il a été question plus haut, n'eut pas le temps de dissoudre le dernier fruit, qui fut violemment expulsé vers le plafond.

20. Son tégument est tout à fait sain

— Il n'y aurait pas les coordonnées de son maître sur son bracelet ? demanda 312 Histoire à sa fille.

— Non, papa. Il n'y a pas d'écriture dessus.

— Tant pis ! Mais... non, vraiment ! je ne sais pas si nous pourrons le garder, ma chérie.

— Papa ! Steup ! ... Steupeeeeeee ! Sois sympa ! supplia 543 Médecine.

Il est important de rappeler encore que la traduction s'efforce de rendre au mieux la teneur de ce qu'exprimait le langage lumino-gestuel. Il tombera dès lors sous le sens que 543 Médecine n'a jamais textuellement répondu cela, mais seulement quelque chose qui s'en rapprochait.

— Ma fille, cet animal a l'air malade ! Tu le vois bien ! Tu ne voudrais pas qu'il transmette cette maladie à Caline !

— On pourrait le faire examiner par 391 Vétérinaire ! Peut-être que ce n'est pas si grave...

— Si tu insistes ! Ça a l'air de te faire tant plaisir ! Mais j'avoue que personnellement je le trouve très laid. C'est la première fois que je vois un humain comme ça, tout nu. Il a la pelade ! Ce n'est pas très attirant !

— Oui, mais si on le soigne ! Tu aimerais qu'on se débarrasse de toi si tu étais malade, toi ?

— Bon, d'accord ma chérie ! N'en parlons plus... Je vais le mettre dans une cage bien séparée de tous en attendant que 391 Vétérinaire nous dise ce qu'il en pense. Pour le moment, ne t'approche pas trop de lui. Ne le touche pas, s'il te plaît !

312 Histoire regarda son fils qui tenait Bartol en laisse et qui était resté silencieux durant cette conversation :

— Pourquoi l'avoir ligoté dans le filet de pêche ?

— Ça va te paraître incroyable, papa, mais, nous avons été obligés de faire ça parce qu'il essayait de s'enlever le collier.

Les appendices de communication de 312 Histoire formèrent deux anneaux.

— Je te jure, papa !

— C'est vrai, pa ! confirma 543 Médecine.

— Et il n'était pas loin d'y parvenir, ajouta son frère. C'est pour ça que nous lui avons immobilisé les mains. Ça me ferait plaisir à moi aussi qu'on le soigne et qu'on le garde.

312 Histoire eut un mouvement coloré de ses antennes qui était l'équivalent du haussement d'épaules avec les yeux au ciel d'un humain solairien. Il ne croyait visiblement pas ses enfants, mais il dit :

— Mets cet animal dans une cage... ou... attache-le plutôt à cet arbre, là. Que personne ne le touche jusqu'au diagnostic de 391 Vétérinaire ! Et surveillez bien Caline, s'il vous plaît. Ne la laissez pas s'en approcher. Si elle attrape la gale à cause de cette bête, je vous en tiendrais pour responsable !

Le père s'éloigna. Les deux enfants échangèrent un sourire lumino-gestuel.

— Motus au sujet de ses poils d'en haut qui étaient mouillés, dit 762 Jardinage. Si papa se doute comme nous qu'il vient d'en face, il serait capable de l'abattre sur-le-champ.

— Tu me prends pour une idiote ! J'allais te recommander la même chose.

*

Bartol se retrouva retenu par le cou au tronc d'un arbre, près du côté concave d'une construction en forme de haricot, de toute évidence l'habitation de ceux qui le gardaient prisonnier. Deux Ovoïdes étaient devant lui, celui qui venait de l'attacher et un autre. Le Marsalè les reconnaissait. Il s'agissait de celui qui était allé chercher la laisse et de celui qui lui avait passé le collier autour du cou. Ce dernier se tenait à trois mètres, mais le premier essayait de caresser Bartol sur la tête en accompagnant ses tentatives de moult lumino-gesticulations. Alors qu'il en avait presque pris l'habitude avec Œuf Affable, le Marsalè éprouvait le plus grand dégoût à sentir le contact froid et lisse de la main dodécadigitale qui s'obstinait à vouloir le toucher. Il évitait chacune de ses offensantes avances d'un mouvement de tête et en se déplaçant, d'un côté ou de l'autre. L'Ovoïde qui se tenait un peu à l'écart s'éloigna au milieu d'un cercle d'herbe fléchie par ses filaments locomoteurs. Bartol fixa celui qui s'entêtait à essayer de le toucher dans l'extrémité de ses pédoncules oculaires et articula quelques mots, plus dans l'intention de donner plus de signification à son propre regard que dans l'espoir d'être compris oralement :

— Observez-moi ! Remarquez que je tente de communiquer, que je revendique ma liberté et ma dignité. Que je ne veux pas être domestiqué !

Il répéta ça plusieurs fois, puis, se laissant tomber à genoux dans l'herbe, il se trémoussa pour tenter de se dégager des mailles qui lui maintenaient les bras le long du corps.

Avec la fulgurante rapidité qui était propre aux Ovoïdes, et que l'humain avait déjà eu l'occasion de constater, son tortionnaire le débarrassa du filet. Le Marsalè avait à peine eu le temps de sentir qu'il avait été touché au buste, dans le dos et aux bras. Au cou aussi peut-être, mais il n'en était pas certain. Il réalisa alors que la créature pourrait facilement lui toucher la tête si elle le voulait, mais qu'elle ralentissait ses mouvements sans aucun doute pour éviter de l'effrayer, pour gagner sa confiance, pour l'apprivoiser, en fait. Comme lui-même l'aurait fait pour amadouer un animal apeuré. Il se remit sur pieds et s'apprêta à esquiver la main noire avec une obstination supérieure à celle dont l'Ovoïde faisait preuve pour tenter de le dorloter, mais le second Ovoïde revint en portant quelque chose qui ressemblait à un seau. Une seconde distrait par son approche, Bartol ne put éviter une caresse dans ses cheveux. Ce contact imposé fit soudainement exploser en lui une violente colère. Ses lèvres se mirent à trembler tandis que d'épouvantables chapelets de grossièretés qui étaient sa spécialité les franchirent.

Quand l'Ovoïde déversa le contenu du seau à ses pieds dans l'herbe, son courroux laissa place à l'abattement.

— Je ne veux pas manger, dit-il d'une voix éteinte, en détournant le regard de la nourriture. Je ne veux pas manger... J'ai en moi un endosynthétiseur protéique. Je ne suis pas un de ces humains que vous soumettez.

*

— 391 Vétérinaire, te voilà ! s'exclama 312 Histoire en ouvrant la porte. Viens, entre, suis-moi, que je te montre quelque chose !

312 Histoire entraîna le praticien pour lui faire traverser la maison et le conduire dans le jardin.

— Je te proposerai un petit lichen après, mais je préfère que tu diagnostiques un humain d'abord.

— Comme tu voudras. Mais as-tu un nouvel humain ? Il ne s'agit pas de Caline ?

— Non, je ne te l'ai pas dit au téléparleur, mais il ne s'agit pas de Caline, mais d'une bête, sans doute malade, que les enfants ont trouvée et qu'ils veulent à tout prix garder... Tu sais ce que c'est !

312 Histoire fit sortir 391 Vétérinaire de l'autre côté de la maison et le conduisit devant Bartol. Arrivé sur les lieux, il s'exclama sur un ton un peu exaspéré :

— Médecine ! Je t'ai recommandé de ne pas toucher cette bête avant l'examen de 391 Vétérinaire ! Tu n'écoutes rien !

543 Médecine retira sa main du dos de Bartol et prit un air confus pour appeler l'indulgence de son père. C'est à lui que reviendrait la décision de garder ou non l'humain, aussi était-il préférable de rester dans ses bonnes grâces. Devant l'attitude repentante de sa fille, c'est un père radouci qui dessina au-dessus de lui un sourire lumino-gestuel mi-contrarié mi-affectueux et dit à 391 Vétérinaire :

— Voilà la bête en question, qu'en penses-tu ? Elle est malade, n'est-ce pas ? Elle a la pelade, regarde !

Le vétérinaire s'approcha de l'humain et l'examina. Il utilisa différents appareils, en appliquant notamment un sur sa peau. Chacun de ses gestes fut si rapide que Bartol n'eut pas le temps de les éviter. Avant même qu'il ne comprît ce qui se passait, l'examen était terminé.

— Alors ? Il est malade, n'est-ce pas ? demanda le père en regardant Bartol avec un air de dégoût.

— Il n'est pas malade, non, dit 391 Vétérinaire.

— Tu en es certain ? insista 312 Histoire.

— Je ne pense pas. Son tégument est tout à fait sain. Je te concède que je n'avais jamais vu un animal pareil, mais je suppose qu'il s'agit d'une race qui présente cet aspect. Une dégénérescence du système pileux, sans doute ! En tout cas, tu n'as rien à craindre pour ton humaine ou pour tes enfants.

— Bon ! Et bien, je t'avoue que je suis rassuré.

— Il ne semble pas avoir faim, dit le vétérinaire en observant la nourriture dans l'herbe.

— Non, répondit 543 Médecine. Il n'a rien voulu manger.

— Ce n'est pas un mauvais signe, ça ? s'inquiéta de nouveau le père.

— Pas forcément, expliqua 391 Vétérinaire. Il doit être stressé. Il en a tout l'air en tout cas. Laisse-lui le temps de s'habituer à vous. Qui sait ? Peut-être que cet animal a été battu… Il a des blessures et des hématomes un peu partout… Dommage qu'il n'y ait rien qui permette de retrouver son maître sur son bracelet !

— En effet ! Bon… Si tu dis qu'il n'a rien, je te fais confiance. Allons prendre un petit lichen tous les deux.

— Ce n'est pas de refus.

— Papa ! demanda 543 Médecine à son père qui s'éloignait déjà avec le vétérinaire, est-ce que je peux lui présenter Caline ?

— Si tu veux, ma fille. Mais ne le détache pas encore.

— Bien, pa !

21. Hélas ! Je ne suis pas à mon avantage

Bartol demeura toute la journée attaché à l'arbre. On lui apporta de l'eau et encore de la nourriture. Il but un peu, mais ne toucha pas à cette dernière. Les deux Ovoïdes, celui qui voulait le caresser et celui qui lui avait passé le collier autour du cou, venaient de temps en temps le voir. Une fois, le troisième occupant de la maison resta également quelques minutes avec eux près de lui. Mais, paradoxalement, le plus difficile à supporter fut sans doute la présence d'une congénère. L'Ovoïde qui avait tant essayé de le caresser, et que Bartol avait surnommé « La Glu », avait amené cette femme velue tenue en laisse devant lui. Au grand étonnement et à la déconvenue de Bartol, cette personne tirait sur son collier en poussant de petits cris, dans sa direction. Dès que La Glu l'eut libérée, elle s'était mise à courir autour de lui et à le renifler de temps à autre. En désespoir de cause, il avait essayé de lui parler, mais, sans le moindre succès comme il s'y était attendu. La femme velue ressemblait beaucoup à Babine, physiquement ; elle était un peu plus petite si ses souvenirs étaient bons. Plus petite et, Bartol ne manqua pas de s'en féliciter, moins entreprenante. Elle se laissait volontiers caresser par La Glu. Il eut même par moments l'impression que cette dernière espérait l'amener à accepter le contact grâce cet exemple.

À plusieurs reprises, on le laissa seul, en compagnie de sa congénère. Il en profita pour essayer de se débarrasser de son collier, mais il se rendit vite compte qu'il n'y parviendrait pas. La Glu avait dû ajouter quelque chose au mécanisme de fermeture après lui avoir enlevé le filet. Il se souvint effectivement d'avoir eu l'impression fugace d'être touché au cou.

La nuit était tombée maintenant et il était toujours attaché au même endroit. La Glu était restée un moment en sa compagnie jusqu'aux dernières lueurs du jour, sans cesser de dessiner des motifs colorés au-dessus d'elle. Des motifs colorés qu'il finissait par avoir en horreur.

À présent seul dans l'obscurité, assis en tailleur aux pieds de l'arbre, il s'efforçait encore de se débarrasser de son collier. Le contact de l'herbe l'assaillait de piqûres et de démangeaisons sur les jambes et les fesses. La nudité était très inconfortable dans la nature, il n'en avait pas l'habitude. Il essayait depuis presque une heure de reconnaître à tâtons ce qui l'empêchait d'actionner l'ouverture de son collier quand quelque chose d'incroyable se produisit.

Bref frôlement sur son cou ! Bien avant même qu'il ne sursautât, le collier se détacha tout seul. Et bien avant qu'il n'eût le temps de s'en étonner, il se sentit vigoureusement soulevé et emporté.

Il lui fallut deux secondes pour réaliser qu'il était kidnappé par un Ovoïde qui le portait, enroulé dans un bras, en courant à vive allure. Deux autres secondes lui furent nécessaires pour constater que son ravisseur fonçait dans la direction du cours d'eau, le ramenant donc sur les pas de sa fuite. Les deux secondes qui suivirent lui permirent de sentir le long membre froid et lisse qui faisait au moins deux fois le tour de son buste, tel un boa constrictor. Il mit à profit les deux secondes d'après pour attraper de sa main gauche le pédoncule oculaire droit de son kidnappeur. Serrant de toute sa poigne, il tira aussi fort qu'il put, puis ajouta sa main droite à la bagarre pour se cramponner à l'organe avec la hargne provoquée par toutes les humiliations qu'il avait vécues. Faisant preuve d'une implacable application, il tordit l'appendice dans tous les sens, le secoua et tenta même d'y faire un nœud. Ses efforts malveillants furent indéniablement suivis d'effet. Assurément terrassé par la douleur, son adversaire le laissa tomber dans l'herbe. Il roula plusieurs fois sur lui-même et finit brutalement arrêté par un buisson. Un buisson sans doute plein d'épines, d'après ce qu'il sentit. Mais, ce n'était ni le moment de le vérifier, ni celui de se soucier de ses piqûres. Il se releva et courut comme si cent diables eussent été à ses trousses. Mais l'Ovoïde était déjà sur ses talons. Il parvint à lui échapper plusieurs fois de justesse, en tournant brusquement derrière de petits arbres offrant une protection providentielle. Son poursuivant était à n'en pas douter beaucoup plus rapide que l'humain, mais il était visiblement moins leste, plus lourd. De plus, sa corpulence l'empêchait d'emprunter certains passages dans lesquels Bartol se glissait, mais qui étaient trop étroits pour lui. Ils jouèrent ainsi au chat et à la souris, tournant par moments plusieurs fois autour du même bosquet. Bartol fut bientôt hors d'haleine, mais un torrent d'adrénaline circulait dans ses veines et sa pompe cardiaque gavait ses muscles en oxygène. Il ne sentait ni la fatigue, ni la douleur, bien que ses pieds fussent presque en sang. Vinrent pourtant les premiers symptômes de son épuisement. Ses mouvements se ralentirent. Il trébucha plusieurs fois et il finit par tomber à plat ventre sur un sol sableux et humide. La volonté de se relever parvint presque à le remettre sur pieds, mais il n'était pas encore complètement redressé quand il se sentit de nouveau soulevé. Pas par son poursuivant toutefois, constata-t-il, car celui-ci arrivait à peine, l'appendice oculaire droit pendant sur le côté. Bartol essaya de saisir celui de son nouvel agresseur pour réitérer sa prise défensive sur lui, mais ce dernier lui immobilisa fermement les deux bras.

*

— Cet humain est complètement enragé ! gémit 501 Mathématiques. Regarde, ce qu'il m'a fait !

Eau 631 considéra l'organe, visiblement meurtri, qui pendait et dit :

— Je suis vraiment désolé. Tu m'as rendu un très grand service. Je suis vraiment confus de t'avoir occasionné ce problème.

Il se sentait vraiment gêné. D'autant plus qu'il savait très bien que 501 Mathématiques l'avait aidé sur la demande d'Écologie 982 et qu'il n'avait agi que par amour pour elle.

— Il est complètement enragé, je te dis ! Fais attention, tiens-le bien. Heureusement que tu l'as attrapé, je crois qu'il m'aurait échappé.

Eau 631 fit une injection à Bartol. Celui-ci s'endormit presque aussitôt.

— C'est étonnant qu'il ne t'ait pas mordu ! observa Œuf Affable en dissimulant l'humain dans un sac.

— Ah bon ! Le regrettes-tu ?

— Non, bien sûr ! Je constate seulement que, là encore, quand il se défend, il n'est pas comme les autres !

— Oui, bon ! J'aurais préféré une morsure, je ne te cache pas ! Parce que là je suis pratiquement borgne.

— Viens, nous allons te soigner.

501 Mathématiques le suivit avec un air déprimé. Ils traversèrent le cours d'eau et marchèrent hâtivement sur la berge. Peiné par la mine piteuse du jeune Ovoïde presque éborgné, Eau 631 dit :

— Tu la verras. Je suis sûr qu'elle prendra soin de toi.

Le blessé fit timidement se toucher l'extrémité de ses pédoncules de communication.

— Hélas ! Je ne suis pas à mon avantage avec ce que m'a fait
subir cet animal !

— Tu vas guérir vite. Dans quelques jours, tu seras de
nouveau un séducteur ! Et le service que tu m'as rendu, personnellement, je ne suis pas près de l'oublier. Je pense qu'Écologie
en sera aussi beaucoup touchée.

Les extrémités des appendices de communication de 501
Mathématiques se touchèrent cette fois avec un peu plus de
conviction.

22. Une agitation particulière anima les pédoncules

Eau 631 entra, suivi de 501 Mathématiques. Écologie 982 referma la porte derrière eux.

— Il est là-dedans ? demanda-t-elle en regardant le sac que portait le premier.

Sans attendre de réponse, elle poussa un « hurlement » lumino-gestuel de surprise en voyant l'œil du second. Que ce fût par des moyens lumino-gestuels, pour les Ovoïdes, ou sonores, pour les humains, il existait plusieurs variantes d'expression de la surprise. Celle qui échappa à Écologie 982, les deux antennes tendues vers le haut avec leur extrémité bleue, en traduisait une grande.

— Que t'est-il arrivé ? demanda-t-elle.

— C'est cet animal qui est complètement enragé ! expliqua 501 Mathématiques, assez content de produire cet effet sur la personne pour laquelle il éprouvait de doux sentiments, mais en même temps par trop gêné de se présenter à elle sous cet aspect peu avantageux.

Biologie 455 poussa son propre cri lumino-gestuel de surprise en découvrant à son tour l'œil qui pendait sinistrement.

— Nous allons soigner ça, dit Écologie 982, visiblement attristée et considérablement confuse.

C'était elle qui avait demandé au jeune Ovoïde s'il pouvait leur rendre ce service et elle le lui avait demandé pour faire plaisir à Eau 631 ; aussi décocha-t-elle à ce dernier un regard significatif.

*

Quelque temps plus tard :

Biologie 237 avait mis à profit ses connaissances médicales pour soigner le blessé. L'organe sauvagement meurtri et distendu de celui-ci avait été enduit d'une substance antiseptique et analgésique avant d'être enveloppé dans une bande de protection. Écologie 982 lui prodiguait de gentilles attentions pour lui remonter le moral et se faire pardonner. Œuf Affable soupçonna 501 Mathématiques de manœuvres quand il le vit encore un peu gémissant, mais il se garda évidemment bien d'en faire la remarque ; lui aussi était responsable de ce qui était arrivé à ce peut-être futur beau-frère. Ce n'était, hélas ! pas gagné pour ce dernier parce qu'il était d'en face. Les esprits modernes ne tenaient pas trop compte de cela, mais, fallait-il reconnaître, les esprits modernes n'étaient légion ni de ce côté, ni de l'autre.

Avec ce qui était arrivé, les deux occupantes des lieux avaient exigé que cet animal fût mis en cage avant son réveil. La dose de somnifères injectée à l'humain avait largement donné le temps à Œuf Affable d'aller en querir une et d'assembler ces éléments.

Ce fut sous les huit yeux, dont l'un était amoindri, des quatre Ovoïdes que Bartol était sur le point de recouvrer sa conscience, à l'intérieur d'une cage installée au fond de la pièce principale. Biologie 455, qui l'avait déjà longuement observé convenait qu'il était surprenant et d'un aspect peu engageant. Son esprit scientifique prenant toutefois le dessus, elle laissait assez facilement ce jugement subjectif de côté. Sa jeune sœur, en revanche, ne se privait pas de le trouver tout à fait repoussant, sans doute aidée dans ce sentiment par ce qu'il avait fait à son

Roméo. Biologie 455 avait profité de son endormissement pour désinfecter toutes les blessures de l'humain.

Ce dernier, allongé sur le côté, commença à bouger sous leurs regards intéressés. Il se redressa en partie, restant les membres inférieurs pliés. Cramponné à un barreau de la main gauche, il passa la droite dans ses poils d'en haut, avant de la poser à plat un peu plus bas, au-dessus de ses yeux. Sa bouche se plissa quand il toucha le bout de ses jambes. Il finit par lever son regard vers eux pour les fixer un moment. Après avoir poussé quelques cris, il se mit debout et les étudia tous un à un.

— Il a une position très redressée qui rappelle celle de la femelle prise en images par les amis de mon chef, remarqua Biologie 455.

À leur grande surprise, l'humain entreprit de secouer chaque barreau de sa cage. Cela fait, il continua à les étonner en se hissant sur la pointe de ses bouts de jambes pour tenter de soulever le toit de sa prison. Ils n'étaient pas revenus de leur stupeur quand il essaya ensuite d'écarter deux barreaux en forçant exactement à mi-hauteur.

— Vous voyez ! Il agit vraiment comme une créature intelligente qui réfléchit, s'enthousiasma Eau 631.

— C'est vrai, c'est vraiment stupéfiant ! convint Biologie 455.

— Tu vois ! Je te l'avais dit qu'il n'est pas comme les autres ! Je te l'avais dit !

Même Écologie 982 et 501 Mathématiques durent reconnaître, malgré leur mauvaise disposition d'esprit à l'égard de cet humain, que c'était un comportement extraordinaire.

*

Bartol s'était réveillé avec des douleurs dans tout le corps. Il avait cru sortir d'un cauchemar, mais cette impression avait duré moins d'une seconde. Ses souvenirs étaient bien réels, il en avait eu la conviction. Il en avait eu la conviction avant même d'en avoir la confirmation en découvrant qu'il était de nouveau enfermé dans une cage en présence de quatre Ovoïdes. Son étonnement avait été grand quand il avait reconnu Œuf Affable. Qu'est-ce que ce félon fait avec les autres ? s'était-il demandé. Remarquant que l'un d'entre eux avait une bande autour de son pédoncule oculaire droit, il avait espéré que c'était son ravisseur et qu'il portait là, la trace de ce qu'il lui avait infligé. Plus que de l'espérer, il en avait été vite presque persuadé et cela lui avait procuré une grande satisfaction. C'était un peu puéril, bien entendu, mais il avait besoin de se dire qu'il pouvait être pour eux autre chose qu'une victime sans défense. C'était réconfortant de savoir que ces bourreaux, quelque puissants qu'ils fussent, n'étaient pas hors d'atteinte de ses ripostes. En tout état de cause, la preuve était faite qu'ils n'étaient pas indestructibles.

Les deux autres Ovoïdes ne lui disaient rien. Il pensa ne les avoir jamais rencontrés. Après les avoir regardés de l'air le plus arrogant qu'il pût prendre, il s'était adressé à Œuf Affable :

— Œuf Affable ! Visquerie de traître ! Tu as tout fait pour gagner ma confiance et je te vois maintenant en présence de ce pauvre mecdule que j'ai à moitié démonté. Je suis sûr que c'est toi qui es venu l'aider, sans ton intervention il serait en ce moment sourd, aveugle, muet et complètement estropié. Vous êtes des lâches, de vous mettre à deux contre un. J'en aurais fait un œuf aveugle, si tu me l'avais laissé entre les mains !

Il avait ricané, puis s'était tu, conscient de l'inanité de ses paroles, conscient qu'il parlait seul, conscient que même s'il eût été compris, ce discours primaire ne pouvait que le dévaloriser.

Il avait alors voulu, encore une fois, leur faire réaliser qu'il n'était pas un humain comme ils avaient l'habitude d'en côtoyer.

C'était pour cette raison qu'il avait éprouvé sa cage, puis tenté d'en soulever le toit avant d'essayer d'écarter ses barreaux. Il l'avait fait pour être compris d'eux.

Une agitation particulière anima les pédoncules de communication. Il eut à ce moment-là l'espoir d'avoir enfin réussi. Une idée lui traversa l'esprit et c'est d'une voix chargée d'émotion qu'il montra son index et cria :

— Un.

Puis, deux doigts tendus de la main droite, il dit :

— Deux.

En levant un doigt de chaque main, il articula également :

— Deux.

Après quoi, il exhiba plusieurs fois un seul doigt, au hasard sur une main ou l'autre, en criant chaque fois « Un ». Puis, il recommença avec deux doigts. Quand il passa au chiffre trois, il utilisa soit trois doigts d'une seule main, soit deux doigts d'une main et un seul de l'autre. À la suite de cette démonstration digitale, il leva un bras et cria : « Un ». Il baissa ce bras et, levant une jambe, il cria encore « Un ». Avec l'autre jambe, il cria également « Un ». Vint le tour du chiffre deux, puis du trois qu'il représenta en soulevant le nombre de membres correspondant.

23. C'est un spécimen très intéressant

Bartol était encore en train de lever bras et jambes en indiquant chaque fois combien de membres il montrait, lorsque des exclamations lumino-gestuelles d'enthousiasme s'échangèrent parmi ses spectateurs. Même Écologie 982 et 501 Mathématiques, qui jusqu'alors modéraient leur sympathie pour cet humain, reconnurent qu'ils assistaient à quelque chose d'extraordinaire. Œuf Affable ne paraissait plus vouloir cesser de répéter qu'il avait bien dit qu'il n'était pas comme les autres. Biologie 455 prétendait qu'elle vivait là la découverte la plus exaltante de sa vie. 501 Mathématiques avoua qu'il ne regrettait pas d'avoir pris le risque d'aller récupérer ce phénomène et que c'eût été une perte pour la science qu'il lui arrivât quoi que ce fût de fâcheux. Écologie 982 disait que personne ne voudrait croire, sans la voir, qu'une telle chose pût exister.

Prenant la mesure de l'intérêt qu'il suscitait, Bartol ne s'arrêtait pas. Il passa au chiffre quatre et même cinq en montrant plusieurs combinaisons possibles avec ses doigts, bras tendus vers son public, à travers les barreaux.

*

— Il est infatigable ! s'exclama 501 Mathématiques, en prenant un fruit sec dans le plat que lui tendait Eau 631 pardessus l'étroit comptoir qui séparait la cuisine de la salle de séjour.

Pour être tout à fait précis, ce n'était pas vraiment une cuisine, mais on ne pourrait trouver un mot plus proche en humain solairien.

Comme on l'aura deviné, 501 Mathématiques parlait de l'humain qui continuait à gesticuler dans sa cage.

Sans quitter ce dernier des yeux, Œuf Affable lança un fruit au-dessus de lui en ouvrant grand son orifice d'ingestion pour l'enfourner au vol lors de sa descente. Mais la gousse tomba à côté de sa « bouche » et après avoir rebondi sur lui, elle roula sur le sol. Comme ce n'était pas la première fois qu'il échouait à ce petit jeu, Biologie 455 lui ramena la chose en le réprimandant avec douceur :

— Ho chéri, tu exagères !

Elle vint enlacer une dizaine de ses jambes avec les siennes et dit :

— Non, il ne se lasse pas ! Je voudrais le montrer le plus vite possible à Biologie 237.

— Qui est Biologie 237 ? s'informa 501 Mathématiques.

— C'est le chef du laboratoire qui m'emploie. Il est extrêmement intéressé par Pipi Carafe !

— Pipi Carafe ?

— Oui, c'est le nom que lui a trouvé Eau. Je le trouve ridicule, pour ma part, mais bon !

— Ridicule, en effet ! renchérit Écologie 982.

— Eh bien, trouvez-en un autre vous, puisque tout le monde est contre moi ! lança Eau 631. Réfléchissez-y et faites des propositions.

— Nous y penserons, conclut Biologie 455. En attendant, je te disais que j'ai hâte de le montrer à Biologie 237.

— Je ne sais pas si c'est une bonne idée, finalement, de se précipiter pour ça, répondit Œuf Affable. On va nous demander comment il est arrivé chez toi. Imagine que ceux d'en face, contrariés par sa disparition inexpliquée, fassent une enquête et aboutissent à la conclusion que c'est quelqu'un de chez nous qui l'a récupéré.

— Avec l'aide de l'un des leurs, ajouta 501 Mathématiques ! S'ils découvrent que c'est moi, je serai toute ma vie un traître chez moi et un étranger d'en face ici !

— Je comprends que tout cela est délicat, convint Biologie 455. Mais alors, que faire ?

— Gardons-le avec nous pour l'instant, proposa Œuf Affable. Donnons-nous le temps de réfléchir. Nous pourrions par exemple attendre qu'on ne parle plus de lui, qu'on l'oublie un peu. Ensuite, plus tard, nous pourrons faire semblant de l'avoir trouvé par hasard. Je dirai que je l'ai capturé seul sur la berge du canal.

Tout le monde pensa que c'était une bonne idée ou, qu'en tout cas, il n'y en avait pas de meilleure pour l'instant.

***

— Attention, attention ! lança Biologie 237. Attention de ne pas vous faire mordre, mais prenez soin d'elle. Tâchez de ne pas la blesser, c'est un spécimen très intéressant. En aviez-vous déjà vu de semblables ?

— Sûr que non, dit Alimentation 727.

— Moi non plus, reconnut Chimie 1007.

Biologie 237 était heureux. Des chasseurs, missionnés par Président 234, avaient réussi à capturer l'étrange humaine filmée quelque temps auparavant par ses propres amis. On la lui livrait. Le président était présent.

— Alors ! fit-il sur un ton pour le moins fat, tu vois... Il suffit que je veuille pour que ça se fasse.

Pour en obtenir tout ce qu'on pouvait en obtenir, il avait l'habitude de caresser le vieil élu dans le sens du poil afin d'en obtenir tout ce qu'on pouvait en obtenir, pour autant que cette expression conserve un sens concernant une créature dépourvue de système pileux.

Alimentation 727 et Chimie 1007, les deux chasseurs qui avaient capturé l'humaine, la tenaient chacun d'un côté avec une laisse. Pour éviter d'être mordus, ils veillaient à garder ces deux câbles tendus.

— Suivez-moi ! dit Biologie 237.

Les chasseurs conduisirent leur capture sur les pas du chef du laboratoire. Ils traversèrent deux salles remplies d'instruments d'observation et entrèrent dans une troisième occupée entre autres choses par une cage.

— Elle sera bien ici, dit le biologiste en l'ouvrant.

On enferma l'humaine. Les chasseurs saluèrent et se retirèrent. Restés seuls, le président et le biologiste observèrent la créature.

— C'est un bien étrange animal ! s'exclama le chef de laboratoire. Bien étrange animal.

— Pas particulièrement attirant, je trouve, dit Président 234 en se dessinant une grimace lumino-gestuelle de dégoût. Ça ne donne pas envie de la toucher. Elle doit être malade pour perdre tous ses poils, non ? Et pourquoi est-elle bleue ?

— Je me le demande ! J'examinerai ce tégument bleu sans système pileux de plus près, mais à première vue, je ne pense pas qu'elle soit malade, non. Cela dit, ce qui m'interroge aussi beaucoup, ce sont ses étranges vêtements. Qui a bien pu avoir l'idée de la couvrir ainsi ? Et pourquoi se donner tant de mal à confectionner de pareils habits pour ensuite laisser l'animal s'échapper, hein ?

— Je me posais la même question, reconnut le président.

— Et contrairement au reste de son corps, ses poils d'en haut sont très longs. Très longs et d'une bien étrange couleur ! N'est-ce pas, Président ?

— Fort surprenante, cette couleur, en effet ! Elle semble même un peu luminescente.

— Elle a, de plus, une posture inhabituelle. Remarque qu'elle se tient beaucoup plus droite que les humains en général.

— Oui, c'est vrai. C'est ce que j'observais justement.

Le vieux biologiste faisait à peine attention aux réponses de Président 234. Il parlait presque seul, se faisant ses réflexions à lui-même.

— Ses cris sont différents aussi. Je n'ai jamais rien entendu de tel. Il faudrait que j'étudie ça également.

— J'allais te le faire remarquer...

— Je crois que soit nous avons affaire à une race mutante, soit à une très habile expérimentation génétique.

— C'est un peu ce que je me disais, répondit le président.

Ce qu'il se disait était en vérité à peu près égal à rien, mais il aimait partager l'avis du chef de laboratoire, comme si cette appréciation avait été également la sienne. Président 234 était un politicien qui savait faire appel aux compétences opportunes pour chaque chose. Pour lui, c'était aussi simple que cela : les métallurgistes savaient forger le métal, les scientifiques savaient forger les avis.

— Ce serait une bonne idée d'en parler le moins possible. J'aimerais que tu demandes à tes deux chasseurs de ne raconter ça à personne. Dis-le-leur au plus vite ! Si le maître de cette bête apprend qu'elle est chez nous, il viendra la réclamer. Je préfère éviter que ça se produise... ou du moins que ça se produise le plus tard possible.

— Je vais leur recommander de se taire à l'instant même, assura Président 234 en prenant son téléparleur.

***

Bartol pensait avoir enfin réussi à révéler sa véritable nature aux Ovoïdes ici présents. Leur comportement semblait montrer qu'ils n'avaient pas été indifférents à la démonstration de ses connaissances en mathématiques. Ils paraissaient en ce moment plongés dans une grande discussion et il était à peu près certain d'en être le sujet. Concevant pour lors l'espoir d'être libéré d'un instant à l'autre, afin d'être traité comme un être intelligent, il se sentait même prêt à oublier magnanimement toutes les humiliations subies.

***

— Nous suivrons ton plan, dit Biologie 455 à Eau 631. Nous attendrons que ceux d'en face oublient ce qui s'est passé, et qu'on ne pense plus à lui d'un côté du canal comme de l'autre.

Tous approuvèrent.

— Je le montrerai à Biologie 237 plus tard donc, ajouta-t-elle, mais pour l'heure je vais sérieusement étudier cet animal extraordinaire. Ce n'est pas tous les jours qu'on en voit un danser.

24. Le Terrien eut un mouvement de recul

Le jour se levait lentement. Les premières lueurs s'infiltraient à travers les cinq grands dômes transparents qui coiffaient le sommet de la colline creuse. Cette clarté entrait par les fenêtres du laboratoire de biologie.

Le président était parti. À présent seul avec son nouveau sujet d'étude, le vieux scientifique prit quelques images de l'humaine puis il se concentra pour l'observer avec attention. Allongée sur le côté, elle s'endormait tandis que le narcotique qu'il venait de lui injecter commençait à faire son effet. Il la fixait avec un grand intérêt, posé sur un « tabouret », tenant encore le pistolet hypodermique dans sa main dodécadigitale.

Biologie 455 devait arriver d'un instant à l'autre. Il avait hâte de voir sa réaction. Sa jeune collaboratrice était une brillante chercheuse et le sujet ne manquerait pas de susciter son attention. La chose avait été rendue possible grâce à ses relations et il en tirerait discrètement quelque orgueil devant elle. À son âge, on ne pouvait pas vraiment dire qu'il en était amoureux, mais c'était plus fort que lui, il s'efforçait de lui plaire, de se faire remarquer d'elle, d'une manière ou d'une autre d'être quelqu'un à ses yeux.

Quand Biologie 455 arriva dans la pièce, l'effet attendu se produisit. Après l'avoir salué, elle s'exclama :

— C'est l'humaine sauvage que vos amis avaient prise en images ! N'est-ce pas ?

— Oui, confirma-t-il, dissimulant sa fierté. Sur ma demande, Président 234 a procédé de son mieux pour la faire capturer.

— Pourquoi est-elle inanimée ?

— Je viens de lui administrer un sédatif, expliqua-t-il en ouvrant la cage et en y entrant. Je voulais t'attendre pour te la présenter éveillée, mais ma curiosité scientifique a pris le dessus. Je n'ai pu résister à l'envie d'examiner de plus près son tégument bleuâtre et glabre.

Corroborant ses propos par le geste, il approcha sa main droite du cou de l'humaine pour l'observer à l'aide d'un dispositif grossissant qu'il tint devant l'œil de sa « paume ».

— Je comprends ton impatience, répondit Biologie 455. Ce tégument est effectivement tout à fait incroyable !

Elle passa ses bras souples à travers les barreaux pour approcher, elle aussi, les yeux de ses mains de l'humaine.

— Rien ne semble indiquer une quelconque pathologie, conclut Biologie 237.

— Je ne vois rien de cet ordre-là, moi non plus. Ce dégradé de bleu clair est vraiment surprenant ! Et ses longs poils du dessus ont des reflets tout à fait inhabituels.

— C'est vrai, oui. Ils sont d'une parfaite propreté et ne sont pas emmêlés, malgré leur exceptionnelle longueur, as-tu remarqué ?

— Exact ! s'exclama-t-elle. Le maître de cette bête devait en prendre un très grand soin.

— C'est bien ce que je voulais te faire dire et j'ajouterais que vu son état général, tout semble indiquer qu'elle n'est pas restée très longtemps livrée à elle-même dans la nature. Autrement dit, elle s'est évadée depuis peu de temps. Ce qui implique que son maître risque bientôt de la réclamer. Je m'étonne qu'il ne l'ait pas encore fait d'ailleurs. Si cette pauvre bête traînait dans la forêt depuis des semaines, nous pourrions avoir l'espoir que son propriétaire ait renoncé à la retrouver.

— As-tu noté l'état de ses dents ? dit Biologie 455. Elles sont étonnamment propres et saines !

— Ah, oui, en effet ! admit le biologiste, en approchant sa paume de la bouche maintenue ouverte par Biologie 455. Elles sont d'une exceptionnelle blancheur et aucune n'est endommagée.

— Cette bête est décidément peu commune !

— Oui, reconnut Biologie 237 en sortant de la cage. Elle ne va pas tarder à se réveiller. Je lui ai injecté une dose pour quelques minutes seulement. Je disais à Président 234 que j'ai deux hypothèses. Soit il s'agit d'une race mutante, soit nous avons devant nous le résultat d'une très habile manipulation génétique.

— Et laquelle de ces deux possibilités te semble la plus probable ?

— J'avoue que je les trouve toutes les deux équivalentes. Je leur donne le même niveau de probabilité... Non, franchement, je n'arrive pas à pencher en faveur de l'une ou de l'autre. Il serait vraiment intéressant de retrouver le mâle. Tu sais... Celui qui a été capturé par une certaine Électronique 1012. D'après les images que j'ai vues, il se tient droit comme elle. Et, comme elle, il a aussi un tégument glabre.

La jeune laborantine conserva le silence.

— Ce serait une fructueuse expérience de les réunir, poursuivait-il. J'aimerais découvrir ce qu'ils ont en commun. Et puis ce serait surtout fascinant de les accoupler. Comment serait leur progéniture ?

— Oui, fit Biologie 455. J'espère que quelqu'un finira par le trouver et que nous pourrons le récupérer... J'admets que les accoupler serait riche d'enseignements. Et de plus, cela nous permettrait d'avoir d'autres spécimens.

Tout en parlant, Biologie 455 prenait de nombreuses images de l'objet de leur discussion avec son téléparleur. L'humaine s'était complètement redressée. Elle se passa une main dans ses longs poils du dessus, puis utilisa ses dix doigts pour démêler une ou deux mèches. Finalement, elle renversa cette sorte de crinière en arrière par un grand mouvement du crâne.

— Elle prend soin d'elle ! s'exclama Biologie 455. C'est incroyable ! As-tu vu ça ?

— Oui ! Avec cette constatation, ma théorie selon laquelle elle est en liberté depuis peu de temps vient de s'écrouler. Cette bête est la plus ahurissante qu'il m'ait été donné d'observer ! Comme on le dit, il ne lui manque que la parole !

L'humaine les regardait droit dans les yeux. Silencieuse. Les bras croisés sur son buste. Un moment en appui sur une jambe, un moment en appui sur l'autre. De temps en temps, elle arrangeait encore un peu ses longs poils d'en haut, ou elle rectifiait un pli de vêtement, çà et là, presque machinalement.

— Elle a aussi l'air de prendre soin de ses habits ! J'en suis pantois ! Combien d'heures de dressage ont-elles été nécessaires pour obtenir un tel résultat ?

— Comment le savoir ? répondit Biologie 455 en prenant d'autres vues avec son téléparleur. Comment le savoir ? Ce qui est certain c'est que cette bête est très intelligente, car aucun humain ordinaire ne se comporterait ainsi, même au bout d'une vie de dressage.

— Tu as sans aucun doute raison !

Biologie 455 prenait beaucoup d'images sous différents points de vue. Elle avait hâte de rentrer chez elle pour les montrer à Eau 631, à sa sœur et à son sympathique vraisemblablement futur beau-frère. Mais surtout parce qu'elle avait une idée en tête. Enfin… « en tête » étant une manière de parler, bien sûr !

***

Bartol était découragé ! Un interminable moment s'était écoulé et on ne l'avait encore pas libéré. Il était toujours dans sa cage, au même endroit, seul dans l'appartement depuis au moins quatre heures. Il n'avait pas la moindre idée de ce qui se passait et de ce qu'on comptait faire de lui. Il était en train de taper sur un barreau, avec le plat de la main, à coups répétés, mais à différents rythmes, dans le but de chercher la fréquence de vibration de la tige, ce qui lui permettrait d'essayer de la desceller en maintenant la cadence de ces cognements à cette fréquence.

C'est à ce moment-là qu'Œuf Affable entra, tenant Babine en laisse. Dès qu'il eut refermé la porte, il détacha l'humaine qui fonça vers Bartol. Elle se mit aussitôt à tourner autour de la cage en poussant de petits cris.

— Géantissimerie, Babine ! se désola le Marsalè. Finalement, on se revoit ! Tu ne fais rien pour soulager mon cauchemar ! Mon épouvantable cauchemar !

L'Ovoïde vint se camper devant l'humain pour libérer quelques mots lumino-gestuels totalement mystérieux pour ce dernier.

— Dis-moi, l'œuf, vous allez me laisser enfermé longtemps encore ?

La porte se rouvrit et deux Ovoïdes entrèrent. Bartol les reconnut. L'un d'eux semblait très intime avec Œuf Affable, car ils étaient souvent serrés l'un contre l'autre et, lors de ces rapprochements, ils s'enlaçaient parfois quelques pattes. Bartol n'aurait su dire qui était le mâle ou la femelle, ni même s'il s'agissait d'être sexués. Quant au second Ovoïde, il paraissait particulièrement proche de celui auquel il avait infligé une correction en lui tordant un œil. Cette idée de tordre un œil le fit brièvement ricaner. Il était à bout et sa rancœur reprenait le dessus.

Ils sont tous là, sauf Œil Tordu, se dit-il. Mais il ne va sûrement pas tarder, cet idiot de village !

L'Ovoïde intime d'Œuf Affable montrait quelque chose aux deux autres. Bartol ne savait pas ce que cela pouvait être, mais il lui apparut certain qu'ils étaient vivement intéressés. Cela dura un moment pendant lequel Babine ne cessa de s'accrocher à la cage ou à tourner autour en poussant des cris exaspérants. Œuf Affable finit par lever son long bras gauche en lumino-gesticulant devant elle. La réprimande fit son effet, car elle se calma et s'assit contre un mur.

L'Ovoïde qui à l'instant faisait voir un appareil aux deux autres vint près de Bartol et souleva l'objet devant lui. Le Terrien eut un mouvement de recul dans sa cage, mais il réalisa qu'il ne s'agissait que d'un simple écran. Il s'approcha et regarda l'image qu'on lui montrait.

— Cara ! s'écria-t-il.

25. Président 234 a intérêt à réagir dans le bon sens

237 Présidente regarda autour d'elle dans le jardin, puis au pied de l'arbre et dit songeusement :

— Le vol s'est donc passé ici... Et vous dites qu'il était attaché à ce tronc...

— Oui, confirma 312 Histoire, à ce tronc-là.

— Sur quoi basez-vous vos présomptions ?

— Plus que des présomptions, ce sont des quasi-certitudes, 237 Présidente ! lumino-gesticula 543 Médecine.

— Oui, oui, ma fille a raison, approuva 312 Histoire. Nous pouvons vous montrer les traces qui sont autant d'indices. Elles sont encore fraîches et ne prêtent pas à confusion. Son kidnappeur est forcément un d'en face. Pourquoi aurait-il traversé le canal en emportant l'humain, sinon ?

— Nous allons connaître les conclusions de mes enquêteurs, les voilà qui reviennent.

Deux Ovoïdes approchaient. L'un d'eux s'exprima :

— Nous affirmons catégoriquement les faits suivants, 237 Présidente. Premièrement, un individu s'est bien introduit dans cette propriété. Deuxièmement, cet individu est bien venu près de cet arbre. Troisièmement, le même individu a couru en direction du canal. Quatrièmement, pas très loin de l'eau, l'individu a foulé une zone assez étendue dans laquelle l'humain a également laissé beaucoup de traces. Ceci semble indiquer que la bête lui a échappé et qu'il a essayé de la rattraper. Cinquièmement, un complice l'attendait sur la rive pour lui prêter main-forte. Et sixièmement, ils ont réussi à recapturer l'animal et ils ont traversé le canal pour aller chez ceux d'en face.

Le second enquêteur ne dit mot, mais à chaque affirmation énoncée par son collègue, il avait d'une mimique montré qu'il approuvait. 237 Présidente ne se départit pas de cette attitude calme et songeuse, qu'elle avait faite sienne depuis longtemps, mais on eût pu noter qu'elle se rembrunissait tout de même un peu. 543 Médecine, 762 Jardinage et 312 Histoire lumino-gesticulèrent énergiquement pour manifester leur indignation.

— J'espère que… voulut dire 312 Histoire.

Mais 237 Présidente le vit venir et se permit de lui couper la parole :

— Je puis vous garantir que je vais demander réparation sans attendre. Président 234 a intérêt à réagir dans le bon sens. Je n'accepterai rien d'autre que des excuses publiques ainsi qu'une totale collaboration de sa part pour retrouver les coupables et pour nous les livrer sans discussions, ni contreparties !

***

— Il semble extrêmement probable que l'humaine du labo soit une femelle de la race de Danseur, dit Biologie 455.

— Sans doute se connaissent-ils, même ! s'exclama sa sœur. Vu sa réaction devant les images, ce ne serait pas étonnant !

— C'est vrai que Danseur a montré un intérêt plus que visible, convint Œuf Affable. Qui sait ? C'est peut-être sa femelle !

Le nouveau nom de l'humain proposé par la sœur de sa compagne ne lui plaisait pas plus que ça, mais il s'efforçait de l'employer pour lui faire plaisir dans le but à demi conscient de lui faire oublier que c'était pour beaucoup à cause de lui que 501 Mathématiques avait été blessé.

— Je n'étais pas là pour observer sa réaction, mais cette hypothèse me semble bonne, dit celui que Bartol se plaisait à nommer Œil Tordu. Ils ont été trouvés dans le même périmètre, presque au même moment.

Il se remettait assez bien de son traumatisme oculaire et il n'en voulait presque plus à l'humain. La pauvre bête avait eu des raisons de s'affoler, avait-il reconnu.

— Au fait, s'exclama Eau 631. J'ai apporté ses habits. Je vais vous montrer ça.

Il se saisit d'un sac qu'il avait laissé près de l'entrée et le vida sur la table de la salle de séjour.

— Regardez, celui-ci est pour les membres inférieurs, dit-il en soulevant un vêtement.

Il y eut quelques lumino-gesticulations d'exclamation. Des sortes de : « Ça alors ! ».

— Et ça, regardez ! poursuivait Eau 631, en montrant deux objets. Ça sert à lui envelopper les bouts de jambes.

Éclata alors une deuxième salve de « Ça alors ! » lumino-gestuels encore plus accentués. Mais tout le monde s'interrompit soudain pour se tourner vers l'humain qui poussait des cris derrière ses barreaux.

— On dirait qu'il reconnaît ses habits, s'étonna Électronique 1012.

— Je suis certaine qu'il les reconnaît, approuva Biologie 455. Voyez comme il gesticule. De toute évidence, il nous les montre. Je pense même qu'il souhaite qu'on les lui enfile. Laissez-moi faire, je vais lui en mettre un, celui-ci pour les jambes par exemple.

— Attention ! s'écria Eau 631. Tu sais ce qu'il a fait à Mathématiques !

— Ne t'inquiète pas, je serai prudente.

Elle s'approcha de la cage et montra le vêtement à l'humain. Celui-ci tendit sa main pour le prendre et, à la stupéfaction de tous, il l'enfila tout seul.

***

Biologie 237 ouvrit la porte de son laboratoire pour laisser entrer Président 234 qui venait de l'appeler en urgence.

— Tu campes ici ! s'étonna ce dernier.

— J'avoue que cette bête m'intéresse tant que j'ai du mal à rejoindre mon domicile. Tu voulais me voir au sujet de l'autre humain sauvage disais-tu ? Aurais-tu des nouvelles ?

— Oui, j'en ai. Mais elles ne sont pas bonnes, hélas ! Enfin ! Disons qu'il y a une bonne et une mauvaise nouvelle…

— Explique-toi vite, demanda Biologie 237 en l'entraînant vers le centre de la pièce.

— La bonne nouvelle c'est que l'humain en question a été vu récemment et il serait même quelque part de notre côté du canal. La mauvaise c'est que 237 Présidente m'a appelé. Nous sommes au bord d'une grave crise diplomatique, car cet animal a été volé chez eux, cette nuit, par deux des nôtres. Elle exige des excuses publiques que je ne puis lui donner sans nous rabaisser. De plus, elle réclame la restitution de l'humain ainsi que la livraison des coupables.

— Mais, enfin ! s'indigna le vieux savant, Biologie 237. Ne lui as-tu pas répondu que cet humain était à nous avant d'être chez eux ? Enfin, c'est bien cette… euh… je ne sais plus son nom déjà… qui l'a capturé…

— Électronique 1012, elle s'appelle.

— Oui, c'est ça ! Alors le lui as-tu expliqué ?

— Bien sûr, mais selon ses propos, cet humain serait venu seul chez eux alors que nous avons pénétré par effraction dans une propriété pour le voler et le ramener chez nous.

Le biologiste parut réfléchir un moment.

— Il faut tout mettre en œuvre pour retrouver cet animal le plus discrètement possible. Ensuite, nous le dissimulerons ici et nous dirons que l'enquête suit son cours, mais que nous n'avons aucun indice pour progresser... Je compte sur toi pour utiliser tous tes moyens dans cette recherche. Il est urgent de capturer cet humain. Je ne supporterais pas qu'elle te rabaisse. Du cran, mon ami ! Je suis avec toi pour défendre ton honneur et ton rang. Tu es notre président ! Je suis fier de toi et je veux le rester !

Biologie 237 se demanda s'il n'en faisait pas un peu trop, mais à la vue de la fatuité qui éclaira les pédoncules de communication de son interlocuteur, il fut rassuré.

26. Le voilà ! dit Métallurgie 2007

Dans sa cage, Bartol n'était plus nu. On lui avait rendu tous ses vêtements ainsi que ses sous-vêtements.

Les quatre Ovoïdes l'observaient avec une attention apparemment soutenue. Était-ce à dire qu'ils avaient enfin compris à qui ils avaient affaire en le voyant s'habiller tout seul ? Bartol n'en savait rien. Il l'avait cru à tort tant de fois déjà qu'il ne voulait plus se donner de faux espoirs. Les regards et les lumino-gesticulations autour de lui le laissèrent donc presque indifférent, d'autant plus qu'il avait l'esprit occupé par autre chose. Cette autre chose, c'était l'image qu'on lui avait montrée dans l'appareil, l'image de Cara. Il se demandait où elle était en ce moment. Depuis combien de temps cette image avait-elle été prise ? Une heure ? Quelques heures ? Quelques jours ? Au fait ! et lui, depuis quand était-il ici ? Il réalisa qu'il ne le savait pas précisément, qu'il avait perdu la notion du temps. Sans nucle chargé, il ne pouvait pas compter sur sa céph pour le renseigner.

Œil Tordu s'approcha pour lui présenter une gamelle pleine de nourriture. Bartol détourna les yeux avec dégoût, mais il eut le temps de voir qu'il y avait probablement des légumineuses et des fruits. Des fruits ou bien des légumes… Il ne le savait pas et il n'avait pas envie de le savoir. Cette brève vision de la gamelle lui donnait déjà la nausée. Cela lui rappelait l'attitude de Babine. Elle était là justement et elle se mit à tourner autour d'Œil Tordu pour quémander en gémissant. Bartol se retourna pour essayer de rassembler ses idées. Il avait du mal à se concentrer. Comme quand on a sommeil, se fit-il la réflexion. Il lui semblait pourtant avoir pris sa dernière pilule de Morphi-contrôle depuis moins de vingt jours. Ce n'était donc pas normal d'avoir sommeil, puisqu'il s'était calé sur le cycle de l'Éternelle, soit une douzaine d'heures tous les vingt jours. Il se demanda s'il s'était trompé de date en absorbant la substance de contrôle du sommeil ou s'il avait, encore plus qu'il le supposait, perdu la notion du temps depuis qu'il était ici. Une autre hypo-thèse qui pouvait expliquer la brutale disparition de l'action du Morphicontrôle lui vint en tête. Il était vrai que les Ovoïdes l'avaient endormi après sa dernière capture pour le transporter jusqu'ici ; c'était peut-être Œuf Affable, d'ailleurs, il n'en était pas certain, mais il le soupçonnait fortement. Quoiqu'il en fût, le somnifère qu'ils avaient utilisé avait pu annihiler l'effet du régulateur de sommeil de Génética Sapiens. En y réfléchissant, il pensa avoir trouvé la bonne explication.

Ils avaient eu l'excellente idée de mettre la cage contre le mur du fond. Cela lui permettait au moins de s'isoler un tout petit peu en leur tournant le dos ; personne ne viendrait devant lui.

C'est donc le nez entre deux barreaux et vers le mur, qu'il se demanda où était Cara en ce moment. Sur l'image, on la voyait en cage. Quand l'avaient-ils capturée ? Que lui avaient-ils fait subir ? Elle paraissait en bonne santé et même encore coquette. Comment était-elle arrivée dans ce monde ? L'avait-elle immé-diatement suivi, ou avait-elle cherché à le retrouver quelque temps plus tard ? Quoi qu'il en fût, il trouva émouvant qu'elle vînt à lui.

Comment agir pour la voir ? Il le fallait, bien sûr ! Comment leur faire comprendre qu'il le voulait ? Il se demandait toujours quel était leur état d'esprit à son égard. À part de la curiosité, celle-ci ne faisait aucun doute, qu'éprouvaient-ils pour lui ? Avaient-ils un peu de compassion ? Étaient-ils animés de bons sentiments ? Oui, certes, ils essayaient de le nourrir, et ils ne le battaient pas… mais qu'est-ce que cela prouvait, mis à part qu'ils n'avaient pas de mauvaises intentions à court terme ? Prévoyait-il de le dévorer ? D'utiliser sa peau pour faire du cuir ? De le disséquer pour voir comment il était fait ? Ou simplement de le garder en cage comme les humains gardaient certains animaux uniquement pour les avoir avec eux. Était-ce cela ? Était-il devenu un homme de compagnie ? Finirait-il ses jours en cage ? Toutes ces questions lui faisaient mal à la tête. Il lui fallait trouver comment voir Cara. C'est tout ce qui comptait pour l'instant. En se retournant, il eut le plaisir de voir qu'Œuf Affable tenait l'appareil qui contenait l'image de Cara. C'était le moment de se faire comprendre. Il tendit le doigt dans la direction de l'objet et parla :

— Œuf Affable ! Montre-moi encore l'image ! Montre-la-moi, Œuf Affable, s'il te plaît !

***

C'était à peu près le milieu de la journée. En touchant machinalement son bracelet, Métallurgie 2007 allait et venait, avec une apparence de nonchalance, dans le jardin public proche de la maison d'Eau 631. Après avoir interrogé quelques résidents des lieux, il gardait un œil sur l'entrée de cette habitation en espérant apercevoir son occupant entrer ou sortir. Ce dernier restait inexplicablement introuvable depuis quelque temps. Alors que, l'air de rien, il s'apprêtait à lier conversation avec des enfants qui jouaient aux anneaux, dans l'intention d'essayer de leur soutirer quelques informations intéressantes, il vit arriver deux Ovoïdes dans sa direction.

— Bonjour ! dit l'un sur un ton amène. Pouvons-nous te parler un moment ?

L'autre salua également, mais ne dit mot.

— Bonjour. Bien sûr, répondit Métallurgie 2007.

— Demeures-tu dans le quartier ?

— Non, je suis de passage.

Métallurgie 2007 eut l'impression que l'étranger avait envie de lui demander où il habitait et sans doute même son identité, mais qu'il ne le faisait pas pour garder un ton plus aimable et convivial au dialogue qu'il espérait poursuivre.

— Ah ! tu ne pourras probablement pas nous renseigner dans ce cas, à moins que tu ne sois dans les parages depuis quelques jours…

— Ça dépend ! Que cherches-tu comme renseignement ? s'enquit Métallurgie 2007 qui crut deviner les questions qu'on allait lui poser.

— As-tu vu, ou as-tu entendu parler d'un humain qui s'est enfui et qui a couru ? Regarde cette photo. C'est cet animal dont il s'agit. Ça te dit quelque chose ?

Métallurgie 2007 considéra le téléparleur qu'on lui tendait. Il reconnut l'image de l'humain de luxe qu'il cherchait. Il prit un air niais au possible pour répondre :

— Non. C'est la première fois que je le vois. Mais quel drôle d'humain ! Si je l'avais vu, je m'en souviendrais ! Qu'est-ce qu'il est laid, tout pelé ! Ce n'est pas moi qui en mangerais en tout cas ! Pourquoi le cherchez-vous ? Vous voulez le manger, vous avez faim ?

— Euh… tenta de reprendre l'Ovoïde, d'un lumino-geste incertain.

Un peu décontenancé, il ne savait comment poursuivre la discussion.

— Bon ! ce n'est pas grave, intervint son ami. Autre chose : est-ce que quelqu'un t'a interrogé au sujet de cet humain ?

— Oui, répondit Métallurgie 2007, car il voulait à son tour les faire parler.

— Ah, bon ? En es-tu certain ?

— Oui. Je suis catégorique. J'ai une très bonne mémoire.

— Qui était-ce ? T'a-t-il dit son nom ?

— Peut-être, hésita Métallurgie 2007.

Il fit mine de forcer sa mémoire. Expression commune à tous les Ovoïdes : les extrémités des pédoncules de communication tournant très vite l'un autour de l'autre.

— A-t-il confié qu'il s'appelait Métallurgie 2007 ? demanda le premier Ovoïde qui lui avait adressé la parole. Est-ce ce nom-là ?

Métallurgie 2007 venait d'apprendre ce qu'il cherchait à savoir et qu'il redoutait un peu. On était donc également à sa recherche. Curieusement, ces deux-là n'avaient visiblement pas son signalement.

— Je ne sais pas, répondit-il. Finalement, je crois qu'il ne m'a pas donné son nom, en fait.

— Ah bon ! dit le deuxième inconnu, visiblement déçu. Mais, où cela s'est-il passé ?

— Ici même !

— Où ça, ici ?

— Là. Là où nous sommes en ce moment !

— Quand ? Quand cela s'est-il produit ?

— Oh ! Il n'y a pas longtemps ! À l'instant même.

— Ah bon ! Mais veux-tu dire que tu vois toujours celui qui t'en a parlé ? Serait-il encore dans les parages ?

— Parfaitement ! Bien sûr que je le vois. Je le vois comme je vous vois. J'ai de très bons yeux !

— Peux-tu me le montrer ?

— Le voilà ! dit Métallurgie 2007 en désignant le premier d'entre eux qui lui avait adressé la parole. C'est lui. Je m'en souviens très bien. J'ai une excellente mémoire !

27. Elle s'en empara et courut

L'Ovoïde désigné par Métallurgie 2007 se mit en colère. Ce qui s'exprima par une propagation de points jaunes lumineux remontant le long de ses appendices de communication croisés. Cette attitude lumino-gestuelle manifestait effectivement la plus grande contrariété.

— Dites donc, vous moquez-vous de moi ? Quel est votre nom ? Je vais vous prier de nous accompagner au centre de sécurité. Nous y vérifierons votre identité.

— Laisse tomber ! souffla son collègue. Tu vois bien qu'il est un peu simple… De plus, nous n'avons pas trop de temps à gaspiller. Plus nous en perdons, plus ce sera difficile de retrouver ce satané humain pelé.

— Tu as raison ! convint le premier en se maîtrisant rapidement. Cet idiot m'a fait perdre mon calme. Renseignons-nous ailleurs.

Sans autre forme de procès, ils laissèrent Métallurgie 2007 là. Il les regarda s'éloigner avec un indubitable soulagement, car l'occupant de la maison qu'il surveillait, ce certain Eau 631, finissait enfin par se montrer. Les deux enquêteurs ne semblaient pas l'avoir remarqué. Espérant qu'ils ne connussent pas son témoignage, il pria pour qu'ils prissent une autre direction. Eau 631 tenait un humain en laisse. Ce n'était pas l'animal rare recherché, ce n'était qu'un humain ordinaire.

*

Les deux enquêteurs restaient inopportunément dans le quartier. Métallurgie 2007 les apercevait de temps en temps, parlant ici ou là avec, qui un passant, qui un jardinier, qui un habitant sur son palier…

Lui, il attendait qu'Eau 631 sorte de sa maison. Ce qui se produisit au moment où il s'apprêtait à changer de point d'observation pour ne pas intriguer le voisinage. Eau 631 ne tenait plus d'humain en laisse. Il ferma sa porte, puis regarda à droite et à gauche. Comme s'il avait peur d'être épié, remarqua Métallurgie 2007. Après avoir souri à son voisin, Eau 631 s'éloigna. Métallurgie 2007 le suivit en restant à distance et en prenant toutes les précautions pour ne pas être vu et reconnu. Eau 631 était visiblement sur ses gardes. De toute évidence, il n'avait pas envie qu'on s'intéressât à lui. Allait-il se rendre là où il avait dissimulé l'animal recherché ? Métallurgie 2007 se dit que c'était plus que probable.

Eau 631 avançait rapidement. Il était pensif. L'intérêt que Danseur avait manifesté pour regarder les photos de l'humaine l'avait touché ; tous avaient été touchés. Biologie 455 n'avait pas caché son trouble. Qu'il sût s'habiller seul avait de quoi surprendre, mais on pouvait supposer qu'il avait été dressé avec une habileté d'expert.

Qu'un animal réagît à la vue d'une image était déjà un phénomène suffisamment inattendu pour susciter un étonnement plus grand. Qu'il désignât un objet en tendant un doigt, comme il l'avait fait pour réclamer le téléparleur, était proprement ahurissant. Mais ce qui avait le plus troublé les quatre Ovoïdes, c'était l'intérêt particulièrement soutenu qu'il avait manifesté en regardant chaque photo de l'humaine. On eût pu l'attribuer à un besoin purement sexuel, mais la présence d'Affamée le laissait cependant de marbre. Affamée, qui semblait pourtant bien disposée à cet égard envers lui. Biologie 455 avait, sans trop y croire, émis l'hypothèse qu'il eût pu être attiré uniquement par les partenaires sexuels de sa propre espèce. Si on ajoutait tout ça au fait qu'il ne mangeait rien, cela en faisait vraiment un animal de plus en plus étrange.

***

Dans un petit restaurant proche de son lieu de travail, Biologie 237 avait rapidement mangé un filet d'humain accompagné de quelques légumes, ce qui constituait un ordinaire classique dans son monde. Juste avant qu'il ne quittât la table, Alimentation 525, le patron de cet établissement, lui avait demandé ce qu'il faisait en ce moment. Il lui avait répondu laconiquement :

— De la bio, toujours de la bio…

Puis il était sorti sans autre précision.

Son intention était d'endormir l'humaine, un peu plus longtemps que la première fois, pour observer ses organes avec différents appareils d'imagerie interne. Dès qu'il pénétra dans son laboratoire, il se lava les mains dans la première pièce puis passa dans la seconde où il prépara une dose de narcotique qu'il mit dans la seringue de son pistolet hypodermique. Quand il entra dans le troisième local, il vit l'humaine allongée dans sa cage. Une demi-seconde, il crut qu'elle se reposait, mais une demi-seconde seulement, car il nota presque immédiatement que sa position n'était pas normale. Un de ses membres supérieurs passait entre deux barreaux et le haut du devant de sa tête était appuyé sur le sol… Ses longs poils bleu foncé aux reflets métallisés s'étalaient autour de son crâne. On eût dit qu'elle était tombée. Pourquoi avait-elle perdu connaissance ? Espérant qu'elle n'eût rien de grave, il posa le pistolet sur une petite table et entra dans la cage pour voir ce qu'il lui arrivait. Avait-il commis une erreur ? se demandait-il. Souffrait-elle d'inanition ? Il avait bien essayé de l'alimenter pourtant, mais elle avait refusé toute nourriture. Peut-être aurait-il dû la sustenter de force ?

Il tourna l'humaine sur le dos, souleva le bras qui sortait de la cage et le ramena le long du corps, puis il écarta les poils du dessus, approcha l'œil de sa main droite de sa tête et mit un doigt près des deux orifices respiratoires pour vérifier s'il sentait un souffle ou non.

*

Quand Cara Hito sentit le contact froid et lisse des mains dodécadigitales qui la manipulaient, elle réprima un hurlement et une envie de fuite prématurée. La créature ne la touchait plus, mais même les yeux clos, elle devinait sa présence au changement de luminosité qui filtrait à travers ses paupières. À deux reprises, un effleurement sur son nez lui laissa supposer qu'elle vérifiait sa respiration. Elle tenta de bloquer celle-ci. En entrouvrant très légèrement les yeux, elle distingua l'organe préhensile noir de très près. Découvrir qu'il comportait un œil qui l'observait au milieu de sa paume faillit, pour la seconde fois, lui arracher un cri d'effroi. Son cœur lui envoyait des pulsations de plus en plus rapides dans les tempes. Elle fit un effort de contrôle considérable pour rester immobile. Mais elle ne put réprimer longtemps son envie de fuir. Elle ouvrit les yeux, se redressa sur un coude et évalua la situation en une seconde. Chance inestimable, la créature lui tournait le dos, elle s'apprêtait à sortir de la cage. Elle devait avoir un champ de vision extraordinaire, car montrant que le mouvement de Cara ne lui avait pas échappé, elle se retourna. Ou plutôt, elle commençait à se retourner au moment où Cara lui envoya une énergique détente de ses deux jambes. Perdant l'équilibre, la créature tomba hors de la cage. Cara bondit à l'extérieur et vit le pistolet sur la table. Elle s'en empara et courut.

***

Métallurgie 2007 découvrait où se rendait Eau 631. Il venait de le voir entrer dans l'édifice, mais il ne savait pas encore à quel étage. Ce ne serait pas facile de l'apprendre, car il ne pouvait pas le suivre sans se faire repérer. Il nota les noms inscrits sur les sonnettes puis décida de les essayer toutes, une à une, en commençant par celle du bas.

— Qui est ce ? demandèrent les pédoncules de communication de quelqu'un qui était visible sur le petit écran de l'interparleur.

Métallurgie 2007 avait pris la précaution de s'approcher suffisamment pour que l'on vît seulement ses propres antennes.

— Bonjour ! Une livraison pour Eau 631.

— Je ne le connais pas. Vous vous trompez d'appartement, désolé.

— Ah, excusez-moi, merci !

Il essaya la sonnette suivante.

***

Eau 631 venait à peine d'entrer. Après avoir tendrement enlacé une vingtaine de jambes autour des siennes, Biologie 455 lui fit part de son intention :

— Je voudrais mettre Danseur en contact avec l'humaine du labo le plus vite possible.

— Nous en avons déjà parlé… Nous avons dit que nous le ferons dès qu'on l'aura un peu oublié.

— Oui, je sais, mais j'ai hâte. Pendant ton absence, il a encore demandé à voir les images de cette femelle.

— Heu, oui ! Je conviens qu'il est très touchant, mais… au fait, sais-tu qu'il y a une rumeur d'incident diplomatique à son sujet ?

— Non ?

Eau 631 allait lui expliquer ce qu'il avait entendu dire, mais la sonnette se manifesta.

— Qui est-ce ? demanda Biologie 455 devant l'interparleur.

— Une livraison pour Eau 631, répondirent des antennes en gros plan.

— Ah bon ! De quoi s'agit-il ? Enfin bon, montez. Je vous ouvre.

Elle se tourna vers son compagnon et annonça :

— Une livraison pour toi, mon chéri.

— Une livraison pour moi ? Ici ?

28. 501 Mathématiques recula prudemment

Cara avait eu l'occasion de remarquer que les créatures se déplaçaient fort vite, plus rapidement que le plus sportif des humains en tout cas, mais elle ne pouvait pas savoir que celle-ci était ralentie par son grand âge ; de ce fait, persuadée qu'elle serait immédiatement rattrapée dans une course de pure vitesse, elle préféra user de ruse.

Dès qu'elle sortit de la pièce contenant la cage, elle tourna sur la droite et se plaqua contre le mur, derrière un meuble haut. Elle profita des deux ou trois secondes de répit qu'elle espérait gagner en se cachant pour observer le pistolet hypodermique. Comment fonctionnait-il ? Conçu pour une main de douze doigts opposables, était-il utilisable par un humain ? Son cœur battait si fort qu'il ne paraissait n'y avoir plus que lui dans l'Univers entier. Sa respiration était courte et erratique. Ses doigts tremblaient tellement qu'elle avait du mal à tenir l'objet. Deux fois, elle faillit le faire tomber. Il était noir. Sa forme n'était pas habituelle. Il n'avait pas de crosse, en fait. Ce qui en tenait apparemment lieu était une boule d'où sortait le canon ; c'était plus adapté à une main dont les doigts rayonnaient tout autour de la paume. Heureusement, une partie de l'arme attira son regard, car elle était gris clair. C'était un petit cylindre qui dépassait d'un demi-centimètre, juste à la base du canon. Ce ne pouvait qu'être la détente. Ce fut en tout cas ce qu'elle espéra.

Il y eut un bruit évoquant une pluie très drue qui martèle du sable. Ce son qu'elle connaissait et qui lui inspirait du dégoût la fit frissonner. Elle vit la grande masse ovoïde avancer avec empressement sur son nuage de jambes filiformes qui tapotaient le sol. La plus hideuse terreur de toute sa vie s'empara de Cara Hito. Une terreur si violente qu'elle perdit pratiquement la conscience d'elle-même et de ce qui l'entourait. Pour son esprit, il n'y eut plus que la pleine perception de la présence de la créature. L'évocation du contact froid de ses horribles doigts souples, et si lisses qu'ils en paraissaient gluants, lui donna un spasme de dégoût. Cette chose avait apparemment mis un peu de temps à se redresser après sa chute. À peine quelques secondes, mais des secondes très précieuses pour Cara. Au milieu de la pièce, la créature s'arrêta et se retourna pour faire face à l'humaine. Ses organes de communication s'agitaient et changeaient de couleurs. Elle avança. Cara leva le pistolet hypodermique. La créature stoppa brusquement. Était-elle surprise ? Cara ne se posa pas la question. Elle visa et appuya sur le cylindre gris. Il y eut un léger recul de l'arme. Un petit objet était planté dans le long membre annelé droit. À mi-longueur, à peu près. Là où se fût trouvé le coude si ce membre eût été articulé comme un bras humain. Cara supposa que ce devait être une sorte de fléchette associée à une seringue. La créature utilisa sa main gauche pour l'enlever de son bras, mais elle eut tout juste le temps de terminer son geste avant de tomber sur le flanc droit, autant qu'on pouvait prétendre qu'elle avait un flanc. Cara la regarda osciller quelques fois sur sa rotondité, puis s'immobiliser complètement. D'un côté, ses filaments locomoteurs qui pendaient mollement et se répandaient sur le sol, ressemblaient à de ridicules caricatures d'épais cheveux, de l'autre, ses deux yeux et ses deux pédoncules de communication, qui pendaient également, faisaient penser aux antennes d'un escargot géant mort.

Cara resta un moment dans l'incapacité d'accomplir le moindre mouvement. Elle se demandait comment elle avait pu faire ça, comment elle en avait eu le courage, comment elle ne s'était pas évanouie de frayeur. Un monstre, répondant parfaitement à l'idée qu'elle se faisait d'un monstre, gisait à moins de trois mètres d'elle et c'était elle qui l'avait immobilisé. Elle n'en revenait pas. C'était totalement incroyable ! Elle eût tant aimé que Bartol fût là pour prendre la mesure de cet exploit ! Tout à coup, elle reprit conscience de l'urgence du moment, réalisant qu'il fallait quitter ces lieux, fuir loin d'ici, avant que d'autres de ces monstres ne vinssent se saisir d'elle.

Elle laissa tomber le pistolet, contourna son horrible tortionnaire inanimé et chercha la sortie.

***

— Lui as-tu demandé de monter ? s'informa Eau 631.

— Non, je t'ai déjà répondu que je lui ai simplement dit : « Je vous ouvre. ».

— En tout cas, s'il avait décidé de monter, il serait là depuis un moment tout de même ! Je me demande bien qui pourrait bien me faire livrer quelque chose ici. Me livrer quoi ? Je n'attends rien. Et pourquoi à cette adresse plutôt que chez moi ?

— Je n'en sais rien, mon chéri. Tu me parlais de rumeurs selon lesquelles il y aurait du grabuge diplomatique avec ceux d'en face, tout à l'heure…

— Oui. Il se murmure dans la rue qu'un de chez nous s'est introduit dans une propriété privée pour voler un humain. Et que 237 Présidente demande réparation à Président 234.

— Mauvais ça… mauvais.

— Je ne te le fais pas dire…

La sonnette interrompit de nouveau leur conversation.

— Ah ! ce doit être cette mystérieuse livraison ! s'exclama Biologie 455. Nous allons savoir de quoi il s'agit.

Mais la porte s'ouvrit sur Écologie 982 et 501 Mathématiques.

— Ah ! ce n'est que vous ! fit Biologie 455.

— Que nous ! Merci, ça fait toujours plaisir, fit Écologie 982.

— Mais, non ! Je voulais dire que nous attendions un livreur qui a sonné en bas, tout à l'heure.

— Un livreur ? Pour livrer quoi ?

— Nous ne le savons pas, justement. Il a demandé Eau 631.

— Et Eau ne sait-il pas de quoi il s'agit ?

— Non, répondit l'intéressé. Et je trouve tout ça bien étrange.

— Étrange et même un peu inquiétant, intervint 501 Mathématiques.

— Pourquoi, inquiétant ? s'enquit Écologie 982.

— Parce que j'ai appris que des enquêteurs sous les ordres de 237 Présidente sont passés chez 312 Histoire.

— Qui est-ce 312 Histoire ? s'informa Biologie 455.

— C'est dans sa propriété que j'ai kidnappé Danseur.

— Ne parle pas de kidnapping, dit Écologie 982. Tu as simplement récupéré l'humain qui était auparavant de notre côté du canal.

— Oui, si tu veux. Peu importe !

— Quoi qu'il en soit, dit Biologie 455, quel rapport y a-t-il avec ce mystérieux livreur que cela rendrait inquiétant ?

— Si ce n'était pas un livreur, mais un des enquêteurs de 237 Présidente ! répondit 501 Mathématiques.

Il avait enlevé le bandage qui couvrait son appendice oculaire. L'organe portait encore quelques traces d'ecchymoses, mais il allait visiblement mieux.

Biologie 455 se voulut rassurante :

— Ton inquiétude enfièvre ton imagination. Mais, ce n'est pas toi qu'il a demandé, c'est Eau.

— Peut-être, mais Eau était avec moi, cette nuit-là. Et puis, pourquoi lui livrer quelque chose, qu'on ne livre d'ailleurs pas, chez toi plutôt que directement chez lui ?

Tous se regardèrent sans ajouter un mot. Eau 631, assis un bras sur le comptoir, lança une gousse au-dessus de lui et parvint à la gober au vol. Le silence s'éternisa. 501 Mathématiques finit par le rompre.

— Si nous sortions Danseur de sa cage, dit-il.

Des antennes en forme d'anneaux se tournèrent vers lui.

— C'est toi qui proposes ça, mon chéri ! s'étonna Écologie 982. Avec ce qu'il t'a fait !

— Il voulait se défendre. Je ne pense pas qu'il ait un tempérament naturellement agressif.

— C'est vrai ! J'en témoigne ! s'écria Eau 631, avec une soudaine tonicité dans les pédoncules de communication. Je n'osais pas le proposer à cause de ce qu'il t'avait fait à l'œil, mais je peux vous dire qu'il n'a jamais été agressif avec moi. Et je pense même qu'il était reconnaissant quand je lui ai donné à boire, je me souviens. Moi, je suis certain qu'on peut le laisser sortir de sa cage. Il ne vous fera rien.

— Dans ce cas, libère-le toi, demanda Biologie 455. Je te fais confiance.

Eau 631 se leva de son tabouret, s'approcha de la cage et l'ouvrit sans hésiter. 501 Mathématiques recula prudemment ; il se mit même derrière le comptoir.

29. L'équivalent ovoïde d'un sursaut humain

Métallurgie 2007 était à une centaine de mètres du bel immeuble, composé de cinq sphères réunies par une tour, au sommet duquel se trouvait l'appartement qui l'intéressait. Il le regardait en réfléchissant. Le lieu dans lequel il songeait ainsi serait assez difficile à nommer. Ce type d'endroit avait bien un « nom » lumino-gestuel bien sûr, encore que... rien n'est moins sûr, en fait !

En ce point du récit, même le mot « nom » doit être entre guillemets pour rappeler que lui-même n'est qu'une traduction approximative d'un concept linguistique. Il eût été en effet trop facile d'imaginer que la lumino-gestuelle des Ovoïdes était simplement l'homologue de la parole humaine, autrement dit qu'un geste coloré quelconque serait aux Ovoïdes ce qu'un mot prononcé était aux humains. Non. Loin de là ! La différence entre les deux formes de vie était bien plus grande. Ce qui singularisait le plus leur outil de communication n'était pas le moyen de transmettre les signaux porteurs, lumino-gestuels ou sonores, c'était la structure même du langage. Les Ovoïdes, par exemple, ne connaissaient ni les verbes, ni les substantifs, ni les adjectifs, ni les adverbes et autres articles... Rien de tout cela. Ils s'exprimaient cependant, au moins tout aussi efficacement, à l'aide de concepts tout à fait autres. Mais donner un cours sur ce système linguistique n'est bien sûr pas le but de cet ouvrage.

Le lieu dans lequel se trouvait Métallurgie 2007, donc, serait assez difficile à nommer, car il n'a jamais existé quelque chose d'équivalent chez les solairiens. Peut-être aurait-on pu le comparer à une terrasse de café, ces établissements qui furent les ancêtres des éclatoirs. Cela se passait en effet à l'extérieur d'une construction, sur une terrasse. Ce qui y tenait lieu de chaise était une sorte de sac qui pendait d'une potence courbe, maintenue par un large socle circulaire. Ces sacs comprenaient une ouverture latérale dans laquelle les Ovoïdes se glissaient pour s'installer confortablement. On eût pu le comparer à un hamac vertical. On voyait là une trentaine de ces « chaises ». Il y avait aussi des tables, qui ressemblaient vraiment à des tables tout à fait ordinaires. Celles-ci étaient rondes en l'occurrence et on en dénombrait la moitié moins que de sacs-hamacs. En revanche, ce qui faisait office de verre ne s'apparentait vraiment pas du tout à un verre. Il s'agissait d'un tube situé au-dessus de l'occupant et qui coulait quand on tirait sur un cordon ou une chaînette qui pendait à portée de bras. Mais le liquide qu'il fournissait ne servait qu'à se désaltérer. Pour ce qui était du plaisir de boire, on y prisait un petit lichen. Le serveur le plaçait près des yeux de son client, accroché sur un des côtés du sac, devant l'ouverture.

C'est ainsi installé que Métallurgie 2007 observait le bâtiment dans lequel il soupçonnait qu'Eau 631 avait caché l'humain. Il se demandait comment s'y prendre pour vérifier si c'était bien là que se trouvait l'animal rare. Se faire ouvrir en faisant semblant de chercher quelqu'un ? Poser des questions du genre : « n'est-ce pas ici qu'habitait autrefois un certain… ? » ou bien « Savez-vous s'il existe quelque chose à louer dans cet immeuble qui me plaît beaucoup ? »… C'était possible, mais seulement en l'absence d'Eau 631 qui le reconnaîtrait immédiatement et qui ne croirait jamais à une simple coïncidence. Il lui faudrait donc attendre qu'il s'en aille. Mais, cette idée ne lui donnait pas vraiment satisfaction. Comment pourrait-il s'assurer que l'humain était à l'intérieur si on ne lui proposait pas d'entrer ? En restant sur le palier, dans l'entrebâillement d'une porte, il ne verrait pratiquement rien… Il pourrait toujours faire mine d'avoir un soudain malaise. On le ferait alors probablement entrer pour… Oui, mais s'il leur venait à l'idée d'appeler le centre de sécurité, ça n'arrangerait pas ses affaires ! C'était prendre un risque inutile d'autant que même si on lui permettait de regarder à l'intérieur un moment pour qu'il se remette de son faux malaise, rien ne garantissait qu'on lui fît visiter toutes les pièces ! S'ils avaient quelque chose à cacher, ils s'en garderaient bien ! Métallurgie 2007 ne savait que faire… Il y avait ces rumeurs selon lesquelles un humain avait été volé chez ceux d'en face. Il eût donné beaucoup pour savoir si Eau 631 était impliqué ; peut-être que celui-ci n'avait rien à voir avec tout ça. Non, vraiment, Métallurgie 2007 ne savait que faire. Peut-être qu'il perdait son temps, ici ! Il regardait de temps en temps la sphère faîtière de l'immeuble en s'efforçant de trouver d'autres idées, mais il avait du mal à se concentrer. Il avait du mal à se concentrer à cause du lichen qu'il fixait longuement. C'était son troisième. Il savait qu'il abusait, mais il ne pouvait pas s'en empêcher. Les couleurs luminescentes qui variaient sans cesse, comme celle d'une inconcevable braise qui eût brasillé de mille couleurs agissait sur son système nerveux, un peu comme l'alcool ou certains autres psychotropes opéraient sur celui des humains. Toujours avec les difficultés de traduction plusieurs fois évoquées, on eût pu dire que, d'une certaine manière, Métallurgie 2007 était un alcoolique ou un toxicomane. Il était en tout cas complètement dépendant du lichen, comme certains humains étaient par exemple drogués au kokibus. De temps à autre, ses yeux se tournaient vers l'immeuble qui occupait ses pensées, mais pas longtemps. C'eût été gaspiller !

En effet, contrairement à un verre d'alcool qui sait sagement attendre qu'on le boive, le lichen se consommait seul, même si on ne le regardait pas. L'analogie avait donc ses limites.

Il était en train de se faire mentalement le reproche de n'être qu'une « loque », en fixant les dernières lueurs de son lichen mourant, quand un mouvement passant sur la droite de son champ de vision braqua distraitement son attention dans cette direction. En reconnaissant un des quatre personnages qui arrivaient dans ce lieu, type de lieu que nous appellerons désormais un « café » par commodité, il eut l'équivalent ovoïde d'un sursaut humain : ses deux pédoncules oculaires s'étirèrent légèrement. Il s'agissait d'Eau 631. Il s'enfonça dans son sac qu'il referma pour ne laisser qu'une petite fente derrière laquelle il garda un œil à l'écoute.

— Je suis contente, disait une des Ovoïdes en prenant place dans un sac. Tu avais raison. Il est gentil comme tout ! Pas très câlin, c'est sûr, mais gentil.

— Il ne peut pas être affectueux, répondit quelqu'un qui avait un pédoncule oculaire ecchymotique. Il ne nous connaît pas assez.

À son léger accent, Métallurgie 2007 crut deviner que c'était quelqu'un d'en face.

Ce détail était sans importance pour lui. Il n'était pas raciste. Vraiment pas ! Pas envers ceux d'en face, en tout cas ! C'était plutôt aux siens qu'il avait des raisons d'en vouloir ! Mais c'était là pour l'heure une autre histoire !

Luttant contre l'engourdissement cérébral provoqué par l'abus de lichen, il se concentra sur la lumino-gesticulation.

— Soyons discrets, fit Eau 631, en se laissant à son tour tomber dans son « fauteuil suspendu ».

— Personne ne sait de quoi nous parlons, mon chéri, répondit une d'elles en murmurant.

Comme on le devine, les Ovoïdes s'exprimaient à voix basse en réduisant la puissance d'émission électromagnétique de leurs pédoncules de communication.

Métallurgie 2007 fut persuadé qu'il s'agissait de l'humain qu'il recherchait.

Celui qui avait un œil abîmé tira sur le cordon de boisson en regardant autour de lui.

— Personne ne fait attention à nous, de toute façon ! dit-il après avoir bu. Je ne sais pas si nous n'aurions pas dû le remettre en cage. Il s'est déjà échappé de chez toi, Eau !

— Oui, oui... Mais, là ! Comment ferait-il ? De cette hauteur !

— J'ai tout fermé, rassure-toi, dit l'une. Il ne restera pas très longtemps seul. Je dois passer un moment au labo pour voir ce qu'il en est de l'autre et je reviendrai vite.

De l'autre quoi ? se demanda Métallurgie 2007. Il ne s'interrogea pas plus, car il comprit qu'il ne fallait pas laisser passer cette chance. Il sortit brutalement de son sac et s'éloigna en prenant garde de ne pas se montrer. Restait à trouver en urgence un moyen de s'introduire dans l'appartement.

30. La ferme intention d'affronter ce qui se trouverait en face d'elle

Cara arriva en courant devant la porte d'entrée. Comme tout ce qui était dans cette ville, elle était adaptée à la taille de ses habitants. C'est-à-dire qu'elle était grande. Qu'elle fût grande n'était pas vraiment un problème. Il avait toujours existé d'immenses portes même chez les humains solairiens, mais aussi géantes fussent-elles, leur système de fermeture était à une hauteur confortable pour une personne de taille moyenne. Pour toucher la poignée de celle-ci, Cara dut se mettre sur la pointe des pieds. Elle avait vu les créatures manipuler ce dispositif, qui, comme la crosse du pistolet, était en fait sphérique. La boule, le cercle ou le disque étaient particulièrement adaptés à la morphologie des mains dodécadigitales. Aussi ces formes se trouvaient-elles un peu partout dans les conceptions ergonomiques de ce monde. Cara fit tourner l'objet en craignant que d'autres systèmes de verrouillage ne dussent également être manœuvrés. Heureusement, non ! Cela lui parut être un miracle, mais la sphère pivota et la porte s'ouvrit sans complications. Elle se retrouva devant une rampe inclinée, un escalier formé de toutes petites marches conçues pour les jambes des créatures. Cette vision lui rappelant les touffes d'organes filiformes lui donna la nausée. En bas de cette rampe, il y avait de l'herbe, de l'herbe devant, à gauche et à droite et puis des arbres un peu partout. Elle descendit le plan incliné strié pour prendre pied dans un jardin, semblait-il. C'était un espace vert en tout cas. Il s'étendait sur une trentaine de mètres dans toutes les directions et il était entouré d'une haie. De l'herbe, des arbres et une haie ! Dans un monde habité par des formes de vie si différentes de toutes les créatures que Cara avait connues, cette banalité sautait plus aux yeux que tout autre chose ! On eût dit un détail anachronique oublié par négligence dans une œuvre de fiction !

Cara courut se plaquer contre une haie. Nul besoin de se baisser pour rester cachée, car ce mur végétal était haut, plus haut qu'elle. Il était en revanche suffisamment clairsemé par endroits pour offrir quelques passages à la vue. Des créatures ovoïdes circulaient de temps en temps de l'autre côté. Comme Bartol l'avait fait avant elle, elle les nomma Ovoïdes. En se déplaçant le long de la haie pour essayer de trouver le meilleur endroit pour sortir d'ici, un endroit si possible sans Ovoïdes, elle se retrouva devant quelque chose qui avait toutes les apparences d'un portail. Encore un objet d'une banalité hurlante comparé à l'exotisme de ses concepteurs ! se fût probablement dit Cara, pour peu que son cœur eût battu moins fort et que son esprit eût été un peu plus libre de penser à autre chose qu'à sa peur.

Ce portail était apparemment en métal peint en vert ou bien dans un matériau inconnu d'elle de la même couleur. Il était en tout cas totalement opaque ; aucune structure ajourée ne permettait de voir ce qu'il y avait derrière lui. Cara tendit le bras au-dessus d'elle pour poser la main sur sa poignée circulaire avec l'idée de l'entrebâiller à peine, juste pour glisser un œil dans une étroite fente. Elle hésita. Ne risquait-on pas de remarquer quelque chose de l'autre côté ? Dans quelque monde hostile que ce soit, il n'a jamais été et il ne sera jamais facile d'ouvrir une porte sans savoir ce qu'il y a derrière. C'est un peu comme dépaqueter une pochette de mauvaises surprises en souhaitant ardemment qu'elle ne contienne aucun cadeau. L'idée que l'Ovoïde risquait de se réveiller d'un moment à l'autre pour se lancer à ses trousses et qu'il serait probablement d'une exécrable humeur vengeresse vainquit l'hésitation de Cara. Elle tourna hardiment la poignée avec la ferme intention d'affronter ce qui se trouverait en face d'elle. Malheureusement, cette courageuse détermination ne fut pas récompensée, car la poignée tourna, mais le portail demeura clos. Elle eut beau tirer ou pousser, le battant refusait de bouger. Le bras en l'air ce n'était pas facile d'exercer une traction, mais elle essaya de pousser plus vigoureusement avec des coups de hanches de plus en plus forts. Au quatrième coup, il s'ouvrit soudainement. Mais, dans le sens opposé à ses efforts. C'est-à-dire comme si elle l'eût tiré au lieu de poussé. Elle tomba à la renverse et dut précipitamment se jeter sur le côté pour laisser au portail la place de pivoter complètement. Cachée derrière le battant enfin ouvert, elle vit entrer un Ovoïde.

La créature s'apprêtait certainement à refermer derrière elle, à en juger par le mouvement qu'elle commença à faire, mais elle l'interrompit pour s'élancer vers le laboratoire. En regardant dans cette direction, Cara découvrit dans un flot d'adrénaline que l'autre Ovoïde, celui qu'elle avait terrassé, était à présent « étendu » devant le seuil. Il avait dû se traîner jusque-là. À moins qu'il eût retrouvé ses esprits un moment et qu'il se fût à nouveau évanoui sur le pas de la porte ? Cara ne savait pas. L'Ovoïde qui venait d'arriver se mit à tirer celui qui était inanimé à l'intérieur et ils disparurent tous les deux à la vue de la fugitive qui en profita pour sortir sans attendre.

Elle se retrouva quelque part dans une étrange ville, mais aussi étrange qu'elle fût, elle ressemblait encore à une ville. Des Ovoïdes passaient dans tous les sens. Il y en avait de toutes les couleurs. Enfin, de toutes les couleurs… Seul le bandeau qu'ils portaient autour d'eux était multicolore. Beaucoup semblaient regarder Cara qui marchait à pas forcés. Pour l'instant, son unique but n'était que de s'éloigner du lieu où elle avait été retenue captive, réflexe on ne peut plus naturel et compréhensible qui sera toujours celui de tous les prisonniers qui s'évadent. Ensuite ? Elle n'avait qu'une vague idée de ce qui serait sa prochaine préoccupation ; celle-ci occupait pour l'heure tout son esprit. Elle se retournait de temps en temps, redoutant de voir l'un de ses poursuivants sur ses talons. N'osant courir de peur d'attirer l'attention, elle avait l'impression de lutter contre ses jambes qui ne demandaient qu'à être prises à son cou. On l'observait, mais contrairement à ses craintes on ne se jetait pas sur elle. Il ne lui était pas facile de juger les regards qui lui étaient portés, perchés au bout de longs pédoncules. Elle eut cependant le sentiment d'être une curiosité et elle se rendit vite compte de quelle nature était cette curiosité. Ce qu'elle devait représenter pour eux devint manifeste quand elle remarqua que certains tenaient des humains velus en laisse. Il y avait des hommes et des femmes. Cette vision la glaça d'horreur. Elle comprit que ces créatures promenaient leurs animaux de compagnie, et, qu'à leurs yeux pédonculés, elle n'était qu'une drôle de chienne. Drôle, car il paraissait évidemment qu'elle était très différente des humains qu'ils domestiquaient. En quelques minutes, elle en aperçut une quinzaine, peut-être un peu plus. Elle en vit suffisamment en tout cas pour constater qu'il y en avait d'inégales couleurs de cheveux, ainsi que de différentes couleurs de peau semblait-il ; encore qu'il fut plus difficile d'en juger à cause des poils. Mais tous avaient en commun d'être relativement velus et voûtés. Elle traversa plusieurs petites places qui étaient toutes dessinées par la distribution aléatoire de constructions aux formes très exotiques. Mais, aussi étranges que fussent ces dernières, elles n'eussent pas retenu l'attention de Cara tant son choc émotionnel était grand ! Tous les Ovoïdes ne promenaient pas leur humain, bien loin de là, mais chaque humain tenu en laisse lui rappelait qu'elle n'était ici qu'un animal membre d'une espèce soumise.

Le souffle court, elle s'arrêta de marcher, se retourna et chercha des yeux dans le dédale des habitations s'il y avait un endroit où elle pût s'isoler, afin de faire le point à l'abri des regards. Les grandes surfaces transparentes du plafond de la ville attirèrent son attention et il lui revint à l'esprit qu'elle était dans un petit monde clos qui à l'extérieur avait l'apparence d'une colline. Ce ne sera pas facile de trouver la sortie, se dit-elle, mais avant cela, c'est Bartol que je dois retrouver.

31. Il parvint à esquiver les grandes mains noires

Métallurgie 2007 sortit de l'ascenseur au cinquième étage. C'était un ascenseur tout à fait ordinaire dans son principe. Il en est des ascenseurs comme d'un grand nombre de choses qui ne changent ni à cause du temps ni à cause des lieux. C'est par exemple le cas des tables, car il n'existe qu'une seule manière d'en fabriquer une. Son principe est élémentaire et le restera toujours et partout, il consiste en effet à simplement surélever un plan au-dessus du sol. Quel que soit le moyen utilisé pour réaliser cela, rien ne ressemblera plus à une table. C'est également le cas du récipient. Dès lors qu'un objet creux a des bords et un fond, en tout lieu et de tout temps, il présentera toutes les caractéristiques d'un récipient ; les milliards de millénaires et de parsecs n'y pourront rien changer.

Malgré l'exotisme, l'originalité et même l'étrangeté de ce monde pour des yeux d'humain solairien, c'est donc d'un ascenseur, conçu selon le principe d'une cabine qui se déplace verticalement, que Métallurgie 2007 sortit au cinquième étage. Les quatre lichens qu'il venait de consommer faisaient leur effet. Surtout le dernier ! C'était un produit illicite que le patron du « café », une vieille connaissance, lui avait discrètement fourni. Nommé par les initiés « Doux Nuage », ce lichen rare et cher offrait une agréable torpeur accompagnée de quelques hallucinations psychédéliques dont on devenait vite dépendant. Métallurgie 2007 se fit le reproche d'avoir cédé à son envoûtement juste à ce moment-là, mais le mal était fait ! Quelques étincelles agrémentées d'arabesques aux couleurs enchanteresses flottaient dans son esprit. Il essaya de les ignorer pour se concentrer sur ce qu'il devait faire. Le temps comptait ! Il n'y avait qu'un seul appartement à cet étage. Pas de témoin proche, donc. Il tapa discrètement à la porte et écouta. Un son lui parvint. Il tapa encore. Des ronds de fumée formèrent un tunnel aux mille couleurs chatoyantes dans lequel il fonçait à toute allure. Pourquoi ai-je pris ce Doux Nuage ? Je ne pouvais pas prévoir qu'Eau 631 allait s'installer dans le café avec tous ses amis pour me laisser le champ libre, se dit-il, plaidant auprès de lui-même et pour lui-même. Un petit cri d'humain, venant de derrière la porte, se mit à résonner dans le tunnel fantastique. Métallurgie 2007 réalisa qu'il n'était pas en mesure d'agir avec tous ses moyens, mais que les occupants de l'appartement pouvaient arriver d'un instant à l'autre et qu'il lui fallait donc, soit renoncer, soit passer aux actes immédiatement. Renoncer lui parut insupportable. Il supposa que les cris qu'il entendait étaient ceux de l'animal qu'il cherchait. Ce n'était pas un expert en matière d'humains, mais il lui sembla que ces cris étaient effectivement spéciaux. On devinait ceux d'un humain, bien sûr, mais ils étaient inhabituels. Ce devait être lui.

Il sortit quelque chose d'une poche intérieure de son bandeau. C'était une petite quantité de pâte grise, un peu collante, d'un volume approchant celui d'une noisette. Luttant contre la torpeur confortable dans laquelle son esprit ne demandait qu'à sombrer, il colla cette pâte sur la porte, au niveau du mécanisme de fermeture. Il y enfonça ensuite un bout de ficelle et enflamma cette dernière à l'aide d'un appareil semblable à un briquet. La lueur de la mèche qui se consumait fut transformée par le Doux Nuage en une captivante cataracte d'étincelles de mille couleurs. Il se recula et fit un violent effort pour détacher son regard de ce spectacle. Une explosion, d'une puissance modérée, entrouvrit la porte. Il poussa le battant complètement. Après le son de la détonation qui venait de se faire entendre, il importait de disparaître des lieux le plus rapidement possible. Il se précipita à l'intérieur. L'humain était là. Métallurgie 2007 le reconnut. Il avait effectivement ses drôles d'habits sur presque tout le corps, même au bout des jambes. Ce qui restait visible de lui était glabre et il se tenait étrangement droit. L'Ovoïde se pencha pour attraper l'animal, mais son geste veule manqua de précision. L'humain lui échappa. Sa volonté essaya de se retrouver elle-même. Pourquoi ? Mais pourquoi le destin lui avait-il offert un Doux Nuage juste à ce moment-là ?!

*

C'est à un moment où il ne s'y attendait pas du tout que Bartol avait été libéré de sa cage. Il n'avait rien fait de particulier à ce moment-là, aussi avait-il été très étonné, mais pour autant cet étonnement n'avait en rien gâché son bonheur. Était-ce là un premier pas vers la reconnaissance de sa véritable nature ? Rien ne permettait d'en avoir la certitude, mais il se plaisait cependant à l'espérer et même à le croire.

Il avait noté qu'Œil Tordu s'était tenu à distance quand on lui avait ouvert la cage. Cela lui avait procuré deux sentiments antagonistes. D'une part, la satisfaction d'inspirer la crainte à au moins un de ses bourreaux, de l'autre, la contrariété d'être considéré lui-même comme une créature hostile, alors que c'était bien lui qui souffrait de leur traitement. C'était pour lui une révoltante injustice !

Les autres l'avaient regardé sortir de la cage en agitant leur exaspérant lampion clignotant. Heureusement que Babine n'était pas là pour le renifler de tous les côtés ; il eût dans ce cas été tenté de se renfermer lui-même pour lui échapper !

On l'avait laissé se déplacer librement, mais on l'avait empêché de regarder par la fenêtre. Œuf Affable ne voulait toujours pas que les voisins et les passants remarquassent sa présence. La première fois, Bartol avait pris cela comme une bienveillante complicité, à présent il avait l'impression d'être une chose qu'on cachait pour éviter les problèmes.

Environ une demi-heure après sa libération, tous les Ovoïdes étaient sortis. Sur le point de partir, Œuf Affable s'était planté devant lui en gesticulant avec ses antennes de limace, que Bartol se serait fait un plaisir d'arracher, s'il n'avait pas décidé de gagner leur confiance pour fuir dès que l'opportunité se présenterait. Le Marsalè avait eu la désagréable impression d'être un petit chien à qui l'on demande d'être bien sage avant de le laisser un moment livré à lui-même. Effectivement, Œuf Affable avait fermé l'appartement et Bartol était resté seul. Après avoir bien entendu essayé d'ouvrir la porte, il s'était empressé de visiter tout ce qui lui était accessible dans le logis. Pas grand-chose, en fait. Toutes les autres pièces étaient closes et il n'avait même pas pu regarder par la fenêtre, car on l'avait opacifiée. Moins d'un quart d'heure plus tard, alors qu'il était en train de chercher le mécanisme pour rendre les vitres de nouveau transparentes, il avait entendu des coups sur la porte d'entrée. Dans un premier temps, il avait cru qu'ils revenaient déjà. Il avait manifesté la mauvaise humeur que lui causait ce retour si rapide en récitant quelques grossièretés puisées dans son riche répertoire. Mais comme la porte ne s'ouvrait pas et qu'on avait tapé une deuxième fois, il s'était dit que ses hôtes recevaient apparemment une visite durant leur absence. Une occasion de s'enfuir venait-elle toute seule à lui ? s'était-il immédiatement demandé. C'est à ce moment qu'il y avait eu une explosion, que la porte s'était ouverte et qu'un Ovoïde s'était précipité sur lui !

Il parvint à esquiver les grandes mains noires qui se tendaient vers lui et il s'élança à l'extérieur.

Il se retrouva sur un palier ne proposant rien d'autre qu'un ascenseur dont la cabine était par chance encore ouverte. Précisons que, vu la taille, il estima que c'était un ascenseur, mais que rien ne lui garantissait cette hâtive présomption. Il s'engouffra dans cette petite pièce carrée rouge sombre, et chercha quoi que ce fût qui ressemblât à un système de commandes : boutons, manette... Il ne vit malheureusement rien qui fit penser à un moyen d'actionner le supposé ascenseur. Le train d'obscénités qu'il proféra ne fit rien apparaître de nouveau, mis à part l'Ovoïde qui parvint cette fois-ci à l'attraper.

*

Métallurgie 2007 souleva l'humain et s'adressa à l'interface lumino-gestuelle de l'ascenseur pour demander le rez-de-chaussée. Une minuscule lentille de la caméra retransmit l'image de ses pédoncules de communication à quelque logiciel qui exécuta son ordre.

Je l'ai ! se dit-il. Partons d'ici au plus vite !

Il était en train de méditer sur le fait qu'il lui faudrait un sac pour dissimuler un animal aussi caractéristique parce qu'on allait certainement se retourner sur son passage, quand il sentit une violente douleur à son œil droit. Une violente douleur que le Doux Nuage transforma en torture insoutenable illustrée par un torrent de flammes. Il lâcha l'humain pour secourir son appendice oculaire.

*

Au rez-de-chaussée, Bartol s'éjecta de la cabine en trombe, sortit de l'immeuble et courut le plus vite qu'il put pour s'éloigner du quartier. Il se contenta ensuite de marcher pour éviter d'attirer l'attention. On l'observait, mais personne ne semblait vouloir le capturer. Il nota que des regards exploraient les environs autour de lui.

À croire qu'ils se demandent où est mon maître, se dit-il avec amertume.

Il eut envie de trouver un endroit un peu isolé. Tous ces yeux le rendaient mal à l'aise et il craignait que des Ovoïdes s'élançassent à sa poursuite.

Je vais attendre la nuit dans un coin, pensa-t-il. Ensuite, il faudra de nouveau chercher une sortie, mais avant, c'est Cara que je veux retrouver.

En portant sa main droite à son poignet gauche, il constata qu'il avait perdu son bracelet.

32. Nous avons perdu un sujet d'étude inestimable !

— J'ai vu le regard de cette bête, dit Biologie 237 à Biologie 455. Elle avait peur de moi, elle tenait le pistolet hypodermique... et elle l'a levé vers moi... et... et... Je n'en reviens pas ! Je n'en reviens pas !

C'était au moins la cinquième fois que le vieux biologiste lui racontait comment les choses s'étaient passées. Biologie 455 connaissait l'esprit rationnel de son chef et elle mesurait la valeur de son témoignage. Elle savait que, aussi incroyables qu'ils parussent, tous les faits qu'il venait de lui rapporter avaient des chances d'être véridiques avec une probabilité proche de la certitude.

— ... et elle savait à quoi cet objet servait... et elle en a compris le fonctionnement... et elle l'a utilisé contre moi... elle a visé... elle a tiré... J'ai vu son regard... Elle a fait semblant d'avoir perdu connaissance ! Te rends-tu compte du niveau d'intelligence que cela révèle ? Elle est capable de simuler. Elle est capable de concevoir une ruse ! Elle est capable de comprendre à quoi sert un pistolet hypodermique et comment on l'utilise !

En reprenant peu à peu ses esprits, Biologie 237 ne cessait de répéter sa narration des faits. Les particularités biochimiques qui constituaient humains et Ovoïdes faisaient qu'une même dose d'anesthésique avait un effet bien plus grand sur les Ovoïdes et ceci malgré la différence de masse entre les deux espèces qui était à l'avantage de ces derniers.

La jeune biologiste avait traîné le chef du laboratoire sur un de ces énormes coussins dont l'usage qui en était fait indiquait qu'ils étaient l'équivalent humain des canapés. Celui-ci se trouvait dans la salle d'entrée. Le vieil Ovoïde s'y reposait souvent, « pour faire travailler l'esprit en ménageant le corps », déclarait-il.

— Biologie, dit-il…

Il s'interrompit, paraissant chercher ses mots ou réfléchir à la manière d'exposer ses pensées. Les Ovoïdes avaient coutume de s'appeler familièrement sans le numéro, même si cela les conduisait à partager le même nom quand ils exerçaient le même métier.

— Je t'écoute, Biologie, l'encouragea-t-elle, en déplaçant un appareil médical d'observation en différents endroits du corps du savant.

— Biologie, reprit-il… J'ai malheureusement commis une énorme erreur. Sans aucun doute la plus grande erreur d'estimation de toute ma carrière de scientifique. J'ai sous-évalué le niveau de conscience de cet animal. C'est une très grave maladresse ! J'ai manqué d'intuition et de rigueur. J'aurai le plus grand mal à me le pardonner un jour.

Biologie 455 ne sut que répondre. Le professeur repoussa doucement l'appareil médical d'observation pour signifier qu'il allait bien et dit :

— Tout ce que j'avais pris pour les résultats d'un habile dressage était en fait les actes délibérés d'une conscience. Moi qui mettais en doute l'existence de la sienne, j'en ai piteusement manqué. Quelle leçon d'humilité !

Il s'arracha une jambe abîmée, se leva et alla la jeter dans une trappe murale. Biologie 455 le regarda faire, cherchant quelque chose à dire pour le réconforter.

— À cause de moi, nous avons perdu un sujet d'étude inestimable ! se lamenta-t-il en revenant. Si seulement les enquêteurs de Président 234 pouvaient retrouver l'autre humain ! Il se

pourrait que cet animal possède le même niveau d'intelligence !
Ce serait peut-être une bonne idée de rencontrer ces gens qui
l'ont eu avec eux un temps... Tu sais, il s'agit de la famille de
celle qui l'a capturé... Je ne me souviens jamais de son nom.
Une certaine Électronique. J'aimerais contacter ces personnes
pour leur poser des questions concernant le comportement de
cet animal. Donnait-il des preuves de son intelligence ? ...

Biologie 455 n'écoutait plus le vieux professeur, elle se
demandait s'il n'était pas temps de tout lui avouer au sujet de
Danseur. Elle lui faisait confiance. Ce serait très embarrassant
pour 501 Mathématiques si on apprenait comment l'humain
avait été récupéré chez ceux d'en face, mais elle était persuadée
que son chef saurait se taire si elle le lui demandait. Mieux,
même ! Elle pourrait compter sur son intelligence et sa complicité pour garder secret ce qu'il fallait garder secret. Il n'y avait
plus à hésiter :

— Professeur Biologie, dit-elle, j'ai une révélation à te faire.
Une révélation époustouflante !

Le chef de laboratoire qui s'était mis à tourner en rond, les
bras dans le dos, s'arrêta et lui fit face. Il avait senti dans le ton
lumino-gestuel qu'il s'agissait de quelque chose d'important.

— Je sais où est l'humain en question, dit-elle. Je le sais.

Les pédoncules de communication de Biologie 237 formèrent deux anneaux.

— Il est chez moi en ce moment même, ajouta-t-elle.

Les deux antennes tendues vers le haut avec leur extrémité
bleue, le biologiste regarda sa jeune collègue. Elle poursuivit :

— J'ai hésité à te le dire parce qu'il est de la plus grande
importance de garder secrète la manière dont il est arrivé chez
moi.

Elle lui raconta tout. Durant son récit, les pédoncules de communication du savant formèrent deux anneaux à plusieurs reprises.

— Nous prétendrons que je l'ai capturé moi-même, proposa-t-il dès qu'elle eut fini de tout lui révéler. Nous pourrons supposer haut et fort qu'il a senti que la femelle était ici. Nous raconterons à qui voudra l'entendre qu'il était dans le jardin quand j'ai tiré sur lui avec le pistolet hypodermique.

— C'est crédible, dit-elle en faisant se toucher l'extrémité de ses deux propres pédoncules de communication.

— Certainement ! Et... que personne ne s'avise à douter de mon témoignage !...

Elle sourit de nouveau.

— Il faut prendre des dispositions pour le transférer ici au plus vite, s'anima-t-il. Le plus discrètement possible, cela va de soi !

— Si j'appelais Eau tout de suite pour en parler ? proposa-t-elle, en sortant son téléparleur d'une des poches de son bandeau de velours rouge.

— Je te conseille de ne rien dire de tout cela dans ton appareil. Mieux vaut communiquer de vive voix et sans témoins indésirables. Demande-lui simplement de venir ici, nous verrons cela tous les trois ensemble. Et en attendant qu'il arrive, tu me parleras un peu de cet animal. Qu'as-tu remarqué de spécial dans son comportement ?

C'est au moment où Biologie 455 s'apprêtait à téléparler à Eau 631 que son téléparleur sonna pour indiquer la réception d'un message. Elle regarda l'écran de l'appareil et lut : « Danseur n'est plus dans la maison. Ta porte a été forcée. Viens vite. ». « J'arrive », répondit-elle laconiquement.

— Professeur ! J'espère que tu ne vas pas me prendre pour une mythomane, mais je viens d'apprendre que Danseur a disparu.

— Qui ça ?

— Danseur. Excuse-moi, c'est le nom que nous lui avions donné.

33. Certains venaient chercher ces objets mystérieux

Cara Hito vit rouler quelques rares et très étranges véhicules. Ces machines disposaient d'un siège concave dans lequel l'unique passager prenait place. Elles étaient également équipées de trois roues, une à l'avant, deux à l'arrière, et de deux sphères fixées à un dispositif propulseur. Ce dernier fonctionnait comme un pédalier, sauf qu'il était actionné par les mains des Ovoïdes. Ces tricycles étaient en quelque sorte les vélos de ce monde.

Plus ou moins guidée par le hasard, Cara se retrouva dans un espace vert dans lequel elle avisa un monticule herbu qui était çà et là planté de quelques arbrisseaux. Une colline dans une colline ! se dit-elle. Elle réalisa que celle-ci avait même des proportions identiques à la grande, pour autant qu'elle pût en juger sous cet angle de vue et que sa mémoire lui rapportât bien la forme de la presque montagne qui contenait tout ça. Autour de cette éminence, s'étendait une pelouse traversée par des allées qui zigzaguaient sous de larges feuillages portés par des troncs massifs. On voyait nettement moins de créatures ici que dans le quartier où elle avait été gardée prisonnière. La densité de leur population était moindre, mais il y en avait encore trop pour se sentir en sécurité. Là aussi, et peut-être même ici un peu plus qu'en pleine concentration urbaine, certaines d'entre elles promenaient des humains. Homme ou femme, ces derniers poussaient des cris et tendaient leur laisse pour s'approcher de Cara. De ceux-ci ou de leur maître, elle n'aurait su dire ceux qui lui inspiraient le plus d'aversion.

Toujours la cible du regard des Ovoïdes qui la croisaient ou la dépassaient, elle marchait sur une allée, quand un homme velu fut soudainement près d'elle. Elle ne l'avait pas vu arriver dans son dos. Il tirait si fort sur sa laisse qu'il haletait en émettant des sons de strangulation. Ses sourcils proéminents abritaient des yeux bleus qui la fixaient avec un manque de pudeur embarrassant. Il poussa une série de cris et de gémissements qui se mélangèrent au son de sa respiration étranglée. Une odeur désagréable émanait de lui. Penché en avant, il tira plus fort sur son collier.

Les efforts que faisait son maître pour le retenir manquant visiblement de conviction, l'homme domestique toucha presque Cara du nez et il parvint à l'attraper par un bras. Poussant un cri de dégoût, elle se dégagea et courut devant elle à travers la pelouse, dans la direction de la bosse herbue. Elle s'arrêta près d'un énorme tronc. L'arbre offrait un petit endroit protecteur, car une de ses grosses branches posait presque son feuillage sur le sol. Cachée, par cette verdure d'un côté, par le large tronc de l'autre, elle goûta au bien-être de ne pas être vue, tout en pouvant observer ce qui se passait alentour entre les feuilles. Aussi dérisoire qu'il fût, ce refuge était tout ce qu'il lui fallait pour être en mesure de réfléchir calmement.

Après avoir jeté plusieurs coups d'œil autour d'elle, d'une trouée à l'autre à travers la frondaison et de l'autre côté du tronc, elle fut rassurée de constater que personne n'approchait. Oubliant un instant toutes les sources de tension nerveuse auxquelles elle venait de se soustraire, elle se sentit si soulagée qu'elle eut même un geste machinal de coquetterie en arrangeant sa chevelure d'une main distraite. Droit devant elle, à une centaine de mètres de là, au pied de l'éminence arrondie, elle remarqua que de temps en temps des créatures disparaissaient dans une ouverture tandis que par moments d'autres apparaissaient d'une porte voisine.

Ah, ça ! s'étonna-t-elle. Il s'agit donc d'une colline creuse à l'intérieur d'une colline creuse ! Que peut-il bien y avoir, là-dedans ?

Elle nota que les Ovoïdes qui sortaient portaient parfois des volumes cylindriques ou cubiques. Cela ressemblait à des boîtes. Elle ne sut que penser de cela, hormis que c'était un lieu où certains venaient chercher ces objets mystérieux.

Comment vais-je m'y prendre pour retrouver Bartol dans cet étrange monde ? se demanda-t-elle.

***

Bartol avait marché sans direction précise, seulement à la recherche d'un endroit tranquille lui permettant de se reposer et de réfléchir sans crainte d'être à nouveau capturé. Il avait découvert que certains Ovoïdes utilisaient des sortes de tricycles à pédales manuelles. Mais, quelque chose l'avait bien plus étonné : en deux lieux, il avait vu quelques-unes de ces créatures pendues dans des sacs, autour d'une table. Il ne s'était évidemment pas attardé à aller étudier de plus près ce qu'elles faisaient.

Ces mecdules sont totalement démontés dans leur esprit ! s'était-il simplement dit en poursuivant son chemin.

Tous les regards qui se tournaient vers lui étaient pour le moins anxiogènes. Quant aux humains qui tendaient leur laisse et leurs narines, ils étaient aussi déconcertants qu'embarrassants, que perturbants... et bien d'autres choses encore ! Bartol regrettait presque l'excès de colère qui l'avait conduit à repousser, d'une monumentale gifle, un grand gaillard velu comme un ours qui était venu lui montrer ses dents à presque vingt centimètres. La réponse du Marsalè avait été radicale. L'homme avait détalé en gémissant, tirant sur sa laisse comme un forcené, mais cette fois-ci pour s'éloigner du congénère qu'il avait voulu impressionner avec sa dentition. Le Terrien avait dû s'enfuir à la suite de ce geste, car le maître ne semblait pas content du tout. C'eût été trop affligeant d'être de nouveau capturé pour un tel manque de sang-froid ! Il déambulait à présent, l'œil en coin pour surveiller les mouvements autour de lui. Où ont-ils enfermé Cara ? ne cessait-il de se demander. Un éclair de temps, l'idée saugrenue lui vint qu'il eût dû faire parler Œuf Affable, mais un sourire amer étira ses lèvres. Même avec la meilleure volonté du monde aucune de ces créatures n'eût pu lui dire la plus simple des choses, dans ces conditions, d'ici à contraindre l'une d'elles à lui faire une confidence ! C'est alors qu'il marchait ainsi, songeur, mais toujours sur ses gardes, que son errance le mena jusqu'à un grand espace vert parsemé d'arbres au centre duquel émergeait une bosse couverte d'herbe et d'arbrisseaux. Remarquant qu'il y avait moins de monde sur cette vaste pelouse, il y engagea ses pas en cherchant des yeux un endroit tranquille. Trois Ovoïdes de petite taille étaient affairés à une étrange activité. Deux d'entre eux lançaient à tour de rôle un petit anneau de couleur vers le troisième qui s'efforçait d'attraper ces objets en y enfilant un de ses filaments porteurs. Ils cessèrent tout mouvement pour regarder passer Bartol avec une insolente insistance. Celui-ci poursuivit son chemin en essayant de se faire oublier.

Quand on voit que les parents se pendent dans des sacs, il ne faut pas s'étonner que les gosses soient si simples d'esprit, maugréa-t-il en pensée. À se demander comment cette espèce dégénérée a pu construire cette ville !

Il se retrouva bientôt sur une allée qui serpentait parmi des arbres. L'éminence qui s'élevait au centre de cette verdure lui rappela la grande colline creuse qu'il avait vue de l'extérieur. Il y avait effectivement moins de monde ici, mais on y dénombrait proportionnellement plus d'humains en laisse. L'un d'entre eux tira fort sur la sienne pour venir renifler Bartol qui dut accélérer le pas. Il quitta l'allée et coupa à travers la pelouse afin d'échapper à ces tentatives de contact olfactif pour le moins horripilantes.

Quelle humiliation de voir ses propres semblables se comporter de cette façon et être tenus en laisse par des visqueries d'œufs ! se dit-il.

Convaincu que mieux valait prendre de la distance, avant que ses nerfs ne lâchassent et qu'un autre mauvais réflexe ne le conduisît à commettre une nouvelle imprudence, il accéléra encore son pas.

En se dirigeant vers l'imminence, il avisa un arbre de belle taille, pourvu de longues branches portées par un tronc de fort grand diamètre. L'extrémité gauche du feuillage reposait sur l'herbe.

Il choisit de se rendre sous son couvert en espérant échapper au moins pour un temps aux yeux de ce monde hostile.

34. Il attendait pour en découdre avec ses adversaires

Bartol eut l'heureuse confirmation que le couvert du gros arbre offrait une confortable cachette. Il s'assit en tailleur, dos contre le tronc, et observa sous le feuillage au ras de l'herbe ce qui se passait plus loin. Personne ne semblait se préoccuper de sa présence. Le soulagement qu'il en éprouva était immense. L'intimité était une des choses qui lui manquait le plus ces derniers temps. Il se demanda comment procéder pour chercher Cara dans l'étendue de cette ville. Alors que son regard passait rapidement le long de la base de l'éminence arrondie, un détail fit revenir ses yeux en arrière. Un groupe d'Ovoïdes y faisait apparemment la queue. Il les vit disparaître un à un sous un passage qu'il n'avait pas encore remarqué. Au bout d'une minute d'observation, il découvrit également que des créatures sortaient d'un endroit situé à quelques mètres de cette entrée.

Alors ça, c'est géant ! Je n'arrive pas à croire que ça existe ! se dit-il. Cette géantissimale tribu de fous furieux construit des collines creuses emboitées les unes dans les autres !

*

Cara Hito avait profité d'un moment où il n'y avait personne près de l'entrée pour se glisser à l'intérieur de l'élévation. Elle n'avait pu résister à l'impulsion de sa curiosité, mais elle se tenait sur le qui-vive pour faire demi-tour aussi vite qu'il le faudrait. Ses yeux s'accoutumèrent rapidement à la différence de luminosité ; elle n'était pas importante, étant donné que le jour déclinait. Apparurent alors devant elle de bien insolites choses.

Mais elle eut à peine le temps de les entrapercevoir avant de sursauter. Son cœur fit un terrible bon dans sa poitrine, mais au lieu de s'enfuir comme elle était prête à le faire, elle resta totalement paralysée tant sa frayeur fut grande. Une énorme créature ovoïde volante se précipitait vers elle. Ses immenses bras étaient dans une position rappelant quelqu'un qui met ses mains sur ses hanches et ses ignobles filaments locomoteurs pendaient en se tortillant d'une manière qui l'eût sans aucun doute fait vomir de dégoût, pour peu que son estomac eût contenu quelque chose.

*

Bartol observa un moment le manège des entrées et des sorties puis finit par se demander ce que les Ovoïdes venaient chercher ici. Il regretta encore une fois de ne pas posséder les yeux de Sandrila Robatiny pour regarder de plus près ce que certains portaient en sortant. Était-ce d'un intérêt primordial de le savoir tout de suite ? Qui pourrait répondre à cette question ? Toujours fut-il, qu'il décida d'aller voir de quoi il s'agissait d'un peu plus près. Il y avait un découvert d'une centaine de mètres entre sa cachette et l'entrée de la petite colline creuse. Son intention était de patienter jusqu'à ce qu'il n'y eût personne dans les environs avant de courir vers cette ouverture. Sage précaution, même les plus téméraires en eussent convenu ! Mais il restait toutefois un élément soumis à l'aléatoire d'une dangereuse loterie : la sortie. Il était en effet impossible de prévoir quand elle était utilisée. Mais, comme il s'était habitué au fait que les Ovoïdes se contentassent de le regarder avec curiosité, il décida de prendre le risque et attendit le meilleur moment pour s'élancer.

*

Cara leva les bras devant son visage dans un dérisoire mouvement de protection. La gigantesque créature volante était au moins cinq fois plus grande que la plus haute qu'elle eût déjà l'occasion de voir. Elle agita ses pédoncules de communication qui étaient d'une luminosité presque éblouissante. Au moment où Cara fut persuadée de vivre le dernier instant de son existence, le monstre s'éloigna en planant, brillant toujours des mille feux de ses organes lumino-gestuels. Durant une seconde, elle se demanda à quelle providence inattendue elle devait adresser sa reconnaissance, puis elle réalisa qu'il ne s'agissait que d'un objet sans vie suspendu au très haut plafond par un câble. Ce dernier devait être accroché à une poulie roulant sur quelque rail invisible d'ici. Il lui fallut encore un moment pour comprendre que ce n'était qu'une sorte de mannequin à l'image des créatures de ce monde.

*

Bartol dut patienter, car deux Ovoïdes avaient décidé de rester campés devant la sortie pour discuter et se montrer le contenu des boîtes qu'ils portaient. Cela dura deux ou trois minutes, puis ils s'éloignèrent chacun dans une direction différente. Il n'y eut plus personne dans les environs des deux portes. C'était le moment ! Avec une dernière hésitation, il quitta le couvert de l'arbre et courut vers l'ouverture. Arrivé sur son seuil, il ralentit et entra tout doucement. Son esprit ne comprit pas tout de suite les images que ses yeux lui envoyèrent.

Qu'était donc ces espèces de géantissimesques... Il y avait des sortes de... de quoi, en fait ? Des étalages... Oui des étalages avec des Ovoïdes debout sur des tables ou des plateaux... mais à quoi cela rimait-il ?

Un cri trahit sa terreur quand il vit soudainement foncer sur lui un colossal Ovoïde volant. Cette créature monstrueuse lumino-gesticulait avec une intensité lumineuse qui révélait sans nul doute possible une grande colère. Il se jeta à quatre pattes sous le plateau d'un étalage pour lui échapper.

*

Cara Hito venait d'entendre un cri humain. Elle en était certaine. C'était assurément un cri humain. Humain et même... Elle n'osa y croire, redoutant de prendre son désir pour une réalité. Mais elle crut reconnaître cette voix comme étant celle de Bartol. Elle se retourna. Trois créatures, qui passaient dans l'allée que formaient les expositions de vêtements, lui accordèrent un regard avant de se remettre à toucher des bandeaux et à admirer les mannequins debout au centre de chaque étalage. Plus personne ne fit davantage attention à son cas. Ayant acquis la conviction qu'elle n'était dans ce monde qu'un animal un peu bizarre, elle retourna sur ses pas, en marchant calmement pour ne pas attirer les curiosités. Les chiens non tenus en laisse étant interdits en de nombreux lieux, mieux valait ne pas croiser un responsable de cette sorte de magasin. Quand elle atteignit l'endroit d'où le cri lui avait semblé provenir, elle fut déçue de n'y voir personne. Voilà que j'entends sa voix dans ma tête, se dit-elle.

*

Bartol avait traversé toute la largeur du plateau en trottinant, tête baissée et dos courbé. Il y avait là-dessous un espace, d'un mètre quarante de hauteur environ. C'était fort obscur, étant donné le peu de lumière qui entrait sous les tentures qui pendaient tout autour. Tellement obscur qu'il se cogna plusieurs fois à des pieds qui soutenaient les surfaces d'exposition en hauteur. Ces chocs répétés eurent pour effet de faire tomber un de ces supports. S'ensuivit la chute d'une large planche sur laquelle se trouvait un mannequin de dix mètres de hauteur, au moins. Ce dernier s'écroula dans un grand vacarme, entraînant dans sa dégringolade celles des plateaux voisins. Cette réaction en chaîne ne prit fin qu'après l'effondrement d'un nombre important de rayonnages et de trois mannequins ovoïdes. Toujours dans l'obscurité, Bartol avait évité, de justesse et par miracle, que quelque chose ne lui tombât dessus. Se retrouvant sous un étal encore debout, il crut que des Ovoïdes volants géants renversaient tout pour le capturer. Un pied en métal à la main pour toute arme, il attendait pour en découdre avec ses adversaires, qui, quelque effrayants qu'ils fussent, apprendraient bientôt à qui ils avaient affaire.

*

Cara ne savait comment réagir. Des créatures accouraient de toute part. Elle recula dans un coin discret et attendit un moment opportun pour disparaître furtivement. Elle se demandait pourquoi toutes ces choses étaient soudainement tombées alors que les badauds circulaient tranquillement parmi les rayons de vêtements. La crainte lui vint que les créatures ne la tinssent pour responsable de cette catastrophe. Mais elles ne firent heureusement aucun cas de sa présence, bien trop occupées qu'elles étaient à redresser plateaux et mannequins. Pendant qu'elles s'y affairaient, le monstre factice géant, qui venait sans doute de boucler son tour de magasin, arrivait de nouveau en volant et en gesticulant de ses antennes. Cara recula encore et se glissa près d'un mur, sous la tenture cachant les pieds d'un rayon qui présentait toujours les mêmes sortes de vêtements : ces larges bandeaux colorés qui ceignaient les habitants de cet étrange monde. De ce poste d'observation, elle attendit que le calme revînt.

35. Le long du champ de bataille

Bartol entendait des bruits divers et variés dont la provenance semblait se rapprocher. Il serra la barre métallique dans ses deux mains et écarta un peu ses jambes pour se camper dans une attitude défensive défiante. Certains pans de tissus, qui pendaient autour du plateau sous lequel il se trouvait, n'atteignaient pas tout à fait le sol. Sous eux, il vit passer les filaments locomoteurs de plusieurs Ovoïdes. Il ne lui vint pas à l'idée qu'il s'agissait d'employés du magasin qui s'efforçaient de remettre tout en place. Le sommeil ankylosait son esprit. Tant de choses l'avaient empêché de dormir ! Il avait vécu les dernières heures dans un état de tension nerveuse qui lui avait permis d'oublier un temps son extrême fatigue, mais elle était indubitablement en train de reprendre le dessus. Ses yeux voulaient se fermer ; ils n'avaient plus la force de soulever leur paupière. Il secoua la tête, comme pour dissiper la brume qui enveloppait son esprit. Les bruits se rapprochaient et les groupes de jambes filiformes devinrent de plus en plus nombreux derrière les tentures.

Pensant qu'on le traquait, qu'on démontait tout pour le repérer, il prit conscience que ses chances de tenir tête à tant d'ennemis étaient insignifiantes. D'autant qu'il y avait ici des Ovoïdes volants géants sans aucun doute capables de se saisir de lui aussi facilement qu'un aigle attraperait un mulot.

Il décida alors de fuir encore. S'ils voulaient le capturer, il leur rendrait la tâche difficile, le plus difficile possible. Cette promesse qu'il se fit le gratifia d'une nouvelle ration d'adrénaline qui neutralisa encore une fois son sommeil pour un temps indéterminé. Indéterminé, mais forcément court.

Se cramponnant à son arme improvisée, il se remit à courir, courbé sous les planches, cherchant à s'éloigner de ceux dont il avait entraperçu les jambes. Ses yeux s'étaient accoutumés à l'obscurité, mais, la conscience engourdie par la fatigue, il renversa de nouveau quelques supports sur son passage. Un plateau finit par lui tomber dessus et il s'étala à plat ventre. Parvenant toutefois à se relever, il s'élança dans une autre direction. Le pied en métal qu'il tenait fermement s'accrocha à une étoffe qui pendait quelque part entre deux rayons contigus. N'envisageant sous aucun prétexte d'abandonner son arme et n'ayant pas le temps de libérer le tissu, il poursuivit sa course rageusement en provoquant d'interminables enchaînements de chutes et d'effondrements. L'ampleur du cataclysme qui s'ensuivit prit rapidement des proportions considérables, sans commune mesure avec les dégâts causés par son premier exploit.

*

Cara Hito avait vu les créatures s'activer pour redresser trépieds et tréteaux, reposer les plateaux dessus, y étendre les grands tissus qu'ils laissaient pendre sur les bords. Avec plus de difficulté, ils avaient ensuite réassemblé les hauts mannequins, dont certains avaient perdu un ou deux bras, puis ils avaient entrepris de les remettre debout. Tout cela se passait sous le regard sans doute interloqué des clients que la curiosité poussait à se regrouper sur les lieux de l'incident.

Toujours dissimulée à une extrémité de cette immense pièce, assise sur les talons, derrière un tissu au bord d'un plateau, elle assistait au remontage d'un de ces monstres factices. Au moment où l'on ajustait autour de son corps pansu le bandeau-vêtement qu'il portait avant sa chute et qu'on s'apprêtait à le remettre debout, tout recommença à tomber. Cara suivit des yeux la traînée de catastrophes qui se propageaient dans sa direction. On eût dit qu'un géant invisible piétinait tous les rayons de vêtements, bousculant au passage les grandes statues de créatures qui en faisaient la promotion dans différentes poses. Statues qu'elle trouva aussi peu engageantes que leurs modèles vivants et poses qui lui parurent pour le moins sinistrement grotesques, bien que ces considérations subjectives n'expliquassent en rien leur chute spontanée, elle en était parfaitement consciente. Rien ne semblait enrayer la propagation de l'onde de chaos qui continuait à avancer dans sa direction. Les clients et les employés reculèrent sur son passage en gesticulant de leurs antennes lumineuses qui lançaient des milliers de petits éclats dans cette cacophonie lumino-gestuelle. Cara s'apprêtait à fuir, car l'inexplicable fléau s'approchait dangereusement d'elle, quand lui parvint un hurlement de douleur suivi d'une envolée antilyrique qui eût fait rougir les plus salaces. À la suite de ça, tout s'arrêta soudainement. On eût pu croire que l'on venait là d'entendre le point final de cette apocalypse. Pas loin de la moitié du grand magasin était dévastée, sens dessus dessous, mais le géant invisible semblait s'être endormi. Après la tempête, le calme régnait. Un calme que d'aucuns durent trouver aussi inquiétant que suspect, car la foule recula et beaucoup empruntèrent la sortie. Cara venait de comprendre qui était ce géant invisible. Il n'était pas si grand que ça et il ne devait son invisibilité qu'au fait qu'il se cachât sous les plateaux des rayons. Elle ne pouvait pas douter de son identité. Ses oreilles ne l'avaient donc pas trompée tout à l'heure ! Elle connaissait sa voix, mais elle découvrait d'un seul coup tout un pan de son vocabulaire.

*

Commerce 427 était atterrée. La moitié de son vaste magasin s'était inexplicablement effondrée, faisant fuir les clients vers la sortie. Heureusement pour le chiffre d'affaires que cela s'était produit en fin de journée ! Un de ses employés prétendait avoir aperçu un humain courir sous les étalages. Elle ne savait pas quel crédit on pouvait porter à ce témoignage. Comment un humain, fût-il totalement enragé, aurait-il pu provoquer une catastrophe pareille ? C'était invraisemblable ! Elle avait fait interdire les animaux non tenus en laisse. Que pouvait-elle faire d'autre ? Hébétée, elle regardait l'ampleur des dégâts sans comprendre. Qu'est-ce qui avait bien pu créer une telle dévastation ? Elle pensa qu'il y avait là quelque chose de surnaturel. S'il s'agissait réellement d'un humain, ce ne pouvait qu'être un humain ensorcelé ! Quoiqu'il en fût, elle décida de former une équipe pour tout remettre en place durant la nuit afin que tout soit prêt pour la prochaine ouverture. Il était préférable d'attendre le lendemain pour appeler Sécurité 127. Qui sait ? Ce dernier serait capable de lui demander de tout laisser dans l'état pour effectuer son enquête.

*

Cara était sortie de sa cachette. Tous les clients étaient apparemment partis et il n'y avait plus que quelques créatures, qui travaillaient à tout remettre en ordre. Après avoir fait un détour, afin de rejoindre sans être vue l'endroit d'où lui avait semblé provenir la voix de Bartol, elle se glissa sous un étal encore debout et le chercha. Hélas ! elle eut beau regarder un peu partout, elle ne le vit pas. Alors, elle eut peur qu'il ne fût enseveli sous les amoncellements de sa propre destruction. Peut-être était-il blessé, sans doute assommé, ce qui expliquerait et le hurlement de mauvaise humeur et le fait qu'il ne se manifestât plus. Mais comment lui venir en aide ? Comment le retrouver sous tout ce fatras ? Elle sortit de dessous le plateau et marcha le long du champ de bataille en se baissant pour éviter d'être repérée par ceux qui œuvraient une deuxième fois à la reconstruction. Tendant l'oreille et fouillant du regard l'amoncellement hétéroclite, à l'affut du moindre râle ou d'un imperceptible mouvement sous les pans de toile, elle essaya de trouver le coupable avant les autres. Mais, les seuls sons que l'on entendait étaient produits plus loin par le travail des employés et rien ne bougeait près d'elle. Avait-elle eu un deuxième mirage auditif ? Où avait-elle plus vraisemblablement mal localisé la source du hurlement ? L'idée qu'il pût être inconscient et gravement blessé à deux mètres d'elle la plongea dans l'angoisse. Il n'y avait qu'une solution : tout fouiller avant que les créatures ne vinssent ici.

36. Qu'allaient-ils faire de lui ?

Commerce 427 avait finalement décidé d'appeler Sécurité 127 sans attendre le lendemain, quitte à être obligée de laisser son magasin dans cet épouvantable désordre pour les besoins de l'enquête. Elle s'était dit que c'était prendre un risque plus grand encore de ne pas chercher la cause qui avait conduit à ce désastre. Si la chose se reproduisait, de nouveau à un moment de forte affluence, ce serait une catastrophe pour le chiffre d'affaires et pour la réputation de son point de vente. Il y avait de toute façon fort à parier que Sécurité 127 ne se presserait pas plus que ça et qu'il ne viendrait même qu'après un délai suffisamment long pour laisser à son personnel le temps de tout ranger.

Comme tous les notables, Commerce 427 connaissait le chef de la sécurité. Aussi fut-il facile pour elle de l'avoir en personne au téléparleur. Après lui avoir expliqué l'objet de son appel, elle lui parla du témoignage selon lequel un humain avait été remarqué.

— Un humain de quelle sorte ? demanda Sécurité 127, alerté par tout ce qui avait rapport avec ces animaux. Peux-tu me le décrire ?

— Non. Je ne sais pas, avoua Commerce 427. Comme je te l'ai dit, c'est un de mes employés qui prétend l'avoir aperçu. Mais comme je te le disais aussi, j'ai bien du mal à croire qu'un humain puisse causer pareil désordre à lui seul.

— Tu peux me passer cette personne, celle qui dit l'avoir vu. Je voudrais la questionner. Oh ! et puis non, ce n'est pas la peine ! Je viens tout de suite ! Fais en sorte que ton témoin reste jusqu'à mon arrivée. Je ne serai pas long.

Sécurité 127 avait raccroché sans autre procédure de politesse.

Commerce 427 regarda les deux tiges lumino-gestuelles soudainement immobiles de son téléparleur en se demandant à quoi était dû cet empressement inattendu. Elle ne se serait jamais doutée que le chef de la sécurité attachât une telle importance à son commerce.

*

— Bonsoir, Commerce 427.

— Bonsoir, Sécurité 127.

— Présente-moi à la personne qui a vu cet humain, s'il te plaît, firent les pédoncules de communication visiblement impatients de Sécurité 127.

La directrice du magasin fut une nouvelle fois stupéfaite par la rapidité de sa réaction et par son empressement à vouloir résoudre cette affaire. Le chef de la sécurité convoitait-il sa spermathèque ? Ou s'agissait-il d'une conscience professionnelle particulièrement développée, pour ne pas dire exacerbée ?

— Suis-moi, répondit-elle. Je vais te montrer les lieux du carnage. Celui à qui tu veux parler est sur place en ce moment. Il fait partie de l'équipe qui remet de l'ordre.

**

Cara cherchait toujours à localiser Bartol quand elle vit arriver deux créatures dans la longue allée centrale qui, en traversant tout le magasin, coupait perpendiculairement les couloirs qui séparaient les rayons. Elle se dissimula derrière un immense mannequin renversé et essaya de deviner ce qui se passait. Elle présuma que ces deux nouveaux venus étaient des dirigeants ou des personnages suffisamment importants, car ils ne mirent pas la main à la pâte pour redresser tout ce qui était tombé. Ils discutèrent avec une des créatures qui étaient déjà là. Grâce à la faible luminosité du lieu, Cara voyait nettement les motifs lumino-gestuels de leur conversation. Elle avait exploré, aussi minutieusement qu'elle avait pu, plusieurs dizaines de mètres de rayonnages écroulés, regardant sous les toiles chaque fois qu'un renflement lui laissait croire qu'il pouvait y avoir un corps humain dessous. Mais, sous le tissu, elle n'avait vu que des trépieds, des tréteaux ou des planches. Tandis qu'au-dessus il n'y avait que des amoncellements de vêtements-bandeaux divers et variés, des boîtes, ainsi que des morceaux de créatures factices, des bras, des appendices de communication, des filaments loco-moteurs et bien sûr des corps ovoïdes. On en distinguait de nombreuses dimensions différentes. Les plus petits avaient sa taille, mais les plus grands devaient atteindre douze mètres de hauteur, quand ils étaient debout ; les vêtements qu'ils portaient pour en faire la promotion étaient, cela va sans dire, taillés à leur échelle. Le grand monstre volant ne se manifestait plus. On avait dû arrêter son mécanisme à la fermeture du magasin. Elle fut soudainement assaillie par l'inquiétude quand elle réalisa qu'au lieu de continuer à tout redresser, les créatures se met-taient à fouiller sous les toiles qu'elles enlevaient brutalement pour les jeter plus loin et qu'elles regardaient également sous les plateaux qui n'étaient pas tombés à l'aide de projecteurs qu'on amenait. Il lui apparut évident qu'elles cherchaient, si ce n'était spécialement Bartol, au moins le responsable de l'effondrement. C'était une très mauvaise chose ! Si Bartol était vraiment quelque part là-dessous, et il y avait de fortes probabilités pour que ce fût le cas, à moins qu'elle ne fût devenue complètement folle à entendre sa voix partout, ces monstres repoussants allaient le trouver avant elle. Cette pensée lui vrilla l'esprit. Qu'allaient-ils faire de lui ? Allaient-ils le punir ? Ils approchaient. Que faire ? L'idée lui vint de créer une diversion en renversant des rayons plus loin, de l'autre côté du magasin, mais elle se rendit compte qu'elle avait trop attendu pour appliquer cette ruse, qui de toute façon n'aurait permis que de gagner un peu de temps. Ils étaient déjà trop près et trop nombreux. Ils lui barraient le passage. Elle allait être prise, elle aussi.

*

Sécurité 127 savait que l'humaine du laboratoire s'était évadée. C'était Président 234 lui-même qui le lui avait appris, en lui confiant la mission de la retrouver elle aussi. Il était donc à présent sur les traces de deux animaux recherchés.

Président 234 voulait ces humains pour se faire bien voir de Biologie 237, parce que, à tort ou à raison, il le pensait très influent et que c'était donc une bonne chose pour sa carrière et pour son ascension sociale. Contrairement à la plupart des gens sans trop d'esprit, Président 234 était un très rare cas d'espèce, parce qu'il était capable de reconnaître ceux qui étaient plus intelligents que lui. Un peu à la manière d'une taupe qui courtiserait un aigle afin de pouvoir lui demander ce qu'il voit au loin, il tentait de tisser des liens de complicité avec ceux que la nature avait intellectuellement mieux servis que lui. C'est pour cette raison qu'il tenait particulièrement à l'estime du vieux savant et qu'il avait su motiver le chef de la sécurité.

Sécurité 127 avait espoir de mener à bien une partie de sa mission. Le jeune employé de ce magasin avait été formel. Il était question d'un humain très bizarre avec uniquement des poils du dessus et les plus étranges vêtements jamais vu sur un animal. Un habit qui couvrait même les jambes, avait-il précisé.

Le témoignage était révélateur ! Il ne pouvait s'agir que de la bête recherchée. Président 234 serait content et c'était toujours bien pour sa carrière. C'est en tout cas ce que le président avait clairement laissé entendre.

Tandis que les employés retournaient tout de fond en comble et scrutaient le moindre recoin, il se baissait lui aussi pour regarder sous les plateaux encore debout. Mais, malgré les projecteurs que l'on avait apportés pour éclairer ces endroits sombres, nul animal ne fut aperçu. L'investigation se poursuivit méthodiquement jusqu'à ce que tous fussent convaincus d'avoir passé toute la surface commerciale au peigne fin. De toute évidence, il n'y avait nul humain de quelque sorte que ce fût dans ce magasin.

— Il a dû sortir, conclut Sécurité 127. Il a dû sortir sans que vous ne vous en rendiez compte. J'ai perdu mon temps ici pendant qu'il s'enfuyait.

Commerce 427 se demanda pourquoi le chef de la sécurité manifestait une contrariété si visible. Son esprit était de toute évidence plus obnubilé par cet animal que par sa spermathèque.

37. Elle se retourna brusquement

Cara Hito entendait toujours des sons autour d'elle, mais ils s'éloignaient. Elle en éprouva un indicible soulagement, aussi les battements de son cœur lui donnèrent-ils l'impression de suivre le même chemin en se calmant un petit peu. Elle déglutit et se remit à respirer le plus discrètement possible. Le plus discrètement possible, mais amplement. Combien de temps la peur l'avait-elle maintenue en apnée ? Elle entendait toujours des bruits, mais, outre le fait qu'ils parussent beaucoup moins proches, ce n'étaient plus les mêmes. Ils ne ressemblaient plus à ceux que provoquent des objets que l'on écarte et des toiles que l'on tire brutalement ; ce n'était plus ceux d'une fouille. Ils étaient plus calmes, plus espacés. Elle devina que les créatures avaient cessé de chercher et qu'elles recommençaient à travailler pour remettre tout en ordre. Avaient-elles trouvé Bartol ? C'était peu probable, car elle l'aurait entendu se défendre et les invectiver. À moins qu'il ne fût inconscient... Cette idée lui noua la gorge et elle dut encore déglutir plusieurs fois. Elle sentit son esprit s'embrumer légèrement. À croire que j'ai sommeil, s'étonna-t-elle.

Quand les monstres s'étaient approchés en déplaçant tout pour inspecter le moindre recoin, Cara avait reculé, épouvantée. Acculée, elle s'était vue perdue jusqu'à ce qu'une ouverture circulaire, de quelque soixante centimètres de diamètre, lui semble être la seule cachette envisageable.

C'était un trou qui se trouvait du côté inférieur du corps ovoïde d'un des plus grands mannequins renversés. Il devait servir à y enfoncer un socle ou quelque chose du genre. Elle avait dû monter sur un tréteau qu'elle avait placé juste en dessous pour pouvoir l'atteindre. Cette entrée était un peu dissimulée par une partie des tiges souples qui figurait la centaine de jambes filiformes et qui pendait comme un rideau de fils. Sur ce modèle géant, elles étaient aussi épaisses que de grosses cordes. Elle les avait écartées pour se glisser à l'intérieur de ce volume en ayant la réelle impression d'entrer dans un œuf gigantesque. Il y faisait très sombre. La surface en contact avec ses pieds était très inclinée à cause de la courbure de la forme, mais fort heureusement elle adhérait suffisamment aux semelles pour éviter qu'elle ne glissât jusqu'à l'équateur de cette coquille, ce qui l'eût très certainement empêché de ressortir. Au toucher, la matière était presque lisse et faisait penser à du plastique. Mais, si elle avait fait ce dernier constat, c'était machinalement, il n'avait nullement pénétré sa conscience, si concentrée qu'elle était à écouter les sons produits par les créatures qui approchaient d'elle. Avec une angoisse grandissante, elle les avait entendues chercher juste à côté d'elle, s'attendant d'un instant à l'autre à être découverte. Puis, après quelques chocs sur la paroi de l'œuf géant qui avaient poussé sa peur à son paroxysme, elles s'étaient éloignées.

Cara n'osait toujours y croire. N'y avait-il pas là quelque ruse ? Les créatures n'avaient-elles pas imaginé de faire mine de partir dans l'espoir que leur proie, se pensant en sécurité, sorte de sa cachette ou trahisse sa présence par un mouvement ? Elle apprécia l'air qui rentrait dans ses poumons. Ces derniers avaient dû finir par supposer qu'elle avait décidé de ne plus jamais leur fournir de l'oxygène. De ce fait, ils en réclamaient goulûment. Quand elle les eut rassasiés, que son cœur se fut calmé et qu'elle finit par croire à un réel éloignement des créatures, elle recommença à se demander ce qu'il était advenu de Bartol. Elle se mit en devoir d'édifier une pile d'hypothèses à ce sujet. Puis, elle réalisa que c'était sans doute le moment ou jamais de sortir discrètement du magasin, mais que cela impliquait l'obligation de devoir l'abandonner. Écartant donc cette pensée, elle se reconcentra sur sa pile d'hypothèses. Pile bien peu haute en fait, puisqu'il ne lui vint que deux idées ! Soit, les créatures l'avaient trouvé et emmené, soit il était inconscient, quelque part, à un endroit qui avait échappé aux recherches. Au fait, il y avait d'autres mannequins renversés et par voie de conséquence autant de cachettes comparables à la sienne. C'est ce qu'elle était en train de se dire en esquissant un espoir dans son cœur et un joli sourire sur ses lèvres quand elle entendit des sons très proches qui la firent sursauter. Elle se retourna brusquement et sonda l'obscurité du regard à l'intérieur de l'œuf. La source apparaissait effectivement être à si faible distance que sa cause ne pouvait qu'être ici, avec elle. Pourtant, elle eut beau s'arrêter à nouveau de respirer pour tendre l'oreille, plus rien ne se produisit. Malgré toute son attention, elle n'eut d'autre proximité sonore que celle de son propre cœur. Comme elle se sentait entraînée vers cette mystérieuse et menaçante profondeur à cause de l'inclinaison de la paroi qui supportait ses pieds, elle se retint à une des jambes du mannequin. Le silence total s'obstinait à régner près d'elle. Seuls les sons relativement lointains que produisaient les employés en train de remettre le magasin en ordre lui parvenaient. Avait-elle encore une fois imaginé ce bruit ? Elle allait encore douter de ses facultés auditives quand le léger frottement qu'elle avait bien cru entendre se reproduisit à nouveau. C'était quelque part, là, devant elle, dans l'épaisseur de l'obscurité. Cela semblait provenir du sol, ou du moins de la surface concave qui en tenait lieu dans cet œuf. Elle n'avait pas d'arme, aucun moyen de se défendre. Ne pas voir ce dont on a peur est peut-être la pire des choses ! Pour laisser entrer un peu de lumière, elle se tourna un peu et écarta doucement le rideau de jambes qui pendait derrière le trou circulaire. Mais la très faible clarté qui filtra ne parvint pas à diluer les ténèbres dans lesquels se tapissait ce qui lui semblait prêt à la dévorer. Un nouveau bruissement se fit entendre.

***

Quand Président 234 reçut le coup de téléparleur de Sécurité 127, tard dans la nuit, il était en train de parler du dernier championnat de multiraquettes qui avait opposé les finalistes. Le principe de ce jeu populaire était très simple. Deux équipes de douze joueurs. Un filet tendu entre deux poteaux au milieu d'un terrain. Une équipe d'un côté, une équipe de l'autre. Au moment du départ, chaque équipier disposait de dix balles qu'il envoyait le plus rapidement possible de l'autre côté du filet au moyen de raquettes qu'il tenait avec les jambes. Chacun des compétiteurs pouvait se servir d'autant de raquettes que bon lui semblait, mais personne n'avait le droit d'user de ses mains, sauf au début pour le service. Certains se contentaient de dix, les champions de très haut niveau parvenant à en utiliser plus de vingt simultanément. Il fallait renvoyer le plus de projectiles possible par-dessus le filet chez l'adversaire. L'affrontement durait jusqu'à ce qu'il ne reste plus une seule balle en mouvement, sachant qu'il était interdit de relancer celles qui touchaient le sol. Quand la partie prenait fin, on déterminait les points acquis par chaque équipe en comptant le nombre de balles, sur les deux cent quarante en jeu, qui était restées sur le sol du camp opposé.

La discussion au sujet de ce sport allait donc bon train devant un petit lichen entre amis. Il y avait autour de la table quelques notables qui prenaient un grand plaisir à exprimer leurs opinions quant à l'adresse de tel ou tel athlète et la qualité de telle ou telle équipe. Quand Président 234 sentit son télé-parleur vibrer dans sa poche, il s'éloigna jusqu'à la terrasse qui donnait dans le jardin pour regarder les tiges lumino-gestuelles de son appareil.

— Bonjour, Président 234, lui dit Sécurité 127. Excuse-moi de te déranger si tard, mais je crois avoir retrouvé la trace de l'humain. Selon le témoignage d'un employé, il serait passé dans le magasin de Commerce 427.

— Qu'attends-tu pour le ramener ? répondit Président 234 d'un ton un peu emporté qu'il n'avait pas pleinement maîtrisé à cause de la légère torpeur induite par un petit lichen de trop, sans doute.

— J'ai fait retourner le magasin, mais il n'est plus à l'intérieur. Je t'appelle parce que je voudrais des renforts et des moyens pour faire des recherches autour de ce lieu sans attendre.

38. Le gros monstre volant était vivant !

Cara Hito posa une main sur le bord de l'ouverture et lança des coups d'œil à l'extérieur pour s'assurer qu'il fût possible de sortir sans que les créatures l'aperçussent. Elle constata que la voie était libre. Mais elle fût vraisemblablement sortie, même au milieu d'une foule de ces monstres, eussent-ils été des milliers tous prêts à se jeter sur elle, tant la proche présence de ce qu'elle ne voyait toujours pas l'effrayait. C'est en tout cas ce qu'elle s'apprêtait à faire de toute urgence quand elle entendit une sorte de grognement qui l'eût probablement terrifié s'il n'eût été suivi de l'articulation vaseuse, mais reconnaissable de deux syllabes qu'elle connaissait plus que très bien : « Cara… ».

— Bartol ?

Elle n'avait aucun doute sur la voix.

— Bartol ? Réponds ! Je ne te vois pas. Où es-tu ?

Il y eut cette fois-ci une série de nouveaux grognements analogues au premier. Puis, sur le ton de quelqu'un qui sort d'un long sommeil, ce fut effectivement sa voix qui dit :

— Cara ? Géante géanture ! Que fais-tu là ? Justement, je te cherchais !

Le cœur de Cara accueillit cette dernière phrase comme une félicité.

— Moi aussi, figure-toi ! Mais approche que je ne te vois toujours pas !

Elle l'entendit monter vers elle le long de la courbure de l'œuf. Il dut prendre son élan pour y arriver. Près de l'ouverture, il s'agrippa à une des jambes du mannequin pour éviter de redescendre et dit avec une voix un peu plus réveillée :

— Cara ? Géante géanture ! Que fais-tu là ? Justement, je te cherchais !

Il venait de prononcer exactement les mêmes mots, mais ça faisait tellement plaisir à entendre qu'il eût pu les répéter mille fois encore !

— Moi aussi, je te cherchais, murmura-t-elle. Mais que faisais-tu, là-dedans ? Ne me dis pas que tu dormais tranquillement !

— J'étais épuisé, plaida-t-il, comme si cela justifiait le caractère incroyablement inattendu du moment et du lieu pour faire un somme.

Devant sa mine abasourdie, il ajouta :

— Les Ovoïdes m'ont administré une dose de sédatif qui a dû annihiler le morphicontrôle. J'avais si sommeil ! Tu n'as pas idée ! Quand j'ai vu un énorme Ovoïde volant foncer sur moi, je me suis jeté sous les plateaux de leurs présentoirs de garde-robe et…

— Je sais, j'ai assisté à ton cataclysme, l'interrompit-elle avec un sourire qu'il trouva ravissant. Mais comment as-tu pu t'endormir dans une pareille circonstance ? Il n'y a que toi pour faire des choses comme ça !

— Comme je te le disais, j'avais très sommeil depuis longtemps déjà, mais je vivais sur les nerfs et en courant pour leur échapper, j'ai fini par me cogner la tête.

— J'ai entendu ton compte-rendu ! Pas très précis dans la description des faits, mais explicite en ce qui concernait ton humeur au moment où ça s'est produit !

Était-ce une illusion, ou remarqua-t-elle qu'il rougissait légèrement ?

— Oui… euh… Si j'avais su que tu étais là, j'aurais sans doute châtié mon langage… Toujours est-il que j'ai vu cette cachette, que je m'y suis réfugié et que j'ai fini par m'endormir dedans. Dormir dans un œuf, moi, comme un petit poussin ! Décidément, il me sera tout arrivé dans ma vie !

Elle sourit :

— Ne me dis pas que tu as cru que le gros monstre volant était vivant !

— … ?

— Ce n'était qu'un de leur mannequin ! Un être factice comme celui dans lequel nous sommes, mais il était pendu au plafond par je ne sais quoi et il devait se déplacer grâce à une poulie, ou quelle chose du genre.

— Ah bon !

— Ben, oui !

— Ah ! Et… tu l'as tout de suite remarqué, toi ?

— Oui, mentit-elle. Ça se voyait bien.

Bartol fut admiratif. Ce n'était pas la première fois qu'elle l'étonnait par son sang-froid et son courage. Il se souvenait du jour où elle avait terrassé un de ces animaux volants octoculaires dans le Monde de Pooo.

— On a utilisé du narcotique sur moi aussi, dit-elle. Cela expliquerait pourquoi je commence à avoir envie de dormir, également. J'avais presque oublié cette sensation ! Au point que je me suis demandée si je n'étais pas malade, figure-toi. Vu que ces créatures m'ont touchée, je redoutais qu'elles m'aient transmis un germe ou un virus inconnu.

— Ces bestiaux ovoïdes t'ont touchée ! s'écria le Marsalè, visiblement contrarié. Que t'ont-ils fait ?

Là encore, ces mots caressèrent le cœur de Cara. Bartol le vit dans ses yeux. Il trouva son expression très attendrissante et sa silhouette, qui se détachait sur le cercle de l'ouverture, particulièrement belle. Que pouvait-il faire d'autre que la serrer dans ses bras ? Ils restèrent un moment ainsi, sans rien dire et sans bouger. Mais, tout aussi immobiles et silencieux qu'ils fussent, ils furent chacun le siège d'une tempête intérieure d'une rare violence.

Je dois certainement au hasard des circonstances de l'avoir pour un temps à moi, se disait Cara, mais je ne laisserai jamais Sandrila Robatiny me le reprendre. Aussi puissante qu'elle soit, elle aura sur son chemin une rivale qui lui tiendra tête.

Je suis en train de perdre ma place auprès de la femme la plus convoitée de tous les mondes, pensait Bartol. N'importe quel homme s'écrierait que je suis un fou ! Il se trouve pourtant que ça ne me dérange pas autant que je l'aurais imaginé ! Est-ce possible ? Suis-je vraiment fou ? Mes origines sont tellement complexes ! De combien de couches d'esprit et d'engrammes suis-je fait ? Serait-il concevable que sa puissance et sa gloire m'aient aveuglé au point de me faire croire que j'étais amoureux d'elle ? Quelle sera sa réaction si elle apprend ma traîtrise ? Alors qu'il cherchait les lèvres de Cara, cette question apparut dans son esprit. Mais elle y apparut comme se montre brièvement une forme dans une brume éthérée, pas plus longtemps.

***

— Où ça ? demanda Biologie 455, encore à moitié endormie.

— Au magasin de Commerce 427, répétèrent les tiges lumino-gestuelles de son téléparleur en reproduisant les lumino-gesticulations de Biologie 237. C'est Président 234 lui-même qui vient de me le révéler parce qu'il a reçu un appel de Sécurité 127.

— Nous y allons tout de suite, dit Biologie 455.

— Rendez-vous là-bas, répondit le savant.

Biologie 455 coupa la communication.

— Que se passe-t-il ? demanda Œuf Affable en se réveillant.

— Je te raconterai les détails plus tard, mais Sécurité 127 prétend avoir localisé Danseur aux alentours du magasin de Commerce 427. Président 234 envoie du renfort pour essayer de le retrouver.

— Mais ! Il est donc en liberté ? Aurait-il échappé à celui qui nous l'a volé ?

— Je n'en sais rien. Allons-y. Nous aurons d'autres explications sur place.

Écologie 982 et 501 Mathématiques furent réveillés et informés. Ils prirent tous les quatre à peine le temps d'enfiler leur bandeau et de se sustenter, puis ils franchirent la porte qui avait été sommairement réparée en attendant d'être remplacée.

*

Métallurgie 2007 fut soudainement tiré de son léger sommeil par la vibration d'un petit cylindre dans sa poche. Il était rudimentairement installé dans un minuscule studio qu'il avait loué pour quelque temps, car il était très proche de l'appartement de Biologie 455. C'était le discret dispositif qu'il avait placé sur la porte endommagée de ce dernier qui avait fait vibrer son appareil de réception. Ceci s'était déjà produit depuis qu'il l'avait mis en place, au péril d'être vu. Mais il fallait bien prendre quelques risques ! Il l'avait fait le plus vite et le plus furtivement possible. C'était la sixième fois que ce détecteur d'ouverture le prévenait. À l'heure qu'il était, il y avait de fortes chances pour que ce ne fût pas une sortie ou une entrée ordinaire. Il prit un sac, qu'il plia et glissa sous son vêtementbandeau, et se précipita à l'extérieur. Arrivé au pied de l'immeuble, il vit en effet Eau 631 et trois autres personnes sortir en toute hâte. Il les suivit en toute discrétion. Les effets du Doux Nuage s'étaient tout à fait dissipés et il avait recouvré tous ses moyens, bien déterminé qu'il était à retrouver l'animal avant tout le monde.

39. Sa surprise fut plus grande encore

Cara n'avait plus peur. En présence de Bartol, elle n'avait pas peur. Elle se souvenait du moment où elle avait osé plaquer le prédateur volant octoculaire dans le Monde de Pooo, pourtant ô combien hideux et repoussant ! À sa propre surprise, elle s'était lancée dans cette action avec une incroyable spontanéité. Pour plaire à Bartol, bien sûr ! Elle n'avait pas érigé un empire interplanétaire, elle. Et son nom n'avait rien de célèbre. Mais, il était un terrain sur lequel elle ne pouvait être battue par sa rivale : sa motivation à séduire Bartol et l'amour qu'elle lui portait. Depuis les premières minutes de leur première rencontre dans le salon de plastique corporelle, elle avait envié celle qui le rendait si délicieusement idiot. Dès cet instant, elle avait désiré être cette femme-là. Quand, plus tard, elle avait appris qu'il s'agissait de Sandrila Robatiny, elle n'avait ressenti que quelques secondes de découragement, avant de se dire qu'après tout la rivalité n'en serait que plus exaltante et sa victoire plus méritoire.

Pour l'heure, la manière dont il la tenait dans ses bras était d'un très bon augure. Quand leurs lèvres se décollèrent, elle murmura en lui passant une main dans les cheveux :

— Il est temps de partir. Ils ne vont pas tarder à arriver par ici.

Ils regardèrent par l'ouverture. En effet, dans leur laborieux travail de remise en ordre, les Ovoïdes n'étaient plus qu'à une quarantaine de mètres sur la gauche. Il apparaissait dès lors plus qu'urgent de quitter les lieux.

Ils descendirent discrètement et coururent entre les rayons, tête baissée et sur la pointe des pieds, en direction de la sortie.

Bartol ne s'était pas séparé de son arme : un des pieds qui maintenaient en l'air les plateaux des présentoirs de bandeaux-vêtements. C'était un simple tube d'un mètre cinquante soudé à une plaque carrée qui servait de socle à cet objet.

Ne connaissant qu'approximativement les lieux, ils durent chercher leur chemin en bifurquant plusieurs fois avant d'arriver devant la porte. Elle était malheureusement fermée. Rien qui ressemblât à une poignée ou à une serrure n'y apparaissait. À gauche, à quelques mètres de là, il y avait une autre porte. En marchant vers cette dernière, Cara dit :

— Allons voir du côté de l'entrée. On ne sait jamais !

Pour toute réponse, Bartol mit un doigt sur sa bouche et l'entraîna derrière l'angle d'un rayon.

— Quelqu'un arrive, murmura-t-il, en serrant son tube à deux mains.

Ils regardèrent passer un Ovoïde. Celui-ci s'arrêta près de la porte d'entrée qui s'ouvrit apparemment seule à son approche. Peut-être disposait-il d'un système de télécommande qu'il avait manipulé sans qu'ils le vissent faire, se dirent-ils. Toujours fut-il qu'une porte donnant sur l'extérieur était à présent grande ouverte à quelques pas d'eux. Bartol pensa que c'était sans doute là leur dernière chance et que pour ne pas la perdre, il fallait prendre le risque de foncer tête baissée. Il regarda Cara dans les yeux et fit un explicite geste de la tête vers l'ouverture. Alors qu'il allait s'élancer, elle le retint par un bras de justesse. Heureusement, car un grand nombre de créatures arrivaient de l'extérieur. Il recula pour se remettre hors de vue et ils épièrent un moment les nouveaux venus. Bien qu'ils lumino-gesticulassent au lieu de parler, quelque chose apparaissait clairement dans leur conversation : il s'agissait du colossal désordre dont Bartol était la cause. On le devinait aux gestes qu'accomplissait celui qui avait ouvert la porte pour les accueillir. Soudain, Bartol reconnut l'un d'entre eux. À n'en pas douter, en dépit de l'éclairage assez faible en cette partie du magasin, on identifiait Œuf Affable. Le Marsalè allait le murmurer à l'oreille de Cara quand il remarqua sur son joli visage un étonnement et un trouble qui lui coupèrent la parole.

— Je reconnais l'un d'eux, chuchota-t-elle si doucement qu'il l'entendit à peine.

— Toi aussi ! Tu le connais ! Mais... Que, qu'est-ce que mais... ?

— Celui-là. Tout à droite. C'est de chez lui que je me suis enfuie en l'endormant avec un pistolet hypodermique. Il faudra que je te raconte dès que nous aurons un instant de tranquillité.

Bartol la regarda avec un air ahuri, mais, en même temps, ses yeux exprimèrent une chose autre que la surprise qui plut beaucoup à Cara. Il se trouva stupide d'avoir un moment cru qu'elle reconnaissait Œuf Affable en occultant de ce fait sa propre histoire qu'il ne connaissait pas encore. De plus, endormir un Ovoïde avec un pistolet hypodermique ! Si ça, ce n'était pas une géantissimesque géantissimerie ! Qu'est-ce qui le serait ? Décidément, cette petite Cara Hito avait du caractère !

— Oui, répondit-il en murmurant. Il faudra que tu me racontes tout ça.

Les Ovoïdes avaient commencé la conversation sur le seuil, mais ils entraient lentement en poursuivant la discussion. Il y en avait une bonne vingtaine. Bartol supposa anxieusement que la porte allait être refermée à un moment ou à un autre et qu'ils seraient de nouveau prisonniers. Il imagina de lancer son arme pour bloquer le battant, mais se ravisa presque avant que l'idée eût fini de naître dans son esprit. À part faire du bruit pour attirer l'attention, cette manœuvre eût été sans effet !

Alors qu'il se torturait les méninges à chercher une autre solution dans l'urgence, il sentit une légère traction sur son arme. Cara venait de saisir le tube. Sans comprendre ce qu'elle voulait en faire, il le lui laissa. J'espère qu'elle ne songe pas à les attaquer tous ! se dit-il. On ne sait jamais avec elle. Pour une surprise, c'en serait une !

Mais sa surprise fut plus grande encore quand il la vit lancer son arme loin derrière eux et par dessus le rayon derrière lequel ils se cachaient. Ce geste inattendu fut immédiatement suivi du vacarme que l'on devine et, bien sûr, tous les Ovoïdes disparurent pour aller se rendre compte de ce qui se passait. Dans la précipitation, aucun d'entre eux ne pensa à fermer la porte. La voie était libre. Ils couraient déjà tous les deux sur le gazon à l'extérieur.

***

Œuf Affable fut le premier à voir l'objet métallique sur le sol. Il le saisit et le montra aux autres qui arrivaient précipitamment.

— C'est un des supports que nous utilisons pour surélever les plateaux qui sont autour de vous et dont je vous parlais, dit Commerce 427.

En soulevant un tissu qui pendait devant un étal, il ajouta :

— Voyez ! C'est là dessous que l'animal a été vu. Mais, comme je l'ai cent fois répété, je voudrais qu'on m'explique comment cette bête aurait pu commettre de tels dommages.

— Je l'en crois capable, moi, dit Œil Tordu.

— Moi aussi, affirma Eau 631.

Le savant regarda l'arme de Bartol moins d'une seconde, puis après avoir tourné ses pédoncules oculaires à droite et à gauche, il courut aussi vite que ses jambes âgées le lui permettaient vers la porte d'entrée, toujours ouverte. Biologie 455 qui avait observé toutes ses mimiques le rejoignit, aussitôt suivie par Œuf Affable.

— Il nous a bien eus, soupira le vieux biologiste.

— Comment ? Que veux-tu dire ? s'étonna sa jeune laborantine.

— Tu ne penses tout de même pas que… fit Œuf Affable.

— Bien sûr que je le pense ! Cet animal était ici à l'instant. Il aura fait diversion pour nous écarter de la porte. C'était pour lui le seul moyen de sortir, puisqu'il ne pouvait pas l'ouvrir.

— Mais, c'est tout à fait impossible ! répondit Biologie 455.

— Ne m'as-tu pourtant pas dit qu'il vous avait montré à plusieurs occasions des preuves de son intelligence ?

— Oui, mais de là à imaginer une ruse de ce niveau ! intervint Œuf Affable.

— Jeune Ovoïde ! S'il vous était arrivé, comme à moi, de vous faire endormir avec votre propre pistolet hypodermique, comme vous l'a certainement raconté votre aimable compagne, vous ne douteriez plus de l'intelligence animale ! En tout cas, nous n'avons pas affaire à des animaux ordinaires ! Je vous rappelle que la femelle a fait semblant d'être inanimée pour m'attirer dans sa cage, qu'elle a attendu le moment où je n'étais plus sur mes gardes pour s'enfuir et qu'il ne lui a fallu que deux secondes pour comprendre comment fonctionne l'objet que j'avais moi-même utilisé contre elle. Pour moi, ça ne fait aucun doute. Le mâle était là, à l'instant, mais où est-il à présent ?

40. Veux-tu dire qu'il s'agit d'un humain ?

— Alors ? lança Président 234, en arrivant. Je suis en retard, je vois. Où en est-on ?

— Hélas ! dit Eau 631, nous avons de bonnes raisons de penser que l'animal était dans ce magasin et qu'il a profité du fait que nous ouvrions la porte pour s'enfuir. Nous supposons qu'il doit être dans les environs.

Président 234 regarda Biologie 237. Le savant émit une lumino-gesticulation de confirmation.

— Pourquoi ne demandez-vous pas à Sécurité 127 de se lancer à sa poursuite ?

— Nous réalisons cela à l'instant, nous nous apprêtions à le faire quand tu es arrivé.

Sécurité 127 venait justement vers eux, l'arme de Bartol en main et un air perplexe dans les pédoncules de communication. Les autres Ovoïdes qui avaient couru pour voir ce qui avait provoqué le bruit le suivaient.

— Sécurité 127 ! fit le président, on me dit que l'animal est probablement dans les environs du magasin. Je vois que les renforts que je t'ai envoyés sont arrivés. Plus nous perdrons du temps…

— J'apprends par toi qu'il est dehors, Président 234. On me prétendait le contraire pourtant !

Après quelques rapides explications, on décida de lancer les recherches autour du point de vente. Sécurité 127 accompagné de sa propre équipe et des renforts affectés à cette mission par Président 234 commencèrent à fouiller le parc. Tandis qu'on les voyait avec leur torche à la main éclairer chaque buisson, Œuf Affable nota l'expression songeuse de Biologie 237.

— À quoi penses-tu ? lui demanda-t-il.

— J'étais en train de me dire que ce n'est pas de cette façon que nous le rattraperons, confia le savant.

— Que préconises-tu ? s'enquit Biologie 455 qui avait également remarqué son attitude préoccupée.

— Je suis persuadé qu'il tentera de rejoindre la femelle, si ce n'est pas déjà fait… À moins que ce soit elle qui l'ait retrouvé… mais peu importe ! Quoi qu'il en soit, je devine qu'ils vont tous les deux essayer de sortir de la ville. Il nous suffit donc de surveiller les quatre portes. Je pense qu'ils seront très méfiants. Nous devrons être extrêmement discrets. Je vais en parler tout de suite à Président 234, car il ne faut pas perdre de temps. Si ces animaux nous échappaient, ce serait un drame pour la science !

***

La résidence principale de Métallurgie 2007, une maison de campagne modeste mais confortable, se trouvait près de la porte sud de la ville. Il posa le sac qu'il venait de porter sur une grande distance avec un soulagement certain. Le magasin de Commerce 427 était en effet assez loin d'ici ! Et puis, bien qu'il s'en félicitât, il ne s'attendait pas en plus à transporter une charge double. Enfin, presque double ! La femelle était un peu plus légère.

Il ouvrit le sac et en sortit les corps inanimés de l'humain et de l'humaine. Elle est encore plus étrange que lui, constata-t-il. C'était la première fois qu'il avait l'occasion de l'observer, tranquillement, de près et en pleine lumière. La capture n'avait pas été facile ! Le mâle lui avait encore tordu et distendu son pédoncule oculaire, le gauche cette fois-ci ; alors que le droit, qui avait été maltraité dans l'ascenseur de Biologie 455, se remettait à peine de cette dernière mésaventure ! Cela faisait terriblement mal ! Il s'était retenu pour ne pas l'étrangler ! Mais, il n'avait pas à se plaindre ! Eau 631 et ses compagnons l'avaient guidé droit au but. Il les avait vus entrer dans le commerce. Après un moment de discussion, ils avaient disparu à ses yeux. Sur le point d'aller jeter un œil dans le magasin pour savoir ce qu'ils étaient venus faire là, Métallurgie 2007 approchait de l'ouverture quand soudain les deux humains s'étaient littéralement jetés droit dans ses bras. Il avait enfourné la femelle dans le sac avant qu'elle n'ait le temps de comprendre ce qui se passait. Le mâle voulant prendre sa défense s'était littéralement pendu à son œil, tirant dessus comme un animal enragé. Métallurgie 2007 avait tout de même réussi à le maîtriser et à lui injecter du narcotique. Quelle bonne idée d'avoir gardé une seringue sur lui, au cas où ! Il s'était dit qu'il serait plus discret de transporter un humain immobile qu'en train de se débattre. Après avoir aussi piqué la femelle à travers le sac et y avoir introduit le mâle déjà endormi, il s'était retiré sans dire au revoir. Il était à présent en possession de deux animaux rares et il se demandait ce qu'il pourrait réclamer en échange. C'est une chose qu'il verrait plus tard. Après avoir tiré les deux corps dans le jardin, et leur avoir passé un collier autour du cou, il examina les vêtements de l'humain puis de l'humaine.

Incroyable ! se dit-il. Des petits animaux à leur mémère encore ! Il y en a qui ont tellement de biens qu'ils ne savent pas quoi en faire ! Qu'ont-ils pu donner pour faire réaliser ces accoutrements ? C'est stupéfiant ! Même des habits pour les bouts des jambes ! Ces crétins ne se rendent pas compte qu'ils ennuient leurs animaux avec leurs niaiseries ! Enfin, bon ! Vu ce que doivent coûter de pareils accessoires, j'imagine ce que doivent coûter les bêtes qui les portent ! Peut-être une maison dans les quartiers chics !

À un moment de leur histoire, les Ovoïdes avaient inventé l'argent. Ce symbole représentant les échanges de services et de biens avait suivi l'évolution, on ne peut plus classique, qu'il suit chez toutes les espèces qui passent un jour par lui : objets naturels rares, divers et variés, ensuite petits volumes de matériaux précieux, puis objets usinés difficiles à reproduire sans d'importants moyens et pour finir seulement un nombre, comptabilisé de quelque manière que ce soit. Mais, après la grande révolution qui avait brutalement remodelé leur société, ils avaient pour un temps complètement arrêté d'utiliser cette façon de commercer, ne pratiquant plus que le troc. Cette méthode compliquait énormément la gestion de tous les échanges. Ainsi, le producteur de téléparleurs recevait en échange d'un appareil deux tabourets, un meuble et trois bouteilles de lichen ou bien un certain temps de ménage dans son usine, ou bien encore un tricycle et cinq bobines de fil de cuivre… C'était avec ces choses hétéroclites qu'il devait ensuite payer ses employés. C'était si compliqué que, pour tout dire, beaucoup avaient fini par regretter le temps où l'argent existait. Mais beaucoup aussi pensaient que sans argent les Ovoïdes vivaient mieux entre eux, car comme l'avait dit le meneur principal de la révolution : « L'argent est devenu si abstrait qu'un individu peut posséder plusieurs millions de fois ce qu'il lui faut pour être bien et en vouloir encore. ». Cette parole était souvent citée dans les discours politiques. Après de nombreux débats passionnés, une forme d'argent avait finalement été remise en circulation, mais il avait été décidé que le troc serait toujours autorisé et que selon les convictions de tout un chacun, on utiliserait soit l'un soit l'autre.

Métallurgie 2007 attacha les deux humains au même arbre avec deux chaînes et revint dans sa maison en se tenant le pédoncule oculaire.

Cette sale bête m'a vraiment fait mal ! se dit-il. J'aurais dû me méfier, aussi. C'est la deuxième fois qu'il me fait ça !

Il désinfecta soigneusement son œil qui devenait de plus en plus douloureux et l'entoura dans un bandage. Cette chose faite, il sortit et marcha en direction du nord. Malgré son pas soutenu, il lui fallut un certain temps pour arriver en vue du bâtiment habité par Eau 631. Il sonna à sa porte. Personne. Il hésita. Devait-il se rendre chez sa compagne, Biologie 455 ? Ou se contenterait-il de l'attendre ici ? Le jour se levait. Il décida de ne pas attendre. Il chercha Eau 631 dans l'annuaire sur son téléparleur et l'appela :

— Bonjour, dit-il. Je suis devant chez toi et j'ai quelque chose qui t'intéresse. Je te propose une rencontre.

— Qui es-tu ? Et que veux-tu ?

— J'ai quelque chose qui t'intéresse, se contenta de répéter Métallurgie 2007.

— Veux-tu dire qu'il s'agit d'un humain ?

— Même de deux, en fait.

*

— Où es-tu ? demanda Œuf Affable.

— Je te l'ai déjà dit. Devant chez toi, répondit l'inconnu.

Œuf Affable mit son téléparleur dans sa poche et rapporta à Biologie 455 et Biologie 237 la conversation qu'il venait d'avoir. Ils étaient tous les trois en train de déambuler dans le parc dans lequel les recherches venaient d'être abandonnées et ils s'apprê-

taient à retourner chez eux. Écologie 982 et 501 Mathématiques qui marchaient derrière eux avaient entendu.

— Allons-y vite ! s'écria 501 Mathématiques, en s'arrachant
une vieille jambe qui commençait à se détacher.

Il jeta le membre défunt dans une des poubelles publiques du
parc et il courut pour les rattraper, car ils étaient déjà en route.

41. Tu me raconteras tout sur le chemin

Métallurgie 2007 attendait dans le jardin public, près de la maison d'Œuf Affable. Il songeait à son passé avec une pesante nostalgie.

Métallurgie 2007 avait été un artiste reconnu. Plus que reconnu, célèbre même ! Du temps de sa gloire, il était l'équivalent de ce qu'est un chanteur dans la culture humaine. Humaine solairienne, tout du moins. Ce mot ne peut être pris au sens strictement littéral, bien sûr, puisqu'en l'occurrence il s'agissait d'œuvres qui n'étaient pas du tout sonores, mais uniquement lumino-gestuelles. En l'absence de mots, la traduction utilisera le terme « chanteur ».

Métallurgie 2007 avait donc été un chanteur lumino-gestuel d'une grande renommée. Très médiatisé, très demandé, très courtisé de son temps, il était tombé soudainement dans l'oubli. L'oubli total. Le néant. Et si pendant quelque temps on le reconnaissait encore en ville, les plus gentils ne lui adressaient déjà plus que quelques petits signes, des salutations courtoises, mais sans plus.

Cette disparition aux yeux du public était la conséquence d'un événement brutal d'une extrême tristesse pour lui : la mort violente de sa compagne. Celle qui composait les œuvres qu'il interprétait. Mais aussi, celle qu'il aimait plus que tout, celle qui avait laissé un trou béant dans son cœur et dans son esprit, celle dont la disparition avait enlevé tout sens à sa vie du jour au lendemain.

Ce déchirant épisode de son existence avait été suivi par l'irruption d'un chanteur que tout le monde plébiscita rapidement.

Métallurgie 2007, qui s'était un temps appelé Chanteur 55, avait préféré reprendre son ancien nom. Ceci pour éviter de voir ce petit air de pitié qu'il détestait tant dans les antennes des gens, lorsqu'il se présentait. Sans son costume et sans son grimage de scène, plus personne, ou presque, ne le reconnaissait et pour lui c'était mieux ainsi. Il préférait être un sombre inconnu qu'une idole déchue. Doux Nuage sur Doux Nuage, il avait essayé d'oublier. De tout oublier, sa gloire passée, sa rancœur et même son art, mais il n'y était pas arrivé. La douleur était encore là en lui. Il n'était aujourd'hui qu'un toxicomane, il le déplorait, mais il n'avait jamais perdu l'espoir d'un retour en grâce, jamais.

Chanteur 57, celui qui avait éteint sa popularité avait toujours les faveurs du public. Métallurgie 2007 savait qu'il avait bénéficié d'une médiatisation qui ferait rêver n'importe quel aspirant à la célébrité tout simplement parce qu'il était riche. C'est-à-dire qu'il avait suffisamment de choses à troquer ou d'argent à donner aux médias pour obtenir l'exclusivité. L'heure de sa vengeance était arrivée, pensait-il. Ces animaux rares devaient avoir une très grande valeur ! Lui aussi demanderait l'exclusivité de la médiatisation ! Dans peu de temps, il allait avoir les moyens de la négocier. Lui aussi, il regarderait ensuite Chanteur 57 avec un sourire méprisant dans les pédoncules de communication. Le retour de Chanteur 55 était pour bientôt !

Mais pour l'instant, ce n'était encore que Métallurgie 2007 qui vit arriver Œuf Affable et ses compagnons. Il leur fit un signe et attendit, prêt à négocier.

***

Bartol se réveilla le premier. Au fur et à mesure que sa conscience revenait, il constata qu'il faisait jour… qu'il était allongé sur une herbe courte, mais dense... qu'il était attaché à un arbre avec une chaîne... que Cara était endormie à côté de lui... qu'elle était également attachée avec une chaîne au même arbre... qu'ils étaient près d'une maison en forme de bosse couverte d'herbe... qu'il sentait des courbatures dans tout son corps... qu'en fonction de ses derniers souvenirs, ce n'était pas normal qu'ils fussent tous les deux ici... que Cara était belle. Il regarda ses longs cheveux bleu métallique étalés en vague sur l'herbe et la fine boucle sur sa joue qui contournait son oreille délicate. Il fut attendri par son apparence si fragile et un sentiment de reconnaissance vint se mêler à tout ce qu'il ressentait déjà pour elle quand il réalisa qu'elle lui avait encore une fois rendu un grand service. Que serait-il advenu de lui, si elle ne l'avait pas réveillé lorsqu'il dormait dans l'œuf ? Et ensuite, si elle n'avait pas eu l'idée de lancer le bout de tube pour faire diversion ? Ils avaient été visiblement de nouveau capturés en définitive, mais cela n'enlevait pas son mérite ! Il ouvrit son collier et le laissa dans l'herbe. Son attention se porta encore sur Cara.

Il l'observa un instant en s'introspectant : suis-je amoureux d'elle ? Un peu, beaucoup, combien ? Est-ce le moment de se poser ce genre de questions ? se demanda-t-il. Il n'était pas encore certain de savoir ce qu'il ressentait pour elle. Mais elle le troublait. Sa compagnie avait quelque chose de reposant ; il se sentait plus à son niveau ; elle était plus accessible. Il n'avait pas cette désagréable impression d'être un enfant, qu'il éprouvait souvent avec Sandrila Robatiny.

Cara s'éveillait. Assis en tailleur, il la regarda retrouver ses esprits. Elle s'agenouilla puis se passa plusieurs fois les mains dans les cheveux, comme si la première chose à faire, en pareille circonstance, était de s'assurer qu'ils fussent bien mis. Quand cette affaire de première importante fut réglée, elle prit conscience de sa situation et de la présence de Bartol.

— Que faisons-nous là ? s'étonna-t-elle, en lui souriant.

— Je pense que nous avons été recapturés, répondit-il en lui enlevant son collier.

— Je ne me souviens plus de ce qui s'est passé. Il me semble qu'on m'a jetée dans un sac et...

— J'ai eu du mal à faire le point, moi aussi, au réveil. Je me souviens qu'un Ovoïde t'a enfermée dans un sac, en effet. J'ai voulu te délivrer, mais il a été plus rapide et plus fort que moi. Cependant, si ma mémoire est bonne, je lui ai infligé une luxation oculaire qu'il n'oubliera pas de sitôt !

— C'est-à-dire ? demanda-t-elle, trop heureuse d'apprendre qu'il s'était battu avec un de ces monstres pour la défendre.

— Une habitude que j'ai prise. Je pense qu'ils la détestent. J'attrape un de leurs pédoncules oculaires et je tire et je tords et je secoue ça dans tous les sens... Un vrai régal ! Je ne mords pas dedans, mais le cœur y est !

Elle eut un petit rire qu'il trouva très charmant.

Les femmes sont...euh... se dit-il. Comment font-elles ça ?

— En plus, précisa-t-il, je n'en suis pas sûr, mais il me semble que je connais notre agresseur.

— Ah bon ?

— Oui. Je pense avoir eu le temps de reconnaître un mecdule qui a essayé de me kidnapper dans l'appartement dans lequel j'étais prisonnier. C'est d'ailleurs grâce à lui que j'ai réussi à m'enfuir de ma précédente captivité. Moi qui lui en étais presque reconnaissant ! Là, il vient de perdre le peu d'estime que j'avais pour lui.

— Ta précédente captivité ? Raconte-moi tout. Nous n'avons pas eu le temps de parler, dans l'œuf, tout à l'heure.

— Oui, je vais tout te narrer, avec force détails, mais toi aussi.

— Toi d'abord, dit-elle.

— Je veux bien commencer, mais je te propose de ne pas attendre son retour pour nous en aller. Moi qui râlais tant que ces visqueries d'œufs ne prennent pas la mesure de mon niveau de conscience ! J'en suis à présent ravi, car il n'est pas venu à l'idée de notre ami que nous sommes capables d'ouvrir nos colliers. Quand il le comprendra, nous serons loin. J'aimerais être là pour voir la tête qu'il fera.

— La tête ?

— Oui, enfin... Tu vois ce que je veux dire.

— Arrives-tu à lire leurs sentiments, toi ? Détectes-tu ce qui pourrait correspondre à ce que nous appelons une expression du visage ?

— Pas plus que je n'arrive à savoir si un œuf pleure comme un désespéré ou rit comme un troupeau de bossus sous une pluie de chatouilles. Tu viens ? On y va ? Il nous reste à trouver la sortie de la ville.

Bartol s'apprêtait à s'éloigner, mais elle dit :

— Et si nous fouillions sa maison pendant qu'il n'est pas là. Peut-être pourrions-nous mettre la main sur quelque chose d'utile ! Quelque chose pour nous défendre ou... Que sais-je ? J'ai le sentiment que nous devrions saisir cette occasion, en tout cas.

— Tu as géantissimement raison !

— Alors, fouillons cette maison et puis partons. Tu me raconteras tout sur le chemin.

Il ne porte plus le bracelet, remarqua-t-elle.

42. Mon père chassait l'humain sauvage

Eau 631 et ses compagnons avaient rejoint Métallurgie 2007 dans le jardin public.

— Je te reconnais, dit Œuf Affable. Je t'ai même déjà parlé. Tu prétendais être le maître du mâle...

Métallurgie 2007 ignora la remarque et répondit simplement :

— Pouvons-nous discuter chez toi, à l'abri des regards ?

— Bien sûr. Allons chez moi.

Ils entrèrent tous chez Eau 631.

— À présent, je t'écoute, dit ce dernier.

— J'ai aujourd'hui les deux humains. Je demande 1 658 880 unités pour chaque bête.

La traduction doit signaler que 1 658 880 était un nombre que l'on pouvait qualifier de rond dans le système de calcul des Ovoïdes qui était en base 24. En effet, en écriture ovoïde, cette expression numérique se terminait par quatre caractères identiques correspondant à leur 0 ; avec les signes humains solairiens, il se fût écrit : 50 000. Le nombre 1 658 880 en est la conversion en base 10, que la traduction utilise pour rendre la grandeur plus facilement lisible.

— Qu'est-ce qui nous garantit que tu dis la vérité ? demanda Biologie 237.

— Je préférerais traiter avec une seule personne plutôt qu'avec une foule, répondit Métallurgie 2007 d'un air un peu insolent, mais voilà qui devrait vous convaincre tous.

Il leur montra une image sur l'écran de son téléparleur. On y voyait les deux humains allongés, apparemment endormis. Rien ne permettait de localiser cette vue, car on ne remarquait qu'un peu d'herbe autour d'eux.

— Beau montage ! fit le savant, plus pour observer la réaction de Métallurgie 2007 que parce qu'il pensait vraiment que cette image fût un trucage.

— Nous perdons du temps, car vous ne croyez même pas ce que vous dites, mais je vais balayer tous les doutes en vous révélant comment je les ai capturés. Vous étiez cette nuit au magasin de Commerce 427. Vous avez discuté un moment sur le pas de la porte. Très peu de temps après, vous êtes entrés plus profondément dans le commerce. C'est alors que les deux animaux se sont précipités à l'extérieur. J'étais là. Il m'a suffi de les cueillir.

— Il y a longtemps que je le crois, moi, affirma 501 Mathématiques, avec une expression d'amusement bien visible dans les antennes, tandis qu'il fixait le pédoncule oculaire bandé de Métallurgie 2007.

Ce dernier en conçut une certaine irritation, mais il ne le montra pas.

— Nous te croyons, dit Œuf Affable. Que veux-tu ?

Métallurgie 2007 réfléchit. Bien qu'il se fût préparé à cette négociation, il avait l'impression d'être pris au dépourvu. Il était le siège d'un conflit. Ses parents l'avaient éduqué dans le mépris de l'argent. Grands admirateurs des chefs de la révolution, ils ne juraient que par le troc. Il eût voulu respecter leur mémoire, mais il savait que l'argent lui permettrait d'être beaucoup plus influent. Après une rapide, mais féroce, lutte intérieure, il confirma ses ambitions :

— J'ai déjà dit que je veux 1 658 880 unités d'argent pour chacun.

Autour de lui, les antennes s'enroulèrent pour former deux anneaux vus de face.

— En fait, je dois avouer que je ne connais pas grand-chose en humain de luxe, reconnut Métallurgie 2007. Mon père chassait l'humain sauvage, mais nous n'avons jamais eu d'humain de compagnie. Il disait que ceux qui aiment trop les animaux n'aiment pas les gens. Il faisait un peu d'élevage, mais il préférait le gibier. Tout ça pour vous répéter que je ne peux pas tricher, car je ne connais rien dans le domaine des bêtes de race et de luxe. Mais ce que j'ai deviné c'est que ces humains-là ne sont pas ordinaires. Simplement à la vue de ce qui a dû être dépensé pour les habiller ! Et je sais aussi que vous les voulez. Au début, je pensais seulement faire une petite affaire, en capturant l'un d'eux. Mais j'ai bien compris par la suite que ces animaux ont une valeur plus grande que je ne le soupçonnais. En tout cas pour vous ! J'en veux ce que je viens de vous dire !

***

La maison avait la forme, déjà souvent observée, d'une bosse très arrondie et elle était, comme les autres constructions de ce type, recouverte de végétation pour se confondre avec la nature. Elle n'était pas très grande. Du parquet. Des fenêtres elliptiques. Une table entourée des quelques « tabourets » concaves habituels. Des meubles. Un de ces appareils cubiques avec des tiges lumino-gestuelles que Bartol avait déjà vu chez Œuf Affable et aussi, plus tard, dans le dernier appartement dans lequel il avait été captif.

— C'est un système de diffusion d'images et de commentaires dans leur langage, expliqua Bartol. Vois-tu ces tiges-là ? Ce sont comme leurs pédoncules de communication, mais artificiels.

— Euh… Je vois. Comme nos haut-parleurs sont en quelque sorte des cordes vocales artificielles, répondit-elle pour le taquiner.

Il haussa les épaules en souriant et se dirigea vers une autre pièce, dont la porte était ouverte. Elle le vit se figer en s'y introduisant. Intriguée, elle le rejoignit.

Cara poussa alors un cri d'horreur. Le Marsalè regardait les têtes humaines fixées au mur en plissant des paupières, comme pour éviter que ces terribles images n'entrassent trop dans ses yeux. Mais en même temps, il ne pouvait pas en détacher son regard.

— Cauchemardage, des trophées de chasse ! s'exclama-t-il. Des trophées de chasse !

— C'est épouvantable ! Partons vite d'ici ! Je ne veux pas que ma tête figure dans cette collection !

Ils quittèrent l'habitation en toute hâte et s'élancèrent dans l'herbe droit devant eux. Cara était livide. Ils contournèrent quelques arbres et arrivèrent contre une haie. Elle n'était pas très touffue et elle offrait même quelques étroits passages. En s'y faufilant, ils se retrouvèrent dans ce qui ressemblait à une nouvelle propriété, car on y voyait une autre maison-bosse. Sur leur droite, un homme au corps presque aussi velu que le visage tira sur sa laisse en poussant des cris féroces.

— Filons par là ! dit Bartol. Cet imbécile va donner l'alerte.

Ils prirent à gauche puis coururent en baissant la tête et en courbant le dos. Le lit d'une petite rivière se présenta bientôt sur le chemin. Creux de deux à quatre mètres selon les endroits, il offrait un rassurant moyen de progresser à l'abri des regards. Ils y descendirent.

— De quel côté poursuivre ? demanda Cara. À gauche ? À droite ?

— Je serais d'avis de continuer sur la gauche, en remontant le cours de l'eau.

— Pourquoi ?

Il tendit le doigt :

— C'est dans cette direction que nous sommes le plus près du bord de la ville. Il nous suffira ensuite de progresser le long de cette paroi géante jusqu'à ce que nous trouvions la sortie.

Ils se mirent en marche.

— Penses-tu qu'on nous laissera passer ?

— Je n'en sais rien. Mais, nous aviserons quand nous y serons.

***

— Tu en veux beaucoup ! fit le vieux savant en dodelinant pensivement des pédoncules de communication. Mais comment trouver une somme pareille ? Pour ma part, je pratique le troc. Je n'ai pas d'argent.

— Moi, j'en ai un peu, mais je ne pourrais jamais te donner tout ça ! dit Eau 631.

Tout le monde convint que le montant demandé était impossible à réunir.

— Dans ce cas, je me suis trompé d'interlocuteurs, s'entêta Métallurgie 2007. Je vais passer des annonces et céder les animaux aux plus offrants.

— Tu as deviné juste en supposant que je tiens beaucoup à retrouver ces humains, dit le vieux biologiste. C'est vrai que je suis disposé à donner presque tout ce que j'ai pour les avoir. Cependant… J'aimerais te poser une question.

— Oui ? fit Métallurgie 2007, qui croyait voir approcher l'issue favorable de sa négociation.

— Je ne peux pas te demander où ils sont en ce moment, car tu ne me le diras pas, mais je voudrais surtout savoir comment tu les retiens en ta possession au moment même où nous parlons.

— Je ne comprends pas ta question.

— Par quel moyen les retiens-tu en captivité ? Sont-ils dans une cage ?

— Non, mais qu'importe ?

— Il importe, crois-moi. Sont-ils simplement attachés alors ?

— Oui. Ils sont solidement attachés à un arbre qu'ils ne risquent pas de déraciner, je te rassure sur ce point.

— Oh ! J'ai bien peur qu'ils n'aient pas eu besoin de déraciner l'arbre en question pour te fausser compagnie. Si j'étais toi, j'irais vite voir s'ils sont toujours là où tu les as laissés. S'ils n'y sont plus, je te supplie de nous appeler et de nous le dire. Je te promets que si nous les retrouvons tous ensemble, tu auras une récompense, sans doute pas le montant que tu réclames, mais le plus que je puisse réunir. Va ! Va vite ! Assure-toi qu'ils sont toujours là.

Troublé par l'air grave et digne du vieux savant, Métallurgie 2007 les quitta sans un mot. Il marcha quelques secondes d'un pas hésitant, se demandant s'il ne se faisait pas manipuler. Allaient-ils essayer de le suivre pour découvrir sa cachette ? Mais cette ruse eût été si grossière ! Et les paroles de Biologie 237 lui avaient semblé si sérieuses. Une forte inquiétude le fit se presser, et c'est presque sans se retourner qu'il courut vers sa maison de campagne.

43. Mille fois pire que l'antre de la mort

Bartol et Cara arrivèrent contre la haute paroi de l'immense voûte qui recouvrait la ville et sa banlieue campagnarde. Elle semblait faite de béton, un béton très clair tirant à peine sur le jaune. Têtes levées, ils la regardèrent un moment s'élever en s'arrondissant vers l'intérieur pour former cette étonnante coupole d'une forme aléatoire. N'eussent été les formes parfaites des ouvertures qui laissaient entrer la lumière, on eût dit une excavation naturelle. Le plus grand de ces trous, le plus haut au faîte même de la voûte, était ovale. Il devait aisément atteindre six kilomètres sur trois. Il était côtoyé par quatre autres ouvertures carrées situées de part et d'autre dans le prolongement de ses deux axes. Autrement dit, elles formaient une croix dont il était le centre. Ces sortes de fenêtres plus petites ne mesuraient cependant pas moins de deux kilomètres de côté.

Bartol et Cara étaient en hauteur par rapport à la campagne qu'ils venaient de fuir et ils pouvaient la voir s'étendre devant eux, quelque deux cents mètres plus bas.

— Géanturage ! s'exclama le Marsalè. Il faut reconnaître que cette construction est géantissimesque ! Comment peut-il se faire que des créatures capables de réaliser une pareille chose se comportent par ailleurs comme des barbares ?

— Je suppose que tu penses aux têtes humaines. Ces macabres trophées de chasse !

— Oui, bien sûr ! Je pensais à ça principalement.

Cara émit un petit rire d'une résonance un peu malicieuse et sarcastique.

— Qu'est-ce qui te fait rire ? l'interrogea-t-il.

— Le fait que tu sois toi-même une créature appartenant à un peuple qui lui aussi réalise de grandes choses, mais qui lui aussi est capable des pires massacres, et que malgré tout tu t'étonnes de ça.

Bartol sourit.

— J'avoue que, à la lueur de ta remarque, je devrais être plus tolérant envers eux. Mais je ne m'étais pas préparé à voir des têtes humaines accrochées à un mur.

— Nous ne sommes qu'une espèce dominée, pour eux.

— Nous ne faisons pas cela à nos animaux dominés, nous.

— Sans doute pas toi. Mais peut-être que cette pratique existe ou a existé.

— J'ai du mal à le croire, fit-il.

À une vingtaine de mètres de la paroi, la rivière qu'ils avaient remontée disparaissait sous terre dans un étroit boyau naturel. Ou apparemment naturel, du moins.

Bartol observa pensivement l'eau sortir de cette sorte de petite grotte.

— Qu'ils soient pardonnables ou pas, en raison du fait que nous soyons leurs égaux ou leurs maîtres dans le domaine de l'horreur, ne m'empêche pas de vouloir les quitter le plus vite possible, dit-il.

— Je te rejoins parfaitement sur ce point.

Il montra l'eau qui apparaissait depuis les sombres profondeurs de la terre :

— Cette rivière vient de l'autre côté. Il y a là, devant nous, un passage qui conduit forcément à l'extérieur du dôme. Si nous pouvions l'emprunter, ça nous éviterait de devoir chercher une sortie officielle qui sera de toute façon très probablement surveillée. Le problème est qu'il risque d'être difficile de s'y glisser, grande géanture ! Je vais tout de même essayer, mais avant, j'aimerais que nous prenions un peu de temps pour que tu m'expliques comment tu te retrouves ici, toi aussi.

— Tu devais d'abord me raconter ce que tu y as vécu toi-même.

— Ah bon ? Nous n'avions pas convenu que c'était toi qui commencerais ?

— Tu sais très bien que non, dit-elle, en lui passant les bras autour du cou.

Geste auquel il répondit avec un empressement et une motivation dont aucun observateur n'eût douté.

***

— Je les avais attachés là, expliqua Métallurgie 2007.

Tous regardèrent l'arbre qu'il montrait.

— L'herbe est encore foulée, en effet ! observa 501 Mathématiques.

— Il ne reste plus qu'à espérer que la surveillance particulière des quatre portes nous permette de les intercepter, fit le savant. Président 234 m'a assuré qu'il donnerait des ordres pour cela.

— Si on les retrouve par ce biais, ma récompense s'envolera, marmonna Métallurgie 2007.

— Il ne tient qu'à toi de nous aider à les rejoindre dans leur fuite, répondit Biologie 237.

Il observa le terrain qui montait en face de lui au loin et poursuivit :

— Que ferions-nous à leur place ? Voyons... Je me détache... Mon premier but est de m'éloigner le plus vite possible pour éviter d'être repris. Je cours droit devant moi...

En parlant, Biologie 237 avançait. Les autres le suivaient.

— Qu'est-ce qu'il y a derrière cette haie ? continua-t-il. Un humain peut facilement passer à travers, là ou là... Ne perdons pas de temps, utilisons le flaireur, qui semble sentir leur piste, et lançons-nous à leur poursuite.

À toutes fins utiles, ils étaient venus avec un de ces fauves couverts d'écailles bleues que les chasseurs employaient pour traquer leur gibier. Cette créature n'existant pas chez les humains solairiens, en l'absence de mots, la traduction les appellera tout simplement « flaireurs ». Le chasseur, un ami de Président 234 qui était là pour les aider, avait déjà le plus grand mal à retenir le félin qui tirait de toutes ses forces sur sa laisse. Métallurgie 2007 les conduisit un peu plus loin sur la droite pour les faire passer par un portail.

— Attention ! dit Biologie 237 au chasseur. Attention de ne pas lâcher votre fauve ! Et je compte sur vous pour le maîtriser. Je ne veux surtout pas qu'il leur fasse peur. Et encore moins qu'il les blesse, bien sûr ! Pas la moindre griffure !

***

Les pieds dans l'eau, Cara et Bartol progressaient dans l'étroit conduit. Les ténèbres étaient sans compromis. Le son de l'eau, glissant sur les galets, s'ouvrant autour des grosses pierres et poussant de petits cailloux, se répercutait sur l'intérieur du boyau en s'amplifiant. Le passage était si bas, qu'ils devaient fortement se baisser pour éviter de se cogner la tête. Dans cette totale absence de lumière, ils n'avaient d'autre recours que celui d'avancer en touchant sans cesse la paroi humide pour s'orienter. Bien qu'elle eût préféré mourir plutôt que de le montrer à Bartol, Cara était déjà morte de peur. Ses doigts sentaient souvent des choses inconnues. Parfois gluantes, parfois râpeuses, parfois lisses et glissantes, elles prenaient les pires formes dans son imagination. Grosses limaces, arthropodes géants, cloportes énormes, tous les monstres qui hantent les âmes imaginatives et sensibles semblaient grouiller à l'intérieur de la grotte. Elle ne pouvait cependant pas faire autrement que de s'orienter à tâtons dans le noir. Ses pieds glissaient sur un fond sans doute moussu, ou roulaient sur un galet. Plusieurs fois, elle se tordit une cheville et perdit l'équilibre, se retenant de justesse.

Bartol était devant elle.

— J'entre le premier, avait-il proposé. Si je passe, tu passes, alors que l'inverse n'est pas vrai.

Elle n'avait pas protesté. Il l'avait embrassé très gentiment et s'était engagé dans ce tunnel sournois qui était pour elle mille fois pire que l'antre de la mort. Se rendait-il compte de ce qu'elle endurait pour lui ? Certainement pas puisqu'elle faisait tout pour le lui cacher, mais sans le désir de le séduire, elle eût largement préféré être rattrapée par les créatures ovoïdes.

Le Marsalè progressait, le cœur plein de reconnaissance pour cette femme admirable, intelligente et courageuse qui s'était mise en danger pour venir le chercher.

44. Le fantasme de ses rétines aux aguets

Dans le petit vallon creusé par la rivière, Biologie 455 et Eau 631 aidaient le vieux biologiste à grimper la côte en le tirant chacun par un bras. Devant eux se trouvaient 501 Mathématiques et Écologie 982. Ceux-ci suivaient le chasseur qui se laissait guider par son flaireur. Les écailles luisantes du félin roulaient sous les mouvements de sa puissante musculature. Métallurgie 2007 marchait un peu à l'écart parallèlement au chasseur, mais juste trois mètres au-dessus de lui, hors du lit de la rivière. Il se retournait fréquemment pour regarder vers le bas. Envisageant que le flaireur pût se tromper de piste, il préférait scruter les alentours.

Il n'avait pas compris comment les humains avaient pu se libérer, mais il n'avait pas besoin de ça pour réaliser que son grand rêve de retour sur la scène était compromis. S'il avait la chance d'obtenir la sympathie de l'influent savant, il pourrait, au mieux, espérer quelques passages de temps en temps sur une chaîne ou deux de la télédiffusion. Ce n'était pas pour lui qu'il aspirait à revenir sous les projecteurs, mais pour faire revivre les créations de celle qu'il avait perdue. Il ne s'écoulait pas un instant sans qu'il pensât à elle.

Eau 631 se reprochait de n'avoir pas plus rapidement pris la juste mesure de l'intelligence particulière de Danseur. Il avait pourtant été le premier à avoir ce curieux animal près de lui. Il avait bien sûr presque tout de suite remarqué qu'il était différent, mais il avait mis trop de temps à se rendre compte à quel point, il l'était.

Le savant s'adressait un reproche identique.

J'ai manqué de rigueur scientifique et surtout d'intuition, se disait-il. Mon sens de l'observation est émoussé. Mon esprit, ankylosé par l'habitude et ma culture, n'a même pas supposé un seul instant qu'une intelligence comparable à la nôtre pouvait animer une autre espèce. Pour un scientifique, existe-t-il une erreur plus grave que celle de ne pas tout envisager ? Non, certainement pas !

501 Mathématiques avait sur ses pédoncules de communication une expression songeuse et perplexe. Il repensait à l'étrange pantomime qu'avait accomplie Danseur et qui lui avait d'ailleurs valu son nom.

Était-ce vraiment une danse ? se demandait-il. Et, s'il s'était agi d'une sorte de langage gestuel. Chacun de nous a filmé une partie de cette scène. Il faudrait que je regarde soigneusement ces images.

— J'ai une mauvaise intuition, annonça Biologie 237 en s'arrachant une vieille jambe pour la lancer sur le côté. Nous nous approchons du bord de la ville. Je vais bientôt savoir si elle s'avère.

— À quoi penses-tu ? s'enquit sa jeune laborantine.

— Regarde tout en haut, dit-il. Tu as sans doute une meilleure vue que la mienne. Le cours d'eau ne sort-il pas d'un passage souterrain ?

— Si, confirma Biologie 455. En effet ! Et alors ?

Le vieux biologiste ne répondit pas, mais dès qu'ils furent devant l'étroit tunnel, il n'eut pas besoin de terminer son propos. L'attitude du flaireur était plus que significative. Les pattes avant dans l'eau, il tendait les narines vers les profondeurs d'où la rivière jaillissait.

— C'est bien ce que je craignais, fit le savant. Ce boyau est assez grand pour laisser passer des humains. Les malheureux ne se doutent certainement de rien ! C'est terrible ! Il faut leur porter secours au plus vite !

Sans attendre, il prit son téléparleur et appela Président 234 :

— Président ! C'est urgent. Urgent. Peux-tu envoyer des moyens pour défendre les deux humains à l'extérieur, juste à l'entrée du cours d'eau… euh…

Il regarda Eau 631, une attitude interrogative dans les pédoncules de communication.

— La rivière des poissons agiles, l'informa ce dernier.

— … juste à l'entrée de la rivière des poissons agiles, reprit Biologie 237. J'espère qu'il n'est pas trop tard !

Président 234 ne comprit pas tout de suite pourquoi et comment les deux animaux étaient supposés se trouver déjà à l'extérieur et à cet endroit, mais il donna immédiatement des ordres pour que dix chasseurs partent sur-le-champ, avec instruction formelle de protéger et de ramener « les deux humains étranges en habits étranges » qu'ils risquaient de voir à l'entrée de la rivière des poissons agiles.

— Les malheureux ! J'espère qu'il n'est pas trop tard ! répéta le savant, faisant écho à ce que tous pensaient.

***

L'ombre était partout. Le gargouillement de la rivière était partout. L'humidité était partout. La progression était lente et pénible. Les galets roulaient sous leurs pieds. Ils avançaient toujours baissés tous les deux. Lors d'un instant de moindre vigilance, Bartol s'était ouvert le crâne. Un moment auparavant, il s'était arrêté et retourné pour chercher Cara du bout des doigts. Ceux-ci avaient senti une épaule. Il avait alors pris son visage dans ses mains pour l'embrasser puis il l'avait enlacée. Elle avait répondu à cette tendresse. Tandis que ses bras menus, qu'il savait charmants, participaient à leur douce étreinte, il avait senti son corps trembler. Le froid n'en était certainement pas la cause, car il faisait plutôt chaud et même l'eau qui montait jusqu'aux mollets était presque tiède. Il comprit qu'elle avait peur et s'en voulut de ne pas avoir été plus obligeant. Pour se faire pardonner et la rassurer, il l'avait encore embrassée et serrée contre lui le plus tendrement possible.

À présent, il progressait toujours devant, mais il la tenait derrière lui avec sa main droite. Avec sa main gauche, il tâtonnait autour de lui pour éviter de se refendre le crâne sur une des nombreuses aspérités. Il ne savait plus ce qui se passait en lui. Encore une fois, il se demanda ce qu'il éprouvait pour elle. En une telle circonstance, Sandrila Robatiny eût utilisé son super regard ou quelque nouveau moyen dont elle disposait et ce fût lui qui eût été à la remorque derrière elle. Dans un moment pareil, ou bien dans un autre, quel qu'il fût, l'Éternelle n'eût pas eu peur. Elle n'avait jamais peur. Bartol commençait à réaliser qu'il avait peut-être plus admiré que véritablement aimé cette femme-légende. Cara Hito était davantage à sa portée. Bien sûr, c'était valorisant d'obtenir les faveurs de la femme la plus célèbre et la plus puissante des mondes, mais n'était-ce pas encore plus satisfaisant de se sentir utile pour sa compagne !

Cara se laissait guider. Elle n'avait plus besoin de toucher les parois mystérieuses qui cachaient tant de choses terrifiantes dans leurs ténèbres. Bartol avait été très tendre avec elle et cela lui donnait du bonheur. Certes ! Elle ne l'avait certainement pas rendu complètement idiot d'amour, comme il l'avait été pour Sandrila Robatiny quand elle l'avait vu dans le salon de plastique corporelle, mais elle savait désormais qu'il ressentait quelque chose pour elle.

Bartol en était à se demander s'il n'avait pas fait une énorme erreur en s'engageant dans ce conduit qui n'en finissait plus. Ils commençaient à être tous les deux épuisés et rien ne permettait de prédire quand ils déboucheraient enfin vers une éventuelle sortie. Ne valait-il pas mieux faire demi-tour tant qu'il leur restait les forces de faire le chemin inverse ? Il se posait cette question et il était sur le point d'y répondre par l'affirmative, quand il crut distinguer une très vague lueur devant lui. C'était si ténu, si faible, que cela eût pu être une vue de l'esprit ; il le souhaitait tant qu'en effet il eût pu l'imaginer ! Il avança encore. Au bout d'une vingtaine de pas, il lui sembla que ce pâle fantôme luminescent existait plausiblement, qu'il n'était pas le fantasme de ses rétines aux aguets. En changeant sans cesse la direction de son regard, elle demeurait toujours droit devant lui. Il ne pouvait donc pas s'agir d'un défaut de ses yeux, car sa manifestation eût suivi leurs mouvements. Après avoir plusieurs fois alternativement ouvert un seul œil, puis l'autre, cette conviction se renforça. La lueur incertaine se maintenait. Il était fortement improbable que ses deux rétines eussent le même problème au même moment ! Encouragé par ce raisonnement, il avança encore. Au bout d'une trentaine de secondes, il n'y eut plus de place pour le doute. Il se retourna et demanda :

— Regarde, ma chérie ! Ne vois-tu pas le jour là-bas ?

— Si ! répondit-elle. Je le vois.

La joie de sa voix fit plaisir à Bartol, bien qu'il ne se doutât pas un instant que la source de ce bonheur était bien plus le « ma chérie » que la lueur.

45. Un animal d'une certaine corpulence !

La lueur devenait lumière. Après ce séjour prolongé dans les ténèbres, leurs yeux s'accoutumaient peu à peu à cette clarté qui grandissait graduellement au rythme de leur progression.

Cara regardait autour d'elle avec soulagement. En se révélant, la paroi chaotique avait perdu ses inquiétants mystères. Si des monstres répugnants avaient grouillé à sa surface, il n'y en avait plus un seul ici. Le tunnel était un peu plus haut à cet endroit, elle pouvait s'y tenir droite. Bartol devait tout de même encore se baisser, mais beaucoup moins. Le Marsalè portait une trace sanguinolente à présent bien visible sur le côté droit du crâne. Dans l'obscurité totale, elle ne l'avait pas vu se faire mal, mais elle l'avait très clairement entendu. Pour la deuxième fois, elle avait pris connaissance d'un extrait de son vocabulaire spécialisé dans l'expression de la mauvaise humeur. Après un tel sermon, il y avait fort à parier que la roche fautive se garderait bien de recommencer ! Cara se dit qu'il ne cessait de se cogner la tête depuis qu'elle l'avait retrouvé dans Symbiose. Quand ils s'étaient revus dans le Monde de Pooo, il venait de s'ouvrir le crâne contre un arbre, d'après ce qu'il lui avait expliqué.

Le passage souterrain s'élargit grandement et le plafond monta jusqu'à trois mètres environ. Bartol put enfin se tenir droit. Il s'arrêta, s'étira, tendit les bras verticalement et dit en souriant :

— Moi qui pensais qu'on est mieux couché ! C'est la première fois que je suis si content d'être debout !

— Nous avons réussi à leur échapper, se réjouit-elle.

— Oui. Il ne reste plus qu'à retrouver le chemin pour rentrer chez nous en évitant de se faire reprendre. Je crois que ce serait une bonne idée de me confectionner une arme avec un bout de bois. Pour tenir en respect ces saleries de bestioles, ces espèces de gros chats avec des écailles bleues.

Tout en l'écoutant, Cara mit cette courte pause à profit pour se recoiffer en tapotant sa tête çà et là puis en passant plusieurs fois ses doigts en forme de peigne dans ses cheveux qu'elle laissa pendre en inclinant la tête d'un côté puis de l'autre. Devant le regard amusé de son compagnon, elle termina ces petites coquetteries par quelques ajustements et étirements de ses vête-ments. Cela fait, ils se remirent en marche.

Le niveau de la rivière baissait au fur et à mesure que la grotte continuait à s'élargir. À tel point, qu'ils se retrouvèrent bientôt sur des galets secs autour desquels l'eau filtrait. Cara s'arrêta de nouveau pour enlever ses chaussures et vider tout le liquide qu'elles contenaient. Trouvant que l'idée n'était pas mau-vaise, Bartol l'imita, puis ils reprirent leur chemin.

Ils n'étaient plus qu'à quelques pas de la sortie, une ouverture d'une bonne quarantaine de mètres, ce qui paraissait gigan-tesque en comparaison de l'étroit boyau qu'ils avaient traversé. De très grandes feuilles de fougères, de taros et autres plantes généreuses apparaissaient dans une vive clarté qui les rendait presque translucides. De toute évidence, cette végétation luxu-riante, d'une densité peu commune, devait sa richesse au fait qu'elle eût les pieds dans l'eau et les organes de photosynthèse en pleine lumière. Cette gent chlorophyllienne cachait complè-tement l'extérieur, ne laissant voir qu'une bande de ciel et quelques hautes frondaisons. Elle avait l'air difficilement fran-chissable, mais quand ils furent suffisamment près de cette verdure, ils remarquèrent un trou au milieu de ce mur végétal inextricable. Certaines longues tiges étaient visiblement brisées, d'autres étaient manifestement arrachées.

— Un animal semble être passé par là, dit Bartol.

— Un animal d'une certaine corpulence ! Pas un lapin…

Ce passage se poursuivait à l'extérieur sous la forme d'une vague piste formée par les plantes écartées ou pliées dans l'épaisseur d'une jungle dont la luxuriance ne faiblissait pas. Bartol était prêt à s'y engager quand un petit bruit les fit se retourner.

Derrière eux, à gauche, presque contre la paroi minérale, se tenait un enfant. Un enfant humain. Nu, émacié, hirsute et sale. Ses yeux exprimaient la plus grande frayeur. Il était difficile d'évaluer son âge. On lui eût donné entre sept et douze ans sans doute. Il observait tour à tour Bartol et Cara comme s'ils eussent été les pires créatures cauchemardesques. Ses membres grêlés tremblaient. Il recula autant qu'il put et resta pétrifié contre la roche moussue de la grotte.

— Grande géanturerie ! laissa échapper Bartol, cherchant ses mots pour rassurer l'enfant.

— N'aie pas peur, petit ! essaya Cara. J'ai encore plus peur que toi.

Pour toute réaction, celui-ci se mit à hurler. L'endroit où il se trouvait était un peu surélevé, de sorte que le sol était bien hors de l'eau. On y voyait par endroits des tapis d'herbe sèche.

Ils ne surent que faire pour rassurer l'enfant qui ne cessait de pousser des cris aigus qui leur déchiraient les tympans et se répercutaient sur les flancs de la caverne.

— Grande géanturerie ! répéta Bartol, montrant que, selon les circonstances, il était capable d'utiliser un vocabulaire d'une extrême richesse ou seulement réduit à deux mots.

— Sortons, proposa Cara, il se calmera dès qu'il ne nous verra plus.

Le Terrien allait s'engager dans le passage, mais il dut précipitamment s'écarter pour laisser entrer plusieurs humains adultes qui arrivaient en courant. À leur vue, Cara ne put réprimer un vif mouvement de recul. Ils furent très vite encerclés par une vingtaine d'hommes et de femmes qui adoptèrent une attitude d'abord curieuse puis rapidement très menaçante. D'un sexe ou de l'autre, ils étaient tous velus, épouvantablement crasseux et ils exhalaient une odeur repoussante. Gesticulant et retroussant les lèvres à la manière des chiens ou des loups, ils poussaient des hurlements proches du grognement. Quelques-uns brandissaient un bâton. Les visages masculins disparaissaient dans une touffe de poils en broussaille ne laissant paraître que les yeux. Malgré leur langage gestuel extrêmement agressif, Bartol ne les trouva heureusement qu'à moitié impressionnants, car ils étaient tous si efflanqués qu'ils inspiraient plus la pitié que la peur. Quoique leurs dents jaunes incitassent à la prudence, bien qu'ils n'en eussent plus qu'une sur deux. Le nombre d'individus était également à prendre en considération.

Il décida de rompre ce cercle pestilentiel et d'emprunter le passage vers l'extérieur. Prêt à s'élancer, il prit la main de Cara, mais un bref cri de celle-ci le fit se retourner. Deux hommes l'avaient saisie chacun par un bras. D'un solide coup de poing dans la mâchoire, il découragea l'un d'eux. Le deuxième renonça également après un coup de pied dans les côtes, qui le fit tituber et tomber en arrière. Ces deux actions parurent imposer un certain respect aux autres qui se turent un instant et reculèrent même un peu. Mais, soit qu'ils eussent une mémoire extrêmement fugace, soit qu'ils décidassent de combattre quoi qu'il leur en coutât, ils reprirent presque aussitôt leur approche et leurs vociférations d'intimidation. Les deux hommes qui venaient d'être fermement repoussés montraient tout de même un empressement plus réservé.

Bartol reprit Cara par la main et l'entraîna en courant dans la piste à travers la jungle. Dès qu'ils furent à l'extérieur, il la fit passer devant lui pour prévenir toute nouvelle tentative de rapt. Il regretta immédiatement cette initiative, quand il constata que leur fuite était très ralentie ; étant plus petite que lui, elle avait le plus grand mal à avancer à cause de tous les obstacles qui barraient ce semblant de chemin. Les pieds retenus par les herbes rampantes, elle chuta deux fois. Il dut repasser devant pour écarter la végétation qui entravait la piste. Quelques dizaines de mètres plus loin, il fut obligé de revenir à l'arrière, car leurs poursuivants les avaient rejoints. Essayant de les repousser, Bartol distribua, le plus généreusement qu'il pût, coups de poing et coups de pied à la ronde, mais il fut vite submergé sous le nombre.

Un bras noueux sec comme une branche s'entoura autour du cou de Cara. Deux autres hommes lui saisirent les quatre membres et l'emportèrent. L'odeur qu'ils dégageaient à cette distance était si forte que son dégoût chassa sa peur.

Bartol reçut un terrible coup sur la tête.

46. Primitif, va !

Bartol sentit des effleurements dans ses cheveux et quelques caresses sur sa joue. Il ouvrit les yeux. Cara était penchée sur lui. Il réalisa qu'il était allongé et qu'elle était assise près de lui.

— Que, qu'est-ce que mais… ? murmura-t-il.

À cette question ainsi formulée, elle répondit de cette manière :

— Retour à la case départ.

Il la regarda en poursuivant sa lente remontée vers la conscience. De toute sa vie, il avait rarement eu aussi mal à la tête !

— Retour à la case départ, répéta-t-elle, mais cette fois nous sommes ensemble.

Il tourna ses yeux à droite puis à gauche, mais bougea à peine la tête ; la douleur était trop aiguë. Elle dut le comprendre à sa grimace, car elle conseilla :

— Reste immobile si tu as mal.

Mais la curiosité, plus forte que la céphalée, le fit se relever en appui sur un coude pour regarder où il se trouvait. Il se vit allongé sur une sorte d'énorme coussin rouge sombre, au milieu d'une pièce assez grande dénuée de tout autre équipement.

— Que, qu'est-ce que mais… ?

— Comme tu dois t'en douter, les Ovoïdes nous ont encore capturés. Mais, cette fois, je pense que nous leur devons la vie.

Il jeta des regards sur les murs blancs autour de lui.

— Nous ne sommes pas en cage, observa-t-il.

— Non. Non, mais nous sommes manifestement prisonniers dans cette pièce. En tout cas, la porte est bel et bien fermée. J'ai vérifié.

Elle suivit ses yeux :

— Les deux fenêtres le sont aussi. Je n'ai pas réussi à les ouvrir. Et puis, nous sommes trop haut pour sauter, tu verras.

— Comment les choses se sont-elles passées ? grande géanture !

— Toi tu étais inanimé, certainement à cause d'un coup de massue sur la tête. Moi, j'étais en grand péril. Quatre ou cinq de nos agresseurs étaient en train de me transporter je ne sais où. Soudainement, ils m'ont laissé tomber dans l'herbe pour déguerpir tous plus vite les uns que les autres. Je me suis précipitée sur toi, car te voyant inconscient j'ai eu très peur qu'ils ne t'aient tué. Mais avant que je ne me rende compte que tu respirais encore, un de ces monstres ovoïdes s'est saisi de moi. Il y en avait un grand nombre. Ils étaient tous sur leurs étranges montures, ces sortes de lapins géants sans oreilles, mais avec des cornes noires, tu sais…

— Oui.

— Ils t'ont pris toi aussi et… voilà…

Bartol s'assit. Sa douleur crânienne s'estompait un peu. Il fallait croire que sa tête finissait par s'accoutumer à recevoir des chocs.

— Combien de temps suis-je resté inconscient ?

— Environ deux heures.

— Quand je pense que nous étions plus en danger parmi des humains qu'avec ces espèces d'œufs-limaces-myriapodes ! Et que ce sont même ces derniers qui nous ont sauvés des premiers ! C'est géantissimement géantissimesque !

Il se posa prudemment une main sur la tête, cherchant à se renseigner sur l'état de son cuir chevelu.

— Doc t'a soigné, lui dit Cara.

— Qui ça ?

— Doc. C'est comme ça que je l'appelle depuis qu'il t'a prodigué quelques soins.

— ... ?

— Oui, pendant que tu étais inconscient.

— D'accord, mais qui est-ce ?

— Un Ovoïde, bien sûr... C'est celui que j'ai endormi avec son propre pistolet hypodermique.

— Ah bon ! Il était parmi ceux qui nous ont sauvés des humains, pour nous enfermer ici ?

— Non. Ceux qui sont venus nous chercher nous ont livrés à lui.

— Ah bon ! fit Bartol en tâtant ce sur quoi ils étaient tous les deux, lui assis et elle à genoux.

C'était moelleux. On l'eût dit rempli de mousse ou de quelque ouate.

— C'est une sorte de canapé à eux, dit-elle. J'en avais déjà vu un là où j'étais prisonnière la première fois.

— Chez mes anciens maîtres, il y en avait un aussi, répondit-il sur un ton déprimé et caustique.

Il se leva pour essayer d'ouvrir la porte. Mais il eut beau s'efforcer de tourner la poignée sphérique dans un sens ou dans l'autre, tirer ou pousser, il n'eut pas plus de succès dans cette entreprise que Cara. Les deux fenêtres furent tout aussi têtues quand elles subirent des tentatives d'ouverture analogues.

— Comme tu me l'as fait remarquer, il est à noter que nous ne sommes pas en cage, lui rappela Cara en se levant à son tour.

Le sentant s'irriter, peut-être voulait-elle éviter une de ses envolées lyriques. Il dut s'en rendre compte, car il revint vers elle en souriant et la prit dans ses bras.

— Je ne vais pas m'énerver, promit-il. Nous réfléchirons calmement et nous trouverons une nouvelle solution pour nous
enfuir encore une fois. Et cette fois, ce sera la bonne !

À peine finissait-il cette phrase, que la porte s'ouvrit. Ils tressaillirent, mais demeurèrent sur place, debout au milieu de la
pièce, à côté du coussin géant. Cinq Ovoïdes étaient entrés.

— Doc, murmura Cara.

— Œuf Affable, Œil Tordu et leurs deux copains, souffla
Bartol.

Les cinq créatures restaient près de la porte qui était
refermée. Seul Doc lumino-gesticulait. Aucun des cinq ne semblait tenir quelque chose qui ressemblât à une laisse ou à une
seringue hypodermique. Les deux humains en furent soulagés.
Cette bonne impression ne dura cependant pas longtemps.
Cara et Bartol reculèrent prudemment quand Doc montra un
appareil qu'il portait jusqu'alors dans une poche. Il avança doucement, immédiatement suivi par les autres qui restaient deux
mètres derrière lui. Ils se déplaçaient avec une lenteur notable.
Ils s'arrêtèrent à cinq mètres de Bartol et Cara qui avaient cessé
de reculer. Avec des gestes étonnamment mous pour un
Ovoïde, Doc posa l'appareil sur le sol puis ils s'éloignèrent tous
ensemble de trois mètres.

— Ça sent le mauvais schéma, ce truc ! grogna Bartol. Tu as
vu comme il essaie de nous rassurer, ton copain ?

— C'est davantage ton docteur que mon copain, tu sais !

— Peu importe, je n'aime pas cette chose qu'il a posée là
entre nous et eux. Elle ne me dit rien qui vaille.

C'était un parallélépipède noir de la taille d'une main
d'homme. Il disposait de quelques détails de structure, sans
doute des boutons ou autres organes de commande.

— Si j'envoyais cette chose s'éclater contre un mur à l'aide
d'un grand coup de pied ? Qu'en penses-tu ? demanda Bartol.

— J'en pense que ce ne serait pas vraiment, comment dire... délicat. Ça ne nous ferait pas de la publicité. Au contraire. Nous passerions pour des primitifs ! Déjà que nos congénères de ce monde ne donnent pas une bonne opinion de notre espèce ! Il serait préférable de ne pas en rajouter.

— Tu as raison...

Il se trouva un peu stupide. Primitif, va ! se dit-il à lui-même. Mais il n'eut pas le temps de s'adresser plus de reproches que ça, car quelque chose le fit littéralement sursauter. Sa propre voix sortait de l'appareil. Il s'entendit prononcer plusieurs fois « un ». Ils passèrent tous les deux de la surprise à l'ahurissement quand ils virent Doc montrer un doigt d'une main ou de l'autre. Dès que la voix de Bartol articula plusieurs fois le chiffre « deux », l'Ovoïde présenta autant de combinaisons de deux doigts sur une main, sur l'autre ou les deux. La chose se produisit pareillement au moment où l'on entendit « trois ». Doc montra trois doigts de la main gauche, puis autant de la main droite. Après cela, deux doigts d'une main et un seul de l'autre, et ceci dans les deux sens.

Ce numéro terminé, Doc approcha lentement, se baissa très doucement pour reprendre son appareil, puis tous se retirèrent en effectuant toujours des mouvements engourdis, comme s'ils eussent tout fait pour ne pas effrayer de farouches animaux.

— Ils nous ont montré qu'ils savent compter ! fit Cara interloquée. Et pour faire étalage de leurs connaissances, ils ont utilisé ta voix.

— Oui ! Non ! En fait, pas vraiment. Ils nous ont plutôt informés du fait qu'ils ont enfin compris que, moi, j'ai voulu leur prouver que je savais compter.

Bartol lui raconta sa tentative.

— Ils auraient donc enregistré ta voix pendant que tu faisais ta propre démonstration.

— Apparemment. Comment se fait-il qu'ils ne le réalisent qu'à présent ? Pourquoi leur a-t-il fallu tant de temps ? Je me le demande.

— Sans doute parce que ce n'est pas une question de temps, mais de personne. C'est manifestement ton docteur qui a compris.

— Tu as raison, puisque c'est bien lui qui s'est livré à cette démonstration. J'espère que tout cela est de bon augure et qu'ils vont finir par nous considérer comme des êtres humains !

— Oui, enfin… fit Cara, montrant dans la moue qu'elle affichait que ce n'était sans doute pas à souhaiter.

— Je voulais dire au sens où nous l'entendons nous, bien sûr.

— Nous ne l'entendons pas tous de la même manière justement.

— C'est-à-dire ? s'enquit le Marsalè.

— Moi, par exemple, je ne revendique pas l'exclusivité du respect et de la dignité pour ma seule espèce.

47. Il posa son œuvre devant eux

Les cinq Ovoïdes regardaient les humains sur un écran posé sur un bureau. « Assis » sur des « tabourets », ils suivaient leur comportement avec attention.

— Si je ne me suis pas trompé, dit Biologie 237, je pense que ma démonstration a dû être bien accueillie et qu'ils doivent être contents de savoir que nous les avons compris.

— Si ton intuition est bonne, ce serait étourdissant ! s'enthousiasma Biologie 455. Imaginer qu'ils possèdent un langage si évolué basé sur des sons ! Ce serait une incroyable… euh… Je n'arrive même pas à trouver mes mots tant je suis émue à cette idée !

— Pour ce qui est de savoir s'ils sont contents, comment le deviner ? se désola 501 Mathématiques. Comment lire finement une expression en l'absence totale de pédoncules de communication ? Leur physionomie est aussi expressive que celle d'un caillou ! Les humains que nous avons l'habitude de voir montrent les dents quand ils sont menaçants. Ils étirent leur gueule quand ils sont contents… Ceux-là le font parfois aussi, mais je les trouve beaucoup moins démonstratifs.

— Ce que nous appelons une expression n'existe probablement pas chez les humains, dit Écologie 982. Mais si Biologie 237 a raison, peut-être découvrirons-nous qu'ils disposent d'un langage évolué basé sur les sons.

— Et qu'ils savent compter ! ajouta Biologie 237. Et qu'ils savent compter ! Même si ce n'est que jusqu'à trois, ce serait bouleversant ! Ce serait, à notre connaissance, les seuls animaux capables de compter ! Quoi qu'il en soit, vous avez bien fait de le filmer pendant son petit numéro. Et vous avez été bien inspiré de me montrer ces enregistrements… Tiens ! Le mâle est particulièrement têtu ! C'est la troisième fois qu'il tente d'ouvrir la porte et les fenêtres.

— Par moments dangereux, aussi, ajouta 501 Mathématiques en touchant son appendice oculaire pas encore tout à fait remis. Je ne veux pas faire retomber votre enthousiasme auquel je ne demande qu'à me joindre, mais pour l'instant rien ne prouve vraiment qu'ils sachent compter, ou du moins que Danseur sache compter. Il peut s'agir d'un numéro qu'il réalise, de temps à autre, plus ou moins machinalement, parce qu'un très habile dresseur le lui a appris.

— Oui, nous avons déjà plusieurs fois envisagé cette hypothèse, répondit Eau 631. Mais dans ce cas, on se demandait pourquoi leur maître manifeste si peu d'intérêt pour le retrouver. Passer tant de temps à dresser un animal et ne pas se préoccuper de sa disparition…

— Certes, c'est étonnant ! convint 501 Mathématiques, mais pas plus que des humains sachant réellement compter.

— Je les trouve touchants, confia Biologie 455. Ils se comportent particulièrement tendrement l'un avec l'autre. On dirait presque des personnes amoureuses. Et, j'aurais vraiment du mal à croire qu'il s'agisse encore une fois de dressage, pour ça.

— C'est vrai ! approuva Biologie 237. Dommage qu'ils ne pensent qu'à s'évader. Ça me gêne d'être obligé de les enfermer. J'eus préféré ne pas le faire. J'ai envie de passer à l'expérience suivante pour tester leur intelligence.

— Quelle est-elle ? s'informa Écologie 982.

— Je vais leur offrir quelques objets divers et variés pour voir ce qu'ils en feront. Il ne s'agit que d'un simple jeu de construction pour enfant. Ils ont l'air particulièrement habiles de leurs mains, pour des humains. Je ne serais pas étonné qu'ils vous étonnent. Qui veut aller leur donner ça ?

**

Cara et Bartol regardaient tous les deux par une des fenêtres en se tenant l'un contre l'autre, quand la porte s'ouvrit de nouveau. Un Ovoïde entra. Il portait une boîte cylindrique rouge.

— Œuf Affable, souffla Bartol.

— Oui, je le reconnais. Ça lui va bien comme nom. Tu l'as bien baptisé. Il a un air débonnaire.

Le bien nommé Œuf Affable ferma la porte derrière lui, avança un peu et posa la boîte. Elle devait faire un mètre de diamètre et autant de hauteur. L'Ovoïde resta sur place un moment, bougeant et faisant clignoter ses pédoncules de communication en envoyant des flashs de toutes les couleurs sur les quatre murs.

— Tu crois qu'il te parle ? demanda Cara.

— C'est possible... Mais pas facile à comprendre, le mecdule ! Il a un accent local indéchiffrable !

Au bout d'un moment, Œuf Affable se retira en prenant soin de refermer derrière lui.

— Voyons ce qu'il y a dans cette caisse ! fit Bartol en se penchant au-dessus de la chose. Ça alors ! Regarde un peu ! Ces espèces de chauves clignotants nous ont apporté un jeu de construction ! Ils nous prennent pour des gamins.

Cara examina à son tour le contenu de la boîte et en sortit quelques cubes, cylindres, pyramides et cônes qu'elle posa sur le sol.

— Je pense que nous devrions jouer le jeu, dit-elle.

— C'est-à-dire ? Tu veux qu'on fasse joujou avec ça devant eux ?

— Ils essaient de mesurer nos facultés, notre intelligence. Ils t'ont prouvé qu'ils ont compris que tu sais compter. À nous d'aller encore plus loin. Démontrons-leur que nous ne sommes pas comme les humains qu'ils ont chez eux. Montrons-leur qui nous sommes.

Tout en essayant de le convaincre, Cara avait déjà commencé à empiler une dizaine de cubes.

— Tu as raison, reconnut Bartol. Tu as raison !

Il saisit un cône vert dans la boîte, l'examina une seconde. Il semblait fait dans une matière plastique compacte. Il se baissa en dirigeant la pointe de l'objet vers le sol. Ce dernier était blanc. Blanc et à peine rugueux, juste ce qu'il fallait pour ne pas être glissant sans doute.

— Que comptes-tu faire avec ce cône ? s'étonna Cara. Le faire tenir sur la pointe pour les surprendre par ton adresse ? Bonne idée ! Mais ça ne va pas être facile !

— T'inquiète, princesse ! Je vais leur en mettre plein la vue à ces têtes lisses.

**

— Mais ! Que fait-il ? s'étonna Œuf Affable.

S'il n'y eut que lui pour exprimer cette question « à voix haute », tous se la posèrent intérieurement.

— J'ai comme l'impression que nous ne sommes pas les seuls à nous le demander, observa le savant. Voyez la femelle qui avait commencé un empilement remarquable, elle s'est arrêtée pour le regarder faire. Il semble beaucoup moins doué qu'elle.

— Ce qu'elle a fait est déjà une démonstration de capacités tout à fait prodigieuse ! s'enthousiasma Biologie 455. Aucun humain ordinaire ne saurait faire ça.

— Un humain ordinaire n'y penserait tout simplement pas, cela ne lui viendrait même pas à l'idée, dit Biologie 237. Mais que fait donc le mâle ?

— Il semble qu'il gratte le sol avec la pointe du cône, remarqua Œuf Affable.

— C'est bien ce qu'il paraît, répondit le vieux biologiste, mais dans quel but ? Nous ne voyons pas très bien ce qu'il fait, mais on dirait... mais oui ! On dirait qu'il trace quelque chose sur le sol. La caméra n'est pas assez haute. Il faut se rendre compte de ce qu'il fait sur place. Vite, allons-y !

Tous entrèrent et s'approchèrent lentement de l'humain, encore baissé sur le sol. L'humaine, juste à côté de lui, n'avait pas progressé dans sa construction ; elle observait toujours son compagnon. Ils furent tous frappés de stupeur quand ils découvrirent ce que faisait le mâle. Il se servait du cône vert pour tracer une figure géométrique. C'était un triangle rectangle. Les côtés étaient relativement droits pour être dessinés à main levée. Bien que des manques apparussent dans la densité du trait, du fait que le cône n'était pas prévu pour cette utilisation, c'était un dessin démontrant une application certaine. Le vieux savant en bégaya des pédoncules de communication :

— Un un tri... Un triangle rectangle ! Cet animal sait dessiner ! Il réalise une figure géométrique ! Il réalise une figure géométrique ! Amenez-lui de quoi écrire, vite ! Allez chercher le tableau et un traceur !

Eau 631 partit précipitamment et revint dans l'instant avec un panneau blanc et un long cylindre noir. Il posa les deux objets devant l'humain. Ce dernier examina le traceur un très bref instant, puis il l'utilisa pour dessiner un nouveau triangle rectangle, avec un soin encore plus appliqué. Les traits étaient presque parfaitement droits.

— Il fait preuve d'une adresse tout à fait exceptionnelle pour un humain ! s'exclama le savant, au comble de l'excitation.

Tous regardèrent ensuite l'humain ajouter cinq points à l'extérieur du triangle le long de l'hypoténuse, puis quatre points de plus le long du grand côté et enfin trois points encore le long du petit côté. La chose faite, il posa son œuvre devant eux et partit s'allonger sur le divan.

48. Si tu veux… mais tu hurles encore

Bartol était allongé sur le coussin géant. Les deux bras derrière la tête, il adressa à Cara un large sourire laissant poindre un brin de fatuité.

— Tu as l'air bien fier de toi, lui dit-elle en allant le rejoindre.

— Plutôt, oui ! Je viens de leur présenter monsieur Pythagore.

— C'est-à-dire ? Qui est cet homme ?

— Pythagore ! Le théorème de Pythagore !

— Ah ! Ça me dit quelque chose, mais je ne me souviens plus de quoi il s'agit…

— Le carré de l'hypoténuse est égal à la somme des carrés des deux autres côtés.

— Oui, ça me revient, mais alors… Que signifient tes points à côté du ton triangle ?

— Cinq points, le long de l'hypoténuse. Quatre, le long du grand côté. Trois, le long du petit. Donc, d'une part, nous avons cinq fois cinq, ce qui fait vingt-cinq. D'autre part, nous avons quatre fois quatre, plus trois fois trois. Soit seize plus neuf. Ce qui fait aussi vingt-cinq.

— Et… penses-tu qu'ils vont comprendre ton message ?

— Je l'espère. En tout cas, ça vaut bien un empilage de pièces de jeux de construction.

***

Bien que les Ovoïdes ne connussent pas Pythagore, le théorème n'était pas nouveau pour leur civilisation. Ils avaient eu leur propre Pythagore. 501 Mathématiques fut le premier à réagir, suivit immédiatement de Biologie 237 puis de Biologie 455 :

— Le théorème du triangle rectangle !

— Le théorème du triangle rectangle !

— Oui ! trois, quatre et cinq ! Les proportions du triangle rectangle !

— De quoi ? de quoi ? firent les pédoncules de communication d'Eau 631.

— De quoi parlez-vous ? demanda Écologie 982.

501 Mathématiques rappela brièvement le théorème à Eau 631 et à Écologie 982. Quand la chose leur revint à l'esprit, ils s'extasièrent comme les autres.

— Nous sommes en présence d'animaux qui connaissent le théorème du triangle rectangle, répéta plusieurs fois Biologie 237.

Il semblait être sur le point de s'évanouir.

— Quand je pense que je ne m'en souvenais même pas, moi ! s'exclama Eau 631.

— Ces humains appréhendent le théorème du triangle rectangle ! Que devons-nous faire à présent qu'ils nous l'ont fait comprendre ? dit le vieux savant. Comment devons-nous les traiter ? Nous n'avons pas le droit de les garder enfermés, n'est-ce pas ?

— Je ne sais que dire, répondit Eau 631. Sans doute serait-il plus juste de leur rendre toute leur liberté et de m'enfermer à leur place puisque je n'avais pas ce théorème à l'esprit, dois-je avouer.

— D'un autre côté, si nous les laissons partir, continuait le vieux savant, ce serait une perte considérable pour la science s'il leur arrivait quelque chose de grave. Nous les avons déjà sauvés d'une mort certaine.

— Nous pourrions les escorter pour les protéger où qu'ils se déplacent proposa 501 Mathématiques.

— Ils ne se sentiraient pas libres de leurs mouvements, objecta Écologie 982. Ils auraient l'impression d'être toujours prisonniers.

— En effet ! reconnut Biologie 237. C'est bien dommage, car ça nous aurait permis de savoir où ils vont aller. Et par là même sans doute d'où ils viennent.

— Qu'allons-nous faire d'eux alors ? demanda Eau 631.

— Je pense que la meilleure solution serait dans un premier temps de tout faire pour dialoguer avec eux. Nous avons découvert qu'ils communiquent avec des sons. À nous d'étudier leur langage. Nous savons déjà comment dire un, deux et trois. C'est très loin d'être suffisant pour mener une conversation, mais c'est un début très encourageant. Quand nous serons en mesure de parler avec eux, nous leur demanderons ce qu'ils veulent. Nous pourrons leur expliquer qu'ils ne peuvent pas partir seuls sans protection. Quoi qu'il en soit, ce sera une expérience très enrichissante et excitante de communiquer avec eux. Étudions leur langage sonore et nous aviserons plus tard.

— Un langage sonore ! s'enthousiasma Biologie 455. C'est extraordinaire, n'est-ce pas ! C'est stupéfiant ce que la nature peut être inventive ! Les chemins que peut prendre l'évolution sont... sont... ! J'en perds mes mots !

— Tu vois, ma chérie ! Je t'avais dit que Danseur n'était pas comme les autres... lui rappela Eau 631, avec une certaine fierté.

— Oui, quand je pense que nous l'avons appelé comme ça parce que nous avons cru qu'il dansait ! Heureusement que Biologie 237 a découvert la vérité.

— En effet ! Félicitons-nous aussi que Danseur ne sache pas que nous lui avons donné ce nom, rit Eau 631.

— Oui, ho ! Il n'empêche que Danseur, c'est bien plus beau que Pipi Carafe ! Si l'intéressé apprenait ça !

Eau 631 eut une lumino-gesticulation par laquelle il rougit un peu à sa manière.

— Et si nous choisissions un nom pour la femelle, proposa Biologie 455 qui avait « entendu » leur conversation.

**

— Depuis qu'ils clignotent dans tous les sens, quelque chose me dit que je viens de leur en boucher un coin ! s'exclama Bartol. Géantissimerie ! je n'en suis pas peu fier, vu qu'il n'est pas si commode de trouver un coin sur un œuf !

— On dirait que Pythagore ne les laisse pas indifférents, en effet ! reconnut Cara en tirant légèrement en différents endroits de sa jupe pour la rajuster et en effacer quelques faux plis. Petits défauts qu'elle était la seule à voir, grâce à ce sens particulièrement aiguisé qu'ont certaines femmes à la coquetterie exacerbée.

— Tiens ! murmura Bartol, ils approchent. Doc en tête. Que veulent-ils ?

Les cinq Ovoïdes s'arrêtèrent près du coussin géant. Bartol y était couché sur le dos et Cara assise, les jambes pliées sous elle. Biologie 237 tenait l'appareil noir dans lequel la voix de Bartol avait été enregistrée. L'Ovoïde montra un doigt et manipula le dispositif ; on entendit le Marsalè prononcer « un ». Il montra ensuite deux doigts et fit entendre « deux » et après avoir tendu trois doigts, il diffusa l'extrait de la voix de Bartol qui correspondait à ce chiffre.

— D'accord, Doc ! J'ai compris que tu as compris, dit l'humain. On ne va pas passer notre vie là-dessus. J'aimerais plutôt que tu m'expliques ce que tu penses de mon congénère Pythagore ! Avez-vous un mecdule du genre chez vous ?

— Quatre ! dit Cara à voix haute.

— Quoi, quatre ? s'étonna Bartol.

— Tu ne vois pas qu'il te demande comment nous prononçons ce chiffre.

Le Marsalè regarda les quatre doigts levés de Biologie 237 d'un air confus et penaud.

— Oups ! Tu as raison, dit-il. J'ai géantissimesquement manqué de vivacité d'esprit là.

Il leva quatre doigts et articula le plus clairement possible : « quatre ».

— Répète-le, toi aussi, murmura-t-il.

Cara montra à son tour quatre doigts en prononçant le mot.

Biologie 237 sortit cinq doigts et attendit.

— Cinq, cria Bartol en exhibant lui aussi autant de ses doigts.

Cara fit de même, mais en élevant simplement la voix. Elle murmura en souriant :

— Ne hurle pas, ils vont croire que ce chiffre se dit de cette manière.

Biologie 237 leva six doigts. La leçon se poursuivit jusqu'à vingt-quatre. Arrivé à ce nombre, Doc changea complètement de sujet. Il dessina un cercle au dos du tableau utilisé par Bartol et le montra aux humains.

— Cercle ! cria Bartol.

— Rond, dit Cara.

Ils se regardèrent tous les deux.

— C'est un cercle, murmura Bartol.

— Si tu veux… mais tu hurles encore.

— Cercle, répéta Bartol en modérant sa voix.

— Cercle, dit Cara.

Biologie 237 effaça le cercle, dessina un carré et le montra.

— Carré, cria Bartol.

— Carré, dit Cara.

— Euh… Carré, répéta le Terrien, un ton moins fort.

Le cours de langage sonore continua avec différents triangles et quelques autres figures géométriques, puis avec les volumes du jeu de construction. Cara prit l'initiative d'y incorporer les différentes parties du corps humain qu'elle indiqua sur elle et sur son compagnon, elle y ajouta les vêtements. Les Ovoïdes semblaient très agités. Ils montraient différents objets qu'ils allaient chercher. Beaucoup, complètement inconnus des deux humains, étaient innommables. D'autres étaient de simples boîtes, des seringues, des flacons, des crayons ou autres moyens d'écrire… Quelques-uns ressemblaient à des instruments de mesure, car ils comportaient des graduations, mais leur fonction était difficile à deviner.

49. Messager des puissants Symbiosiens, m'ouïs-tu ?

La leçon de vocabulaire avait duré. Il était tard. À son grand regret, Eau 631 avait dû rentrer chez lui. Il devait s'occuper d'Affamée, qu'il ne pouvait pas laisser seule trop longtemps et il lui fallait de plus se reposer un peu avant d'assumer sa journée de travail du lendemain. 501 Mathématiques et Écologie 982 étaient rentrés aussi, pour cette même dernière raison. Il ne restait donc plus dans les murs du laboratoire que le vieux savant et Biologie 455. Les deux humains n'étant plus considérés comme potentiellement dangereux, le biologiste avait demandé qu'on amenât de quoi rester en leur présence un peu plus confortablement. Il était assis devant un bureau. Tandis que ses jambes, pendant tout autour de son tabouret d'Ovoïde, à la manière d'un rideau de fils, se balançaient et ondulaient machinalement, il tapotait sur un clavier sphérique qu'il tenait entre ses mains dodécadigitales. Cet objet, qu'un humain eût le plus grand mal à manipuler, était parfaitement adapté à ses organes préhensiles pourvus d'un œil central. Parfois avec ce périphérique, parfois à l'aide d'une interface lumino-gestuelle, il entrait les données de ses notes et de ses réflexions dans ce qui était l'équivalent en technologie humaine solairienne d'un petit ordinateur.

Biologie 455 était posée sur un autre tabouret, à côté du bureau. Allongés sur le coussin géant, les deux humains dormaient tous les deux enlacés. La jeune laborantine les observait avec une expression dans les pédoncules de communication similaire à un sourire attendri.

— Ils sont touchants, n'est-ce pas ? lumino-gesticula-t-elle. Regarde comme ils semblent attachés l'un à l'autre. Je n'avais jamais vu des humains manifester leur affection l'un pour l'autre d'une manière si ovoïde.

— Certes ! Ils sont touchants et fascinants à plus d'un titre. Pour ma part, je dirais que c'est la toute première fois qu'une bête me parle du théorème des proportions du triangle rectangle. Je continue à me demander si je ne rêve pas !

Les antennes de Biologie 455 sourirent.

— Quand je pense que Eau a dû insister pour me convaincre que cet animal n'était pas comme les autres !

— Dire que s'il ne s'était pas enfui de chez... comment déjà ?

— Propreté 680 et Électronique 1012.

— Oui, s'il ne s'était pas enfui de chez ces gens-là pour se réfugier chez ton fiancé, il aurait sans doute fini dans nos assiettes ! Et nous n'aurions jamais connu pareille aventure extraordinaire !

— C'est vrai ! À quoi les choses tiennent parfois !

— Je commence à comprendre un peu la structure de leur langage sonore. Il semble qu'ils utilisent certaines séries de sons pour désigner des objets, des choses, des concepts... il s'agit là d'une évidence que vous avez tous pu constater. Mais il se pourrait aussi qu'ils aient recours au même principe pour parler des actions. Ainsi, ils donneraient des noms à leurs actes. Tout à l'heure, par exemple, Danseur se déplaçait dans un sens puis dans l'autre en produisant le son :

Le savant toucha un bouton de l'appareil noir et on entendit la voix de Bartol prononcer : « marcher ».

— J'ai mis un moment à comprendre, et je ne suis pas encore certain d'avoir compris que c'était peut-être de cette action qu'il parlait. Tu m'entends, Biologie ? À quoi penses-tu ?

— Hein ! Excuse-moi ! Oui, je t'ai entendu. J'étais ailleurs, je l'avoue. Ils sont tellement touchants tous les deux, là. Ils se tiennent comme s'ils avaient peur qu'on les vole l'un à l'autre !

Pour toute réponse, Biologie 237 eut une expression lumino-gestuelle affectueuse en regardant sa jeune collègue de travail. C'était une Ovoïde sensible !

*

En dépit de la présence de ces créatures, que Cara finissait par trouver un tout petit peu moins repoussantes, Bartol et sa compagne s'étaient endormis dans les bras l'un de l'autre. Comme ils l'avaient supposé, les somnifères qu'ils avaient reçus tous les deux avaient bel et bien contrarié l'effet du morphicontrôle, la substance régulatrice du sommeil produite par Génética Sapiens. Après avoir longtemps résisté à la fatigue, grâce à, ou à cause de, l'intensité et la fascinante étrangeté de leurs dernières aventures, ils avaient profondément sombré dans un sommeil réparateur.

Malgré la petite sieste qu'il s'était permis de faire dans le magasin de Commerce 427, Bartol avait rejoint le pays des songes le premier. Cara allongée contre lui n'avait pas tardé à le suivre. Durant son assoupissement, elle avait pensé aux raisons qui les avaient conduits ici et à la surprenante manière par laquelle ils étaient tous les deux arrivés dans cet étrange monde.

***

Peu avant que tout cela n'arrive, Bartol lui avait un peu parlé de l'ahurissante particularité de ses origines. Elle avait eu du mal à suivre à certains moments de son récit. C'était tellement complexe et tellement stupéfiant ! Cette histoire de Youri Yamaya avec son clone et ce certain « le Gnome », ainsi que l'appelait Bartol... Elle n'avait pas tout compris, mais ce n'était pas d'une importance majeure, elle pourrait lui demander des précisions plus tard au besoin. Ce qui avait compté pour Cara, c'était qu'il se confiât à elle. Elle sentait que cette confidence avait une très grande valeur pour lui et le fait d'en être la bénéficiaire lui avait donné l'espoir d'être importante pour lui. Cela lui avait même permis de rêver qu'il l'aimât, au moins un peu.

— Mais, avait-il répété plusieurs fois, nous sommes tous faits d'un peu de tous, comme dit Sandrila, n'est-ce pas ? Nous sommes tous faits d'un peu de tous !

Cara n'avait rien de particulier contre cette phrase, si ce n'était qu'elle fut de Sandrila Robatiny.

Après lui avoir parlé de ses racines hors du commun, Bartol avait brusquement ressenti la nécessité de revoir Vouzzz et ses semblables. Cara se disait qu'il se sentait tellement différent des autres hommes à cause de ses origines tortueuses, qu'il avait l'impression de réduire cet écart en rencontrant des êtres n'ayant rien d'humain. Comparativement à un Vouzzzien, tous les hommes se ressemblaient, en effet !

Un jour qu'ils venaient de faire l'amour, après un long moment de silence, il lui avait dit :

— Tu sais, j'ai une drôle d'intuition qui me vient, là.

— Ah bon ? Laquelle ? avait-elle demandé, à demi couverte par un drap tout entortillé.

— Je ne sais pas pourquoi, mais je ne peux pas m'empêcher de penser que Symbiose est de nouveau accessible, pour moi en tout cas.

Au cas où l'idée lui fût venue d'y retourner avec la Sandrila qui fait de belles phrases, elle s'était empressée de répondre :

— Comme c'est curieux ! Figure-toi que j'ai exactement la même impression !

À la suite de cette courte conversation, il avait essayé de contacter Abir Gandy.

Ne sachant comment s'y prendre, car il n'avait pas son appel Réseau, il s'était mis à lui parler comme s'il pouvait l'entendre :

— Ô Abir Gandy, messager des puissants Symbiosiens, m'ouïs-tu ? Un petit lombric voudrait te parler.

Ne comprenant pas ce ton pompeusement sarcastique et cette histoire de lombric, elle lui avait demandé :

— De quel lombric parles-tu ?

— Oh ! Je te raconterai. Rien de bien géantissimesque ! juste une petite plaisanterie entre lui et moi.

Elle n'avait pas insisté, mais elle avait commencé à se poser des questions au sujet de sa santé mentale. Parler à quelqu'un qui n'est pas présent sans céph ?! Qui plus est, se présenter soi-même comme un petit lombric…

— Penses-tu vraiment qu'il va t'entendre, là ?

— Je le pense, oui.

Durant les dix jours qui avaient suivi, il s'était de temps en temps adressé au gravipilote comme s'il était là, lui demandant de venir le voir, de condescendre à s'intéresser à un pauvre ver de terre. Cara conservait un souvenir très agréable de cette période qu'ils avaient passée ensemble, mais l'entendre parler seul de plus en plus souvent devenait très préoccupant. Le dixième jour, elle l'avait accompagné pour un contrôle de routine concernant l'endosynthétiseur protéique qu'il s'était fait implanter une semaine auparavant. Alors que tous les deux venaient à peine de rentrer chez lui et qu'elle se faisait de plus en plus de soucis au sujet de l'intégrité de son esprit, son état avait paru soudainement s'aggraver dans des proportions très inquiétantes.

— Ah ! Vous voilà enfin, Abir ! avait-il dit. Je vous remercie d'avoir répondu à mon appel.

Il regardait dans le vide et parlait comme s'il y avait quelqu'un dans la pièce, au milieu de la jungle de son petit appartement. Après avoir intimé le silence à ses colibris, qui par moments piaillaient à tue-tête, il avait demandé :

— Montrez-vous à ma compagne, Cara Hito, Abir, s'il vous plaît. Vous voyez bien qu'elle me prend pour un fou furieux et que d'une minute à l'autre elle va réclamer mon internement !

Cara qui se retenait de ne pas pleurer, tant elle se sentait dépassée, avait soudainement vu apparaître Abir Gandy, ou du moins ce qu'elle pensa être une sorte d'hologramme, entendu qu'une personne réelle n'eût pu surgir du néant.

50. Salerie de nanovolaille

— Bonjour, Cara Hito ! avait dit l'image d'Abir Gandy.

— Bonjour, Abir Gandy ! avait répondu Cara. Vous faites bien de vous montrer. C'est vrai que je commençais à me poser des questions concernant sa santé mentale !

Le gravipilote avait souri. Étrangement. Oui, très étrangement ! En tout cas, Cara l'avait trouvé étrange. Elle n'aurait su dire précisément pourquoi. Ce n'était qu'une vague impression. Bartol avait dit à l'homme :

— Cher Abir, il semble que, soit vous-même, soit les Symbiosiens, soit encore ces derniers par votre intermédiaire... Comment dire ?... Je subodore, ou plutôt je suis sûr, que quelqu'un m'a fait savoir que je suis de nouveau le bienvenu à bord de symbiose.

— Ah bon ! avait paru s'étonner Abir.

Cara pensait qu'il avait seulement paru, car son étonnement avait l'air tout aussi étrange que son sourire. Elle se souvenait également d'avoir noté un fait inattendu : à deux reprises, un colibri avait traversé l'image du gravipilote sans s'en préoccuper le moins du monde. C'était surprenant que ces petits oiseaux se comportassent comme si cette image d'homme n'existait pas. Ces animaux ne voient-ils pas les hologrammes ? s'était-elle demandé.

— Oui, avait insisté Bartol. Oui. J'ai reçu une invitation mentale, en quelque sorte.

— Expliquez-vous. Dites-moi ce qui vous a conduit à cette conclusion.

— J'ai ressenti au fond de moi que Symbiose m'était de nouveau accessible.

— Est-ce pour vous une preuve ? Est-ce suffisant pour être certain que les Symbiosiens vous invitent ?

— Oui. N'avez-vous pas confié que vous étiez capable de faire naître des pensées en nous ? Ma compagne, Cara, a éprouvé la même chose. Elle me l'a dit.

Cara allait protester, mais elle n'avait pas osé avouer à Bartol qu'elle lui avait gentiment menti.

— Soit, avait conclu Abir. Peu importe ! Ce qui compte c'est que vous ayez envie de retourner dans Symbiose, n'est-ce pas ?

— Oui, avait répliqué Bartol. L'humble vermisseau que je suis le souhaite ardemment.

Sans relever cette curieuse formulation, Abir Gandy avait demandé :

— Et vous, Madame Cara Hito ?

— Euh…

Décidément ! Cet homme était bizarre, avait-elle encore pensé en répondant machinalement après un moment d'hésitation :

— Oui.

— C'est-à-dire, oui ?

Elle s'était sentie gênée, car elle avait eu l'impression qu'il faisait plus que ressentir son indécision ; elle eût dit qu'il lisait en elle. Heureusement, il avait cessé de la questionner. Elle n'avait jamais eu envie de retourner dans Symbiose, mais si Bartol y allait… Il s'était adressé de nouveau à Bartol.

— Que souhaitez-vous y faire ?

— Je veux revoir Vouzzz.

Un colibri s'était mis à lancer des cris perçants en se posant sur la tête de Bartol. Cela arrivait parfois et ça faisait beaucoup rire Cara, car le Marsalè aimait se donner un genre bourru et de mauvaise humeur dans ces moments-là.

Il avait attrapé le minuscule oiseau et l'avait traité affectueusement de salerie de nanovolaille avant de le poser plus loin, sur une branche dans la jungle du petit appartement, et de reprendre :

— Oui, Abir le Grand ! Je veux revoir Vouzzz. Vouzzz et ses semblables. Revoir également Pooo et son monde. Mais, grande géanture ! vous devez bien savoir cela, puisque c'est vous qui me donnez ces envies.

Cara avait été impressionnée par cette insistance de Bartol à prétendre qu'Abir Gandy lui injectait des pensées en tête. C'était tellement insupportable comme idée !

— C'est faux, avait répondu le gravipilote. Moi, je n'ai rien fait pour vous donner cette envie. J'ai déjà expliqué que j'agissais sur les esprits d'une manière extrêmement peu invasive. Et surtout pas pour influer des décisions ou des désirs. En ce qui vous concerne, je vous répète que je vous ai seulement fait entendre mentalement un message de bienvenue quand vous êtes arrivés dans Symbiose. Je vous fais aussi par moments, comme c'est le cas en ce moment, voir mon image sous une apparence humaine. Je n'ai rien fait d'autre.

Tout s'était expliqué ! Cara avait compris que si les colibris se comportaient comme s'il n'y avait pas d'hologramme, c'était parce qu'il n'y avait justement pas d'hologramme. Qu'avait voulu dire cet homme par « sous une apparence humaine » ? Elle se l'était demandé.

— D'accord, je veux bien vous croire, avait cédé Bartol. Dites-moi, savez-vous que nous sommes tous faits d'un peu de tous ?

À la grande déception de Cara, Abir Gandy avait répondu :

— Oui, je le sais. Mais pas seulement, sinon il n'y aurait aucune évolution, l'existence n'inventerait rien de nouveau. Nous sommes, en effet, tous faits d'un peu de tous et c'est merveilleux, mais ce qui nous enrichit tous c'est ce qui est différent dans chacun de nous. Donc vous voulez retourner dans Symbiose pour aller revoir ceux que vous y aviez rencontrés.

— Oui. Mais, pour ne rien vous cacher, je rêve également d'en profiter pour aller voir d'autres choses. Y a-t-il un monde dans chaque sphère ?

— Oui, il y en a un, parfois plusieurs.

— J'aimerais en visiter un autre. Est-ce possible ?

— C'est possible, mais…

— Mais quoi, Super Abir ? Pour vous ce ne sera qu'une expérience de plus sur les interactions entre de nouveaux êtres et le lombric que je suis.

— Qu'est-ce que c'est, cette histoire de lombric, à la fin ? avait fini par demander Cara.

— Je n'en sais pas beaucoup plus que vous, Madame. Bartol s'est lui-même affublé de ce nom, lors d'une de nos conversations dans laquelle son égo fut apparemment mis à rude épreuve, et depuis, il n'en démord plus.

De son côté, Bartol avait émis un grognement complexe d'où perçait une mauvaise humeur certaine.

— Je veux bien étudier votre interaction avec une autre espèce, avait ajouté le gravipilote en s'adressant à Bartol, mais je ne sais pas laquelle.

— J'aimerais découvrir la sphère qui se trouve en face de celle qui abrite le Monde de Vouzzz et le Monde de Pooo.

— Je ne vous le conseille pas.

— Je voudrais celui-là, Abir !

Bartol avait beaucoup insisté. Au bout d'un moment, Abir avait fini par conclure que l'entêtement remarquable de cette créature méritait une étude à part entière. Et que, rien que pour cette raison, il acceptait.

Alors une chose curieuse était apparue. On eût dit qu'elle se trouvait contre le miroir mural, juste à côté de la petite table basse imitation roche martienne polie. C'était un rectangle vertical noir de la taille d'une porte. Il ressemblait à un trou donnant sur le néant. Cara n'avait jamais rien vu d'aussi noir ! Même les abîmes de l'espace l'étaient moins.

— Oui, avait dit Abir Gandy, comme s'il avait lu dans ses pensées. Ceci est en quelque sorte une porte. Elle restera ouverte sur le monde que désire visiter Bartol durant une heure. Madame, libre à vous de le suivre, ou de le rejoindre un peu plus tard, dans la limite de cette heure. Je vous laisse le choix, à tous les deux, de prendre ou de ne pas prendre cette porte. Au revoir.

L'image d'Abir Gandy avait disparu. Cara avait regardé Bartol pour essayer de savoir s'il n'était plus là pour lui non plus. D'après son comportement, il semblait que c'était bel et bien le cas.

51. Les morts ne négocient plus rien

La nuit venait de tomber. Dans le ciel, ou plutôt au plafond de la ville, les vastes baies vitrées apparaissaient très faiblement lumineuses. Elles laissaient entrer une clarté pâle et diffuse qui pastellait le paysage et les habitations alentour.

— C'est ici, murmura Métallurgie 2007.

Comme cela a déjà été dit, les Ovoïdes pouvaient s'exprimer avec plus ou moins de puissance en réglant l'intensité photogène de leurs pédoncules de communication.

Il jeta quelques regards inquiets autour de lui. Le risque d'être surpris en train de traiter avec ceux d'en face était bien réel. Il avait peur. Le Doux Nuage qu'il venait de consommer dissipait un peu sa crainte, mais il diminuait aussi sa clarté d'esprit.

— Cette porte est-elle l'unique entrée ? demanda 23 Service Secret.

Cet individu massif de grande taille atteignait deux mètres trente. Son attitude peu commode imposait le respect.

— La seule que je connaisse en tout cas, répondit Métallurgie 2007.

Le militaire eut un regard vers ses deux collègues : 26 Service Secret, un spécialiste des explosifs et des mécanismes de serrurerie, et 27 Service Secret, une experte en capture. Sans atteindre celle de leur chef, ils étaient tous les deux d'une taille au-dessus de la moyenne.

Les quatre Ovoïdes observaient l'entrée du laboratoire à travers les étroites brèches de la haie.

— 26, tu peux jeter un œil au portail et voir ce que tu en penses ? demanda 23 Service Secret. Dis-moi si c'est du solide.

— Pas la peine, chef ! J'ai déjà mon idée. Je l'ouvre en moins de temps qu'il t'en faudra pour m'en donner l'ordre.

— Bien ! Je rappelle qu'il nous faut les deux bêtes et le vieux savant dans le meilleur état, sans la moindre égratignure. Tout faire pour que rien de fâcheux ne leur arrive. Je vous le répète encore une fois parce que 237 Présidente m'a gonflé l'esprit avec ça. Alors il en va de nos carrières !

Les deux militaires firent signe à leur chef qu'ils avaient parfaitement compris.

— Et moi, qu'est-ce que je fais ? s'informa Métallurgie 2007.

23 Service Secret remarqua à la langueur des organes de communication du drogué qu'il était sous l'effet d'un Doux Nuage.

— Tu es certain de ne rien savoir au sujet de l'intérieur du laboratoire ?

— Rien, j'ai déjà dit que je ne suis jamais entré dans ce bâtiment. J'ai juste observé que Biologie 237 et Biologie 455 travaillent ici. Je les ai espionnés à distance. J'ai aussi vu qu'ils ont laissé entrer Eau 631 et sa compagne, qui est la sœur de Biologie 455.

— Hé bien ! Tu en connais des choses !

— Je sais regarder, c'est tout.

— Bon, mais en creusant un peu dans ta mémoire, sans doute te souviendras-tu de quelques confidences que le vieux aurait pu te faire. Tu as peut-être entendu des paroles qu'il échangeait avec quelqu'un d'autre quand vous avez tenté de retrouver les humains dans la campagne avec eux. Essaie de te souvenir…

— Mais de quoi veux-tu que je me souvienne ?

— De la disposition des pièces dans le laboratoire. Combien y en a-t-il ?... Toutes ces sortes de choses qui pourraient nous aider.

— Non. Rien ne me revient à ce sujet. En revanche...

— Quoi ?

— Je sais quelque chose d'autre.

— Eh bien, parle ! Je t'écoute !

— Je n'ai encore rien négocié pour cette information.

— Si tu ne te confies pas tout de suite, tu n'auras plus jamais l'occasion de négocier quoi que ce soit, car tu seras mort. Et les morts ne négocient plus rien.

Métallurgie 2007 eut un tressaillement dans les jambes.

— Je crois bien qu'il y avait quelqu'un de chez vous avec eux, lâcha-t-il.

— Que dis-tu ?

— Oui. Je pense qu'il y avait un type de chez vous. En tout cas, son nom est un nom de chez vous.

23 Service Secret jeta un œil à ses deux collègues qui écoutaient. Peut-on se fier à ce toxicomane ? parut demander son regard.

— Comment s'appelle-t-il ? s'enquit-il.

— 501 Mathématiques, je crois. Oui, c'est ça, 501 Mathématiques !

— Tu crois ou tu es sûr ? Tu dis souvent « je crois » et ensuite « oui, j'en suis sûr ! »

— Je fais ce que je peux pour être sûr, je crois !

— Tu es en train de te moquer de moi, là !

— Non, affirma Métallurgie 2007.

— Que faisait-il avec eux, ce 501 Mathématiques ?

— Il aidait à chercher les humains évadés.

— Tu es sûr de ce que tu nous racontes ?

— Oui, je crois. Il est même très familier avec Biologie 455. Il la fréquente, je crois en être sûr.

— Penses-tu qu'il ait participé au rapt de l'humain chez 312 Histoire ?

Métallurgie 2007 lutta contre une remontée du Doux Nuage qui lui fit voir son interlocuteur comme au travers d'un brouillard constellé de petites étoiles scintillantes. Il secoua ses pédoncules oculaires pour retrouver une vue plus réelle.

— Je ne sais pas, dit-il. Peut-être ! Je ne sais plus si je crois en être sûr ou au contraire si je suis sûr de le croire ! Un peu des deux, je crois, c'est sûr !

— Bon ! À présent, je préfère que tu t'en ailles. Ta présence n'est plus utile. Va te reposer, je pense que tu en as bien besoin. Laisse-nous travailler. Tu auras la récompense promise si tu as dit la vérité. Si les deux humains sont bien ici.

Métallurgie 2007 s'arracha une vieille jambe et la jeta par-dessus la haie avant de s'éloigner sans ajouter un mot. Quand il fut loin, 23 Service Secret regarda discrètement autour de lui. Des promeneurs passaient non loin de là. Il attendit qu'ils disparussent pour ordonner :

— Vas-y, 26 ! Fais-nous entrer là-dedans.

26 Service Secret s'approcha du portail et introduisit une fine tige dans le mécanisme de fermeture. Sous les yeux de ses complices, il se livra à une manipulation experte à l'issue de laquelle le battant tourna sur ses gonds. Il n'avait pas exagéré ses compétences ; effectivement, l'opération n'eût pas été plus rapide pour quiconque disposant de la clé. Les trois militaires se glissèrent à l'intérieur. 26 Service Secret referma et verrouilla le portail derrière eux.

23 Service Secret gravit l'escalier et dirigea un appareil vers la porte d'entrée. Ce dispositif de vision infrarouge lui révéla qu'il n'y avait personne dans la première pièce. D'un simple geste,

appuyé d'un regard entendu, il demanda à 26 Service Secret d'ouvrir. Ce dernier utilisa encore une fois la petite tige qu'il enfonça dans le mécanisme de verrouillage de la porte, mais ses efforts durèrent un peu plus longtemps. Ils furent cependant de nouveau couronnés de succès.

27 Service Secret était bien armée ; elle avait deux pistolets hypodermiques en main et trois autres dans ses poches. Tous les cinq étaient chargés et prêts à fonctionner. 23 Service Secret et 26 Service Secret en avaient chacun deux à la ceinture, mais ils ne les utiliseraient que pour seconder leur collaboratrice, uniquement en cas de besoin.

Ils se glissèrent furtivement à l'intérieur. La pièce était sombre, à peine éclairée par la très faible clarté venant d'une fenêtre et par un filet de lumière à peine visible qui filtrait sous une porte dans le mur opposé. Tous trois savaient que cette porte, ou une autre plus loin, risquait de s'ouvrir à tout moment et qu'il était impératif, par conséquent, de se tenir prêts à agir dans l'immédiat et avec le plus grand discernement. Il fallait veiller à ce que personne n'ait le temps de saisir un téléparleur, car cette opération devait rester secrète. Bien que ce fût totalement inutile de le dire, 237 Présidente l'avait répété à l'envi.

Ils traversèrent la pièce. 23 Service Secret poussa lentement la porte. Ils se retrouvèrent dans une grande salle éclairée par une unique ampoule. Équipée d'un bureau et de quelques meubles de rangement, elle était vide de toute présence. Elle communiquait avec un troisième local dans lequel ils découvrirent une cage inoccupée. Toujours personne. Ils poursuivirent leur chemin et arrivèrent dans une quatrième pièce. Encombrée d'appareils divers et variés, elle disposait d'une seule fenêtre laissant entrer une faible luminosité. Ils y virent un escalier sur la droite ; on entendait un peu de bruit en haut. Ils le gravirent lentement.

52. Le mâle poussa un grognement

— Doucement, ne les réveillons pas ! dit Biologie 237. Ne faisons pas de bruit.

C'était la quatrième fois que le vieux biologiste répétait cette recommandation.

— Je n'ai jamais été si silencieuse, répondit Biologie 455.

Les deux Ovoïdes transportaient un appareillage volumineux qui se présentait sous la forme d'un grand panneau carré. Ils le firent tenir horizontalement au-dessus des humains endormis, à l'aide de quatre tiges verticales disposées à chacun de ses angles. Sous le coussin géant, se trouvait déjà une autre plaque presque aussi grande. Cette installation terminée, Biologie 237 glissa silencieusement sur ses quatre-vingt-dix-huit jambes jusqu'au bureau sur lequel sa collaboratrice venait de poser un écran. Il s'empara du clavier sphérique et enfonça quelques touches. En déplaçant cet objet horizontalement et verticalement, il imprimait un mouvement analogue à un petit cercle lumineux dans le moniteur. Ce qui lui permettait d'agir sur des commandes. La machine disposant en plus d'une interface lumino-gestuelle, il conversait avec elle à l'aide de ses pédoncules de communication. Des images apparurent dans un rectangle qui occupait la moitié de la surface de l'écran. On reconnaissait les deux corps endormis. Après quelques manipulations diverses, les squelettes se montrèrent, puis on vit les organes. Le savant zooma çà et là pour observer plus en détail telle ou telle partie de l'anatomie des primates.

Biologie 455 le regardait faire, en jetant de temps à autre un coup d'œil affectueux aux humains enlacés dans leur sommeil. Leur attitude n'était pas sans lui rappeler celle des amoureux.

— Tu ne trouves pas qu'ils ont quelque chose d'ovoïde ?

— Un peu, oui, fit le savant en formant un pont avec ses pédoncules de communication. Je t'accorde que leur attitude, surtout celle qu'ils ont l'un envers l'autre, a quelque chose d'ovoïde. Gardons-nous pour autant de faire de l'ovoïmorphisme ! Comment lire un sentiment sur une créature totalement dépourvue d'organes destinés à exprimer les émotions ?

Absorbé par la manipulation de son « ordinateur », il avait répondu un peu distraitement. Soudain, ses deux antennes se tendirent vers le haut en devenant bleues sur leur extrémité, puis elles s'enroulèrent pour former deux anneaux. À la vue de la surprise du savant, la jeune laborantine regarda l'écran. Ses propres organes de communication exécutèrent alors les mêmes signaux lumino-gestuels.

Biologie 237 avait cadré l'image sur le crâne du mâle. Et l'intense stupeur des deux biologistes était due au fait qu'il y apparaissait la plus étrange des choses.

— Vois-tu ce que je vois dans le cerveau de cet animal ? l'interrogea le savant.

— Je pense le voir autant que toi, mais ne me demande pas ce que c'est, je n'ai jamais observé un pareil réseau de ramifications !

Biologie 237 augmenta fortement le grossissement et prit un cliché pour figer l'image :

— Regarde ! Ces arborescences deviennent si fines qu'elles s'adressent individuellement aux neurones.

— Il ne peut donc s'agir d'humains de luxe habillés par un excentrique dresseur de génie !

— Non. Cette découverte chasse totalement cette hypothèse.

— Car personne ne saurait faire ça ! N'est-ce pas ?

— Non, personne ne saurait faire ça, c'est certain ! Nous sommes bel et bien en présence d'une nouvelle espèce, s'extasia le scientifique.

— Une mutation ?

— Que dire ?... Je ne sais pas. De toute façon, tu connais ma théorie à ce sujet : à très long terme, nous sommes tous des mutants. Cela dit, je suis bien désemparé de découvrir un être si différent surgir ainsi dans notre monde, si rapidement. Un pareil changement n'aurait dû pouvoir se faire que par petites mutations successives sur un temps considérable.

— Bien sûr, je comprends. Voyons la femelle !

Le vieux biologiste tapota fiévreusement son clavier sphérique et le cerveau de l'humaine montra aussi ses profondeurs.

— Le même réseau de fibrilles ! s'exclama-t-il. Parfaitement identique ! Attends que je prenne quelques clichés à fort grossissement et... Voilà ! ... Regarde, c'est pareil. Je me demande quelle est la fonction de cette structure arborescente. S'agit-il de quelque chose qui seconde les synapses ? Il ne sera pas facile de percer ce mystère, mais nous sommes sur le point d'apprendre des choses passionnantes !

— C'est tout à fait extraordinaire ! Qu'allons-nous faire de cette découverte ? Devons-nous la diffuser ?

— Attendons que notre étude avance encore. On ne sait jamais ce qui pourrait se passer. On pourrait nous les enlever... Qui sait ?

— Tu as raison.

— Profitons de leur sommeil pour explorer le reste de leur organisme et prenons un grand nombre de clichés que nous considérerons à loisir durant leur éveil. Je t'avoue que j'hésiterai à avoir recours à des narcotiques dans le futur. Je ne voudrais pas que ces molécules présentent un danger inconnu de nous pour leur incroyable particularité.

Le scientifique enregistra maintes photos, sous différents grossissements et à différentes profondeurs, des cerveaux des deux humains. C'est à la suite de cela qu'il utilisa son appareil d'imagerie pour explorer les corps. Ils constatèrent de nouvelles choses curieuses. Des dents apparemment artificielles. De nombreux os de la femelle étaient selon toute vraisemblance métalliques. Le vieux biologiste dut avoir recours à un autre dispositif travaillant dans un différent spectre des ondes électromagnétiques pour savoir de quel métal il s'agissait.

— C'est du titane, dit-il, penseur. Du titane ! Est-il possible… que les tâtonnements de l'évolution aient fini par utiliser du titane pour fabriquer des endosquelettes ? De plus, un mystère supplémentaire s'ajoute : pourquoi cette extravagance de la nature ne concerne-t-elle que la femelle ?

À ce moment-là, le mâle poussa un grognement et bougea un peu.

— Ils vont se réveiller, semble-t-il, dit la jeune laborantine. Enregistre beaucoup de clichés avant qu'ils ne soient de nouveau conscients. Nous réfléchirons sur les images plus tard.

— Tu as raison !

Biologie 237 accéléra la prise des photos sur les corps en confiant à son appareil un balayage automatique.

***

— Que font donc ces deux pitres devant leur écran ? maugréa Bartol en s'éveillant. Regarde-les, en train de secouer leurs ridicules petits clignotants dans tous les sens !

Malgré sa visible mauvaise humeur, il eut quelques gestes tendres envers Cara qui se réveillait aussi. Il continua à s'en prendre aux deux Ovoïdes :

— Géantissimesquerie ! Ces grotesques guignols ont traîné une table idiote au-dessus de nous. Quand je te le disais qu'ils sont complètement démontés de la cervelle ! Quand je pense qu'Abir m'avait déconseillé de venir dans ce monde de malades, mais que j'ai insisté !

— Avec un entêtement qui l'a beaucoup étonné et qu'il a jugé intéressant à étudier, lui rappela Cara, en bâillant. J'espère de tout mon cœur qu'il en a tiré des enseignements, que nous n'avons pas fait tout ça pour rien !

— J'avoue que j'ai reçu une belle leçon que je ne suis pas près d'oublier.

— On verra… En attendant, j'aimerais savoir à quoi sert cette installation au-dessus de nous. S'il s'agit d'un appareil d'observation, souhaitons qu'il ne dégage rien de dangereux !

— Où sont passés les autres sinistres bestiaux et que manigancent ces deux cauchemardesquités-là ? Voilà deux questions qui resteront encore sans réponses, mais je n'en ai cure, géante géanture ! Partons ! Rentrons à la maison.

— Comment ça, partons ?

Bartol était déjà descendu du coussin géant. Il lui tendait la main :

— Oui, viens. Rentrons. J'en ai plus que marre de toutes ces antennes de limaces montées sur des mille-pattes psychopathes.

Elle le rejoignit et lui prit la main.

— Mille-pattes psychopathes, c'est drôle, mais je ne pense pas qu'ils vont pour autant nous laisser partir, tu sais. J'ai le sentiment qu'ils sont en train de nous étudier et que le sujet de leur expérimentation leur plaît beaucoup. Ils ne nous autoriseront pas à sortir d'ici.

— Qu'ils essaient de nous en empêcher ! Le premier qui se met sur notre chemin, je lui noue les deux yeux ensemble. Non ! Nous avons été assez patients. Il faut leur montrer que nous avons atteint la limite et que nous voulons nous en aller !

53. Une image folle qui se déformait

Plus dans le but d'exprimer sa mauvaise humeur que dans l'espoir réel de parvenir à ses fins, Bartol leva les bras et s'agrippa à la poignée sphérique de la porte pour tenter une fois encore de l'ouvrir, sous les regards des deux Ovoïdes qui les observaient derrière leur bureau. Retenant sa verve colérique eu égard à la présence de Cara, il s'acharna vigoureusement en tirant par à-coups hargneux. À sa propre surprise, à celle de Cara et même à celle des deux Ovoïdes, déjà étonnés de son comportement, le panneau pivota dès la quatrième secousse. Le Marsalè faillit tomber en arrière, tant il ne s'y attendait pas lui-même.

Il se retrouva devant un Ovoïde qui lui parut très grand et derrière lequel s'en tenait un autre qui était vraiment gigantesque. Le troisième, il l'entraperçut seulement avant de sentir sa conscience s'effilocher. Ses jambes s'amollirent. Tout devint une sorte de brouillard flou. Dans sa dernière pensée, il était confusément question du fait qu'il y avait des agresseurs et qu'il fallait protéger Cara.

Cara qui s'était approchée de lui durant son acharnement sur la poignée vit également un monstre de belle taille suivi par un géant. Mais, comme Bartol, elle s'enfonça dans un soudain sommeil.

Biologie 237 venait de constater que la porte s'ouvrait sans comprendre ce qui se passait. Comment Danseur avait-il pu ?... Il vit les deux humains perdre connaissance dans les bras d'un inconnu très grand. Deux autres Ovoïdes se montrèrent. Tous les trois avaient l'air de militaires. Leurs manières d'agir ne lais-saient aucun doute là-dessus. À moins qu'ils ne cherchassent à se faire passer pour tels ! Mais dans quel but ? Il n'eut pas le temps d'y réfléchir plus que ça, car il ne put rien faire pour garder la clarté de son esprit ; il sombra dans les limbes.

Quand Biologie 455 vit les trois inconnus surgir dans la pièce, elle porta sa main dans sa poche, sur son téléparleur pour appeler du secours, mais elle ne put terminer son geste. Tout parut se dissoudre dans le néant autour d'elle. Son dernier lambeau de pensée évoquait le fait qu'elle était victime d'un puissant narcotique et que quelqu'un venait pour s'emparer des deux animaux.

***

Le jour se levait. Le vieux biologiste se réveilla lentement, découvrant qu'il était sur un de ces coussins géants qui étaient pour les Ovoïdes aussi bien des lits que des canapés, selon l'usage du moment. Il se retourna, quelque peu péniblement, car on ne récupérait pas si facilement à son âge, et vit sa jeune col-laboratrice qui marchait dans la pièce allant de l'une à l'autre des deux fenêtres rectangulaires. Elle se tourna vers lui.

— Kidnappés par ceux d'en face ? demanda-t-il.

— Oui.

— Ils veulent les humains mutants ?

— Oui.

— Comment ont-ils su ?

— Nous avons eu tort d'oublier Métallurgie 2007.

— Qui est-ce celui-là ?

Le vieux savant avait toujours eu le plus grand mal à mémoriser les noms. Sans doute que les derniers effets du narcotique y sont aussi pour quelque chose, se dit-elle.

— Celui qui les avait capturés au magasin de Commerce 427, tu ne te souviens plus ? Il les avait attachés à un arbre dans le jardin de sa maison de campagne…

— Ah ! si, si… Mais, ce n'est tout de même pas lui qui…

— Il a traité avec eux. J'en sais un peu plus que toi parce que je me suis réveillé avant et que j'ai eu la visite de 237 Présidente.

— 237 Présidente !

— En personne !

— Diable ! … Que veulent-ils ? J'espère que tu n'as rien dit au sujet de ce que nous avons découvert sur ces animaux !

— Hélas ! fit-elle, en reprenant son va-et-vient d'une fenêtre à l'autre.

— Quoi, hélas ? s'inquiéta le scientifique.

— Ils savent tout.

— Mais enfin ! Comment est-ce possible ? Que veux-tu dire par « tout » ?

Il essaya de se lever avec difficulté. Elle vint le soutenir.

— Métallurgie 2007 a réussi à accrocher un capteur sur toi, lui révéla-t-elle.

Ici, la traduction emploie le mot capteur pour parler d'un appareil qui serait l'équivalent d'un microphone. La différence étant que le dispositif dont il s'agit en l'occurrence est sensible aux ondes électromagnétiques plutôt qu'aux ondes sonores. Ce qui lui permet par exemple de capter une conversation lumino-gestuelle.

Les pédoncules de communication du savant furent traversés par l'expression d'un grand abattement. Toutes ses jambes fléchirent et il se posa sur le sol. C'était un signe de harassement ou de désespérance chez ceux de son espèce.

— Est-ce possible ? murmura-t-il, vibrant d'émotion.

— Hélas, oui ! Ils ont suivi la majeure partie de nos conversations. C'est pour ça que je te disais qu'ils savent tout.

— Mais... Qui dit que ce n'est pas un mensonge ? Oui, un mensonge ! Une ruse pour nous faire parler.

— Ils m'ont passé quelques extraits les plus révélateurs de nos échanges. Après m'avoir convaincu que nous n'avions plus rien à leur cacher, ils m'ont dit qu'ils exigeaient toutes les images.

L'abattement du biologiste semblait déjà très grand, mais il parut encore s'aggraver.

— Où sont les humains ?

— Je ne le sais pas. Ils ne m'ont rien confié à ce sujet.

— Qu'attendent-ils de nous ? Pourquoi nous avoir capturés ? S'ils désiraient les photos, ils auraient très facilement pu se servir puisqu'ils étaient sur place ! Et puis, puisqu'ils savent, qu'est-ce qui les empêche d'en prendre eux-mêmes, des photos ? Ils doivent bien avoir des appareils d'imagerie, eux aussi !

— C'est vrai ! J'ai mon hypothèse. En ce qui te concerne, je suppose qu'ils aimeraient que tu continues à étudier ces animaux pour eux dans leurs locaux. Quant à moi, ils m'ont prise parce que j'étais là. Je peux toujours servir... Comme monnaie d'échange ou pour faire pression sur toi, si tu ne veux pas leur obéir.

Elle se tut un moment et confia :

— Je me demande ce que vont penser Eau et Écologie.

— Quelle catastrophe ! gémit le savant. Comment ne me suis-je pas rendu compte que j'avais ce capteur sur moi ? Pourquoi n'ai-je pas réclamé une protection à Président 234 ? J'imagine que nous n'avons aucun moyen de communiquer, bien sûr !

— Évidemment ! En tout cas, je n'ai plus mon téléparleur sur moi.

— Qu'allons-nous faire, à présent ?

— Le seul avantage de notre situation est que pour l'instant nous n'avons pas besoin de nous creuser l'esprit pour établir notre emploi du temps. J'imagine qu'il va nous être dicté d'un moment à l'autre !

***

Bartol se réveilla d'une humeur exécrable seul sur le plancher d'une cage. Il se leva comme soulevé par un puissant ressort et secoua un barreau avec la vigueur d'une crise de démence en hurlant de rage et en proférant une liste des pires épithètes de son dictionnaire personnel. Le bruit produit fut tel, qu'un Ovoïde finit par entrer dans la salle pour voir ce qui se passait. Se demandant si l'animal était en train de mourir, torturé par quelque maladie qui le brûlait de l'intérieur, il s'approcha de la cage. Mal lui en prit ! Bartol l'attrapa par un de ses pédoncules oculaires et tira dessus en le secouant dans tous les sens avec une force et une obstination qui dépassèrent même celle dont il avait fait preuve pour essayer d'arracher le barreau. Bien qu'il demeurât silencieux dans le domaine sonore, l'Ovoïde lâcha moult braillements et criaillements lumino-gestuels. Ces vagissements électromagnétiques atteignirent les sensibles organes de communication de ses congénères dans les pièces voisines. Se mêlant aux ondes acoustiques émises par les cordes vocales hystériques de Bartol, elles donnèrent l'alerte dans presque tout le bâtiment. L'Ovoïde tentait désespérément de reprendre le contrôle de la situation, mais le Marsalè était difficilement maîtrisable dans la cage, d'autant plus que l'œil tordu de tous côtés perturbait grandement le sens de la vision. Le propriétaire de l'organe mal traité ne voyait plus qu'une image folle qui se déformait et glissait aléatoirement dans toutes les directions et la douleur était, de plus, insoutenable.

54. Il ne me restera plus que la torture

Bien déterminé à ne lâcher l'organe de la vue sous aucun prétexte et quoiqu'il arrivât, Bartol le serrait dans ses mains à s'en rompre les tendons. Il n'avait plus vraiment conscience de ce qu'il faisait tant sa fureur était grande. Tirer le pédoncule oculaire le plus fort possible était en ce moment la seule chose qui comptait pour lui, on eût cru qu'il était né pour accomplir cette tâche. N'eût été l'intervention de trois Ovoïdes qui le maîtrisèrent, non sans mal, en passant leurs bras entre les barreaux, il eût sans aucun doute définitivement éborgné leur congénère.

Celui-ci n'était autre que 23 Service Secret, le redoutable chef des services secrets. Sa stature impressionnante et son haut niveau dans la pratique des techniques de combat les plus efficaces donnaient de lui l'image de quelqu'un que personne ne souhaiterait avoir pour adversaire. Cela l'avait en outre conduit à devenir un excellent meneur d'Ovoïdes. De mémoire de tous ses subordonnés, c'était bien la première fois qu'il se faisait ainsi humilier. Qui plus est non point par un combattant à sa mesure, mais par un petit animal de rien du tout ! Il en conçut par conséquent une grande amertume. Ses collaborateurs venaient de le libérer de l'humain enragé, mais la douleur qui irradiait de son pédoncule distendu était si lancinante et sa vue était encore si perturbée qu'il dut être accompagné à l'infirmerie, bien incapable qu'il était de se déplacer. Il avait toujours l'impression de voir en gros plan, juste devant son œil au supplice, cet humain qui se démenait comme un démon furibond, en se déformant au rythme des tractions et des douloureuses torsions qu'il infligeait à son organe.

*

— Votre humain vient d'estropier un de mes meilleurs Ovoïdes, dit 237 Présidente sur un ton de reproche très contrarié. Qu'avez-vous donc fait à cette bête pour qu'elle atteigne un tel niveau de dangerosité ? Projetiez-vous de créer des humains de guerre pour nous attaquer ? C'était là votre dernière trouvaille ? N'est-ce pas ? Avouez !

Les deux biologistes avaient été amenés dans le bureau de 237 Présidente. Sous la surveillance de deux gardes, qui se tenaient prêts à intervenir en cas d'agression, ce qui était peu probable, mais ainsi était le protocole de sécurité. Les scientifiques subissaient leur premier interrogatoire. Tous deux gardèrent le silence. Cette supposition était tellement absurde que, pour autant qu'ils le voulussent, ils n'eussent su que répondre. Ils étaient posés sur un tabouret cylindrique devant le bureau de la présidente qui marchait de long en large de l'autre côté du meuble en les questionnant avec l'air perspicace qu'elle essayait de se donner.

— Faites entrer 239 Biologie, dit-elle à l'adresse des gardes.

L'un d'eux ouvrit la porte, disparut à peine une seconde et revint avec un Ovoïde.

— Je vous présente notre biologiste, fit la présidente. Vous avez entendu son nom. Nous aussi, nous avons nos savants !

Elle désigna un tabouret qui était contre un mur.

— Prends place, dit-elle au savant en question.

Celui-ci obéit. Elle marqua un silence et observa ses deux prisonniers. Là encore, ces derniers ne surent que dire et se gardèrent d'émettre quelque commentaire que ce fût. Elle reprit :

— 239 Biologie a étudié les clichés que vous avez pris du système nerveux de ces animaux.

— Mais, s'exclama Biologie 237, s'exprimant pour la première fois dans ce bureau, je pensais qu'ils n'étaient pas en votre possession puisque vous les avez réclamés à ma collègue !

237 Présidente eut un vague sourire.

— Une manière de tester votre désir de collaborer. Quoi qu'il en soit, vous n'êtes guère en mesure de me demander des comptes sur notre comportement ! Je vous le rappelle. Vous, les scientifiques, il est important de vous remettre ce genre de choses à l'esprit, car on ne sait pas à quoi vous pensez, par moments !

Cette petite formule énoncée sur un ton quelque peu théâtral, elle s'adressa à celui qui venait d'être introduit :

— Explique à tes confrères d'en face ce que vous avez découvert grâce aux clichés, 239 Biologie. Et pose-leur des questions !

Le scientifique ouvrit une chemise et montra quelques images prises par Biologie 237 sur le cortex de l'humain.

— Qu'est-ce que cela ? demanda-t-il simplement. Comment avez-vous fait ça ?

— Nous n'avons rien fait du tout, répondit Biologie 237. Je ne peux pas dire ce que c'est, car nous étions en train de le découvrir et de l'étudier quand vos soldats sont venus nous kidnapper.

Les pédoncules de communication de la présidente exprimèrent un sourire sardonique. Elle ordonna aux deux gardes :

— Faites sortir ces deux-là et laissez-moi un moment avec 239 Biologie.

Ils obtempérèrent. Dès que la porte se fut refermée, elle dit au biologiste :

— Tu peux constater que tes confrères d'en face font beaucoup moins de manières que toi pour s'impliquer dans les intérêts des leurs. Le fait qu'ils ne veuillent pas parler te le prouve bien !

— Peut-être qu'ils sont sincères ! Peut-être qu'ils disent la vérité en prétendant qu'ils ne savent pas.

— Cesse d'être naïf comme un enfant ! Tu déclarais, il n'y a pas longtemps, que tu ne t'intéressais pas à la politique. Que tu n'as pas le temps de t'y intéresser plus exactement, parce que ton esprit est occupé par tes recherches, comme tu as aimé le préciser ! Mais regarde ! Tu vois bien qu'ils ont pris le parti d'en faire de la politique, eux, puisqu'ils nous dissimulent de l'information !

— Je ne sais pas…

— Moi, je sais ! Et je souhaite que tu sois un peu plus patriote. Pense que si tu veux avoir des moyens pour tes recherches, il serait bon qu'en retour tu rendes service à ta nation. Moi, si je me donne tant de mal à te convaincre c'est parce que c'est mon devoir d'essayer de tout faire pour savoir si quelque chose la menace, cette nation ! Je te demande donc d'être de notre côté et de les faire parler. Tu conviens toi-même que ce que ces animaux ont dans la tête est tout à fait anormal…

— …

— En conviens-tu ou pas ?

— Oui, j'en conviens, c'est certain !

— Alors… Expliques-tu par une simple coïncidence, le fait qu'un de ces deux animaux ait pu à lui tout seul terrasser mon Ovoïde le plus robuste ?

— J'avoue que c'est troublant.

— Ah ! tout de même !

— …

— Que se passerait-il si ceux d'en face envoyaient ici des hordes d'humains modifiés par je ne sais quelle technologie biologique pour nous attaquer ? Puisque tu te targues d'être un scientifique, dis-moi si ce scénario est envisageable. S'il a quelques probabilités de se produire ou si je suis complètement folle de le redouter.

— ...

— Réponds !

— Rationnellement, j'avoue que je ne peux pas être certain qu'il soit totalement improbable. Je l'admets.

— Dans ce cas, aide-moi à savoir ce qu'ils manigancent. Si tu n'arrives pas à les faire parler... Il ne me restera plus que la torture. Mais tu vois bien que je fais des efforts pour ne pas y recourir ! Si ce n'était pas le cas, tu ne serais pas là en ce moment à m'écouter pendant que j'essaie d'obtenir ta collaboration. N'est-ce pas ?

55. À plat ventre sur un des lapins géants

Cara était seule, en cage, dans une pièce voisine de celle où se trouvait Bartol. L'entendre hurler avait été une terrible épreuve pour elle. Au début, elle avait cru qu'on le torturait et que c'étaient ses cris de douleurs qui lui parvenaient. Mais le vocabulaire qui résonnait n'était ni celui de la douleur ni celui de la peur. À n'en pas douter, c'était plutôt celui de la rage. Cette constatation l'avait à moitié rassurée. À moitié seulement parce qu'elle craignait des représailles. Heureusement, s'était-elle dit, que ces créatures ne peuvent comprendre les mots qu'il leur adresse ! Il y avait eu du remue-ménage. Deux Ovoïdes étaient passés devant sa cage en traversant précipitamment la salle. Bien qu'ils eussent refermé la porte derrière eux, elle avait eu le temps d'entrapercevoir Bartol dans la pièce voisine. Constater que le Marsalè était plus l'agresseur que la victime l'eût certainement fait sourire, sans la peur que les créatures ne se vengeassent cruellement. Mais, les cris n'avaient pas changé de nature. Ils étaient restés ceux d'un Bartol déchaîné, en proie à une colère démente.

Puis, le calme s'était installé. Elle avait alors appelé plusieurs fois Bartol, mais n'avait obtenu aucune réponse.

À présent, ce silence qui s'éternisait lui causait une grande anxiété. Il lui paraissait de très mauvais augure et elle redoutait même une vengeance funeste. Pourquoi ? Mais pourquoi donc, cet homme était-il si têtu ? Abir Gandy le lui avait pourtant déconseillé !

***

Cara se remémora le moment où ils s'étaient introduits dans ce monde :

Dès que le prétendu gravipilote avait disparu, Bartol avait regardé le rectangle noir qui semblait être un trou dans son miroir mural. Un trou sans bords donnant sur le néant.

— Ne va pas là-dedans ! Je t'en prie ! avait supplié Cara.

— Ne t'inquiète pas, l'avait rassuré Bartol. Ne t'inquiète pas. Je fais seulement un aller-retour immédiat. Je te le jure ! Tu n'auras pas le temps de compter jusqu'à dix et je serai déjà de retour. De toute façon, je n'ai même pas de nucle. Je l'ai enlevé pour le changer, mais je n'ai pas encore remis le neuf, alors ! Il faut bien que je revienne, tu vois bien ! Et quoi qu'il en soit, je ne partirai pas sans toi ! Je serai là dans un instant.

Devant l'air peu rassuré de Cara, il l'avait embrassée avant d'ajouter :

— C'est promis, juste un aller-retour. Comme ça, je te dirai ce que j'ai vu et nous en parlerons tous les deux.

Sur ces derniers mots, qu'il voulait apaisants, il s'était approché de cette étrange ouverture et s'y était délibérément engagé, ne montrant pas plus d'hésitation que s'il eût été question d'entrer dans sa chambre. En une seconde, elle avait vu son corps disparaître, comme s'il eût pénétré dans une matière absolument opaque d'un noir absolu. Elle était restée un moment sans bouger en comptant à voix basse. Arrivée à dix, sa peur s'était muée en angoisse. Elle s'était approchée du trou dans le miroir. Même à quelques centimètres de distance on ne distinguait rien à l'intérieur. Machinalement, elle avait continué à compter. Quand elle avait réalisé qu'elle en était à cinquante, elle avait senti quelque chose serrer sa poitrine. Elle avait éteint la lumière dans la pièce avant d'essayer à nouveau de percer du regard les ténèbres du rectangle. Mais, l'ouverture n'avait rien révélé, pas la moindre forme, pas le plus léger reflet. Rien. Du noir, seulement du noir. Son angoisse avait grandi avec son attente, chaque seconde écoulée lui donnant l'impression de diminuer ses chances de revoir Bartol.

Alors, elle avait tendu un doigt timide vers le noir. Elle l'avait vivement retiré après avoir vu disparaître le début de la première phalange. Mais, les secondes continuaient à le séparer d'elle. En conséquence, elle avait, elle aussi, délibérément foncé dans cette étrange ouverture.

Elle s'était instantanément retrouvée dans une forêt, sous les feuillages d'un gros arbre ressemblant à un chêne trapu par sa forme générale. En se retournant, elle avait réalisé qu'elle venait de sortir de son tronc massif. D'une couleur très foncée, le rectangle noir s'y détachait à peine. Il y avait un petit étang non loin de là. Elle avait regardé autour d'elle, mais sans s'éloigner de cette porte fantastique qui, espérait-elle, devait normalement permettre de revenir immédiatement dans l'appartement de Bartol.

N'apercevant pas ce dernier aux alentours, elle l'avait appelé. Quatre fois quelque peu timidement, puis à pleins poumons. Comme il ne se manifestait ni à sa vue ni à son ouïe, elle avait enfoncé son visage dans l'ouverture du tronc. C'était ahurissant, mais sa tête s'était bien retrouvée chez le Marsalè. Rassurée, elle avait alors commencé à s'éloigner un peu du gros arbre en se concentrant toutefois pour conserver sa direction en mémoire afin d'être capable d'y retourner aussi vite que possible en cas de danger. Un peu irritée contre Bartol, il faut bien le reconnaître, elle avait exploré les environs en appelant, se disant qu'il avait un côté exaspérant. N'avait-il pas promis qu'elle n'aurait même pas le temps de compter jusqu'à dix ! Au bout de cinq ou six minutes de prospection des alentours, elle avait décidé de revenir sur ses pas, pensant que ce serait trop stupide qu'il rentrât pendant qu'elle était là et qu'il se mît à la chercher à son tour.

C'est alors que des animaux effrayants l'avaient soudainement entourée. Elle ne les avait pas vus arriver, pas entendus approcher. Ils ressemblaient à des lynx, mais ils avaient des écailles bleues en guise de pelage. Feulant et montrant leurs dents, ils étaient au moins cent à resserrer leur cercle autour d'elle. Impossible de fuir ! Elle avait cru vivre les derniers instants de son existence. Ils étaient si nombreux ! si terrifiants ! si menaçants ! Il y avait là de quoi être dévorée cent fois ! Elle avait hurlé à plusieurs reprises « Bartol ! ». Pour une raison inconnue, les animaux n'attaquaient pas, mais elle imaginait déjà sa chair lacérée et mordue.

Très peu de temps après, des Ovoïdes étaient arrivés chevauchant leur énorme lapin blanc sans oreilles, mais avec de grandes cornes. L'un d'eux était descendu de sa monture et s'était approché de Cara, les félins s'écartant sur son passage. C'était la première fois qu'elle voyait une de ces créatures. Elle avait eu si peur, elle l'avait trouvée si repoussante qu'en comparaison les félins à écailles n'étaient plus que de gros chats mal élevés !

La créature l'avait touchée plusieurs fois. Ou plutôt, elle avait touché sa veste et sa jupe avec des gestes d'une fulgurante promptitude. Elle avait senti le contact, mais avait à peine eu le temps de voir le membre se tendre et se détendre. Son cœur avait battu sans doute plus fort qu'il n'avait jamais battu. Ces choses ont-elles dévoré Bartol ? s'était-elle demandé. Une deuxième créature s'était approchée d'elle. Comme la première, elle avait palpé ses vêtements, toujours avec une rapidité stupéfiante. Celle-ci avait même touché ses cheveux. Cara en avait ressenti un dégoût si grand que, si la peur n'avait pas pris le dessus, elle eût sans le moindre doute éprouvé des nausées. Au bout d'un moment, les deux monstres s'étaient un peu éloignés. Ils avaient agité leurs tiges lumineuses qui avaient clignoté de toutes les couleurs. Ensuite, l'une d'elles était revenue la voir avec quelque chose qui ressemblait à un rouleau de corde. Avant qu'elle n'eût le temps de comprendre ce qu'on s'apprêtait à lui faire, elle s'était retrouvée attachée à plat ventre sur un des lapins géants.

***

Elle sursauta. Deux Ovoïdes inconnus approchaient. L'un d'eux ouvrit la cage et lui passa un collier autour du cou. Comme d'habitude, le geste fut accompli avec une telle rapidité qu'elle n'eut pas le temps d'amorcer le moindre mouvement pour l'éviter. La tenant au bout de cette laisse, ils lui firent traverser deux pièces avant d'entrer dans une grande salle où se trouvait Bartol. Les deux Ovoïdes se retirèrent laissant les deux humains seuls.

Les bras grands ouverts, il se précipita vers elle et l'enlaça.

— Cara, ma chérie ! lui dit-il avec effusion. Comme je regrette de t'avoir entraînée dans cette histoire de fou ! Et comme je suis touché et reconnaissant que tu te sois mise en danger pour me rejoindre.

Gardant le silence, elle ne répondit qu'à son étreinte. De toute façon, elle était trop émue pour savoir comment lui dire que ce moment dans ses bras valait bien d'affronter les pires monstres de l'Univers. Et que par conséquent, elle n'avait pas l'intention de se laisser impressionner par de gros chats écailleux et quelques Ovoïdes. La tendresse qu'il lui manifesta la rassura. Il ne portait plus le bracelet qu'elle lui avait offert, mais peut-être le gardait-il dans une poche !

56. Une attaque contre vous !

239 Biologie regardait les humains avec un air quelque peu inquiet. Vu ce que le mâle avait fait à 23 Service Secret, il avait toutes les raisons de le considérer comme dangereux. Il n'avait pour le moment rien à craindre puisqu'il les observait à travers la vitre blindée que l'on venait d'installer sur sa demande entre la pièce des humains et son local d'étude. Il avait réclamé cet aménagement sur les recommandations de son confrère d'en face, Biologie 237, qui prétendait qu'il serait plus facile d'obtenir quelque chose de ces animaux sans les mettre en cage.

— Vous avez bien vu que le mâle ne supporte pas les barreaux ! avait dit le vieux scientifique.

237 Présidente était prête à satisfaire les caprices du savant d'en face pourvu qu'il collabore et que des résultats fussent récoltés.

239 Biologie, Biologie 237 et Biologie 455 étaient tous les trois assis devant cette vitre blindée près d'un bureau sur lequel était posé un écran affichant des signes d'écriture ovoïde et un clavier sphérique. Les trois biologistes venaient à peine de s'installer à ce poste d'observation. Un silence gêné régnait depuis un moment entre eux. Sachant bien que c'était à lui de le faire, 239 Biologie se résolut à le rompre :

— Biologie 237, lumino-gesticula-t-il, je dois te dire que je suis bien ennuyé de te voir pour la première fois en une telle circonstance… et heu…

— Nous sommes tous les deux des scientifiques, 239 Biologie, répondit le vieux savant. Je devine que tu dois avoir des pressions politiques qui te pèsent. Jouons cartes sur table ! Dis-moi directement et sans retenue ce qui te pose un problème. Nous le résoudrons rationnellement, comme n'importe quelle difficulté soluble par la raison. La politique, pour toi comme pour moi, ce n'est rien d'autre qu'une sorte de pénible démangeaison qui risque de nous déconcentrer. Faisons ce qu'il faut pour nous en débarrasser et ensuite unissons nos esprits pour essayer de comprendre cette fantastique énigme scientifique. Je t'écoute. Dis-moi ce qu'on t'a demandé d'obtenir de nous.

Les pédoncules de communication de 239 Biologie exprimèrent de la reconnaissance et de l'estime pour son vieux confrère.

— Ton intelligence m'est d'un grand secours, confia-t-il. En fait, je suis chargé de vérifier si ce qui est dans le système nerveux de ces animaux est une arme. En voyant ce que le mâle a fait à son Ovoïde le plus robuste, 237 Présidente pense que vous avez probablement mis au point un implant qui augmente considérablement l'agressivité des humains. Elle estime que quelques centaines de ces bêtes ainsi modifiées lâchées contre nous pourraient causer d'horribles dégâts dans nos rangs.

— Et toi, qu'en penses-tu ?

239 Biologie passa sa main ouverte sur une des radiographies du cerveau de Bartol pour l'examiner de près avec l'œil de sa paume.

— J'avoue que j'ai du mal à me prononcer, cette chose est si étrange !

— Vois-tu ces ramifications d'une finesse subcellulaires ?

— Oui ! C'est proprement incroyable !

— Je ne te le fais pas dire ! Comment pourrions-nous être capables d'atteindre une telle prouesse ?

— C'est bien ce que je pense. C'est tout à fait impossible à fabriquer ! Mais, comment en être certain ? je ne sais pas ! Peut-être possédez-vous une technologie qui...

— C'est une hypothèse qui te vient à l'esprit. Bien ! Mais je te pose une question. À supposer que nous ayons le savoir-faire nous permettant de réaliser ce prodige, crois-tu que dans ce cas nous aurions besoin de vous attaquer avec des humains modifiés, pour vous vaincre, si tant est que notre intention soit de vous nuire ? Ne penses-tu pas qu'une telle habileté technologique nous aurait donné les moyens de créer des armes autrement plus efficaces ?

— Si, bien sûr ! Tu as raison... Tout cela est ridicule, en effet ! Je me sens même stupide d'y avoir songé ! Mais alors, serait-ce à dire que ce n'est pas vous qui avez fait cela ?

— Ce n'est pas nous, non. Nous étions simplement en train de le découvrir et de l'étudier quand nous avons été capturés.

— J'en suis désolé. Je ne suis pas responsable de ce que fait mon gouvernement.

— Je sais. Je sais. Je suppose que nous devons être écoutés en ce moment même.

239 Biologie eut une lumino-gesticulation un peu embarrassée :

— Si nous sommes écoutés, on ne m'a rien dit.

— Je veux bien te croire, mais je suis sûr que 237 Présidente doit faire tout ce qu'elle peut pour garantir la sécurité de son territoire et elle a bien raison. Aussi, vais-je montrer mon intention de collaborer en révélant spontanément, à toi, mais également à ceux qui nous entendent, une information que vous ne connaissez pas du tout et que j'aurais pu conséquemment garder par-devers moi.

Le vieux biologiste marqua un temps d'arrêt. Les antennes de 239 Biologie exprimèrent surprise et attention.

— Ce que je vais dire va sembler incroyable, reprit le savant, mais nous sommes entre scientifiques, j'espère que tu me feras confiance !

239 Biologie parut encore plus étonné et concentré.

— Regarde ces animaux à travers la vitre, poursuit Biologie 237. Regarde comment ils se comportent sur le plan affectif. As-tu déjà vu des humains se témoigner de l'attachement de cette manière ?

239 Biologie observa Bartol et Cara qui se serraient dans les bras, s'embrassaient et se faisaient de tendres caresses.

— Non, dit-il. Je n'ai jamais vu des humains agir ainsi. Mais je n'ai jamais vu des humains habillés de la sorte, non plus. Et encore moins des humains avec une telle étrange chose dans le cerveau.

— Et bien, si je t'affirmais qu'en plus de tout cela, un des deux m'a prouvé qu'il connaissait le théorème des proportions du triangle rectangle !

239 Biologie afficha une mine ne montrant que de l'incrédulité.

— Oui, intervint Biologie 455. C'est vrai. J'en témoigne.

Biologie 237 décrivit en détail le dessin que Bartol avait fait, mais 239 Biologie gardait une expression interdite et dubitative.

— Qu'on me rende mon téléparleur ! s'écria Biologie 455. J'ai photographié le dessin de Danseur.

— Danseur ? s'étonna 239 Biologie.

— C'est ainsi que ma collaboratrice a appelé le mâle, expliqua le vieux savant.

À peine finissait-il sa phrase qu'un Ovoïde entra et tendit le téléparleur de Biologie 455 à sa propriétaire. Biologie 237 regarda son collègue avec un petit air ironique dans les pédoncules de communication qui voulait visiblement dire : « Quand je disais que nous étions écoutés ! ».

Celui qui venait d'entrer n'en fit même pas mystère puisqu'il déclara :

— 237 Présidente souhaite vous faire savoir qu'elle aimerait voir le dessin, elle aussi.

— Qu'elle vienne, répondit Biologie 455, en montrant la photo.

— Quoi qu'il en soit, ajouta Biologie 237, rien ne vous prouvera que ce dessin a bien été réalisé par l'humain. Nous pourrions tenter de le faire recommencer devant vous. Mais, il y a une chose plus extraordinaire encore ! C'est que ces animaux ont développé un langage que nous étions en train d'essayer de décoder. Un langage non pas lumino-gestuel, mais sonore.

— Sonore !? fit 239 Biologie. Comment ça, sonore ?

— Comment ça, sonore ? s'étonna en écho 237 Présidente en entrant.

— Ils utilisent la modulation des ondes acoustiques comme support de communication, précisa le vieux biologiste.

— Vous tentez de gagner du temps en cherchant à nous faire avaler n'importe quoi ! N'est-ce pas ? dit durement la présidente.

— Je peux vous prouver ce que j'avance rapidement, si vous voulez bien aller prendre mes enregistrements sonores dans mon laboratoire, affirma Biologie 237.

237 Présidente regarda fixement le savant :

— J'espère qu'il ne s'agit pas d'une nouvelle manœuvre pour nous faire perdre du temps pendant que vos semblables préparent une attaque contre nous !

— Une attaque contre vous ! Avec des humains soi-disant modifiés ! Mais 237 Présidente, n'avez-vous pas été sensible à mon argumentation ? Puisque vous nous avez écoutés.

—Je vais prendre le risque de vous croire. Donnez-nous les moyens de trouver ces enregistrements sonores le plus vite possible et nous vous les apporterons.

57. La présidente n'a pas l'air commode

— Alors ? demanda Président 234. Ce sont eux, n'est-ce pas ?

Sécurité 127 détacha son regard de l'écran sur lequel le président et lui venaient de visionner les films des caméras de surveillance.

— Oui, ce sont eux. Je reconnais parfaitement le colosse, là. C'est 23 Service Secret. Celui-ci, là, c'est 26 Service Secret, un spécialiste des explosifs et des serrureries. J'ai vu des photos de ces types.

— J'ai bien fait de faire installer ces appareils de surveillance, sur ton conseil, reconnut Président 234.

— Sans ces images, nous n'aurions eu aucune preuve. Quand l'humain a été volé chez Biologie 455, je me suis dit que mieux valait garder l'œil ouvert.

— Penses-tu que ce soit la même équipe qui a fait le coup chez elle ?

— C'est probable ! Il faut croire que l'animal leur a échappé la première fois et qu'ils ont été obligés de sévir une seconde fois.

— Peu importe que ce soit eux ou pas chez Biologie 455. Ce qu'ils ont fait ici est plus que suffisant pour que je déclare le seuil d'alerte maximum. Je vais sur-le-champ demander réparation immédiate à...

Il s'interrompit pour saluer Eau 631 et Écologie 98 qui venaient d'entrer.

— Des nouvelles ? demanda le premier.

Président 234 leur adressa une lumino-gesticulation embarrassée empreinte de condoléances.

— Oui, mais de mauvaises nouvelles, hélas ! leur avoua-t-il. Ils ont été kidnappés par ceux d'en face.

— Biologie kidnappée ! s'écria Eau 631. Qu'allons-nous faire ? Vous allez faire quelque chose, n'est-ce pas ?

— J'étais justement en train de dire que je vais sur-le-champ demander réparation immédiate à 237 Présidente. C'est-à-dire que je la somme de libérer Biologie 455 et Biologie 237 et de nous rendre les bêtes.

— Mais, si elle n'obtempère pas ?

— Je vais à l'instant, avant même d'appeler 237 Présidente, demander à mes services secrets de préparer un commando de libération et à l'armée de se tenir prête à un affrontement total.

— Je veux faire partie du commando, lumino-gesticula Eau 631 avec une véhémence qui les surprit tous.

— Nous verrons plus tard, jeune Ovoïde ! Nous verrons plus tard ! Je vous tiendrai au courant de tout ce qui se passe. À présent, je dois vous laisser afin de prendre les dispositions qui s'imposent.

Eau 631, Écologie 98 et Sécurité 127 regardèrent leur président s'éloigner sur ses cent onze jambes pressées.

***

27 Service Secret, 26 Service Secret et 39 Service Secret observaient discrètement l'entrée du laboratoire de biologie, depuis un petit jardin public situé à moins de cent mètres.

— Regardez, murmura cette dernière, Président 234 sort.

— Laissons-le s'éloigner, puis tu iras voir ce qui se passe, dit 26 Service Secret.

Tout était convenu d'avance, aussi 39 Service Secret savait que c'était à elle qu'il s'adressait. Cette mission de reconnaissance lui revenait parce qu'elle était une des plus récentes recrues du service. Ce qui diminuait les chances qu'elle fût identifiée en cas d'éventuelles présences de membre du service de sécurité ou du service secret adverse.

— Maintenant ! dit son chef.

Elle se dirigea vers le laboratoire d'un pas moyen, ni hésitant, ni trop pressé. Après le départ de Président 234, le portail était encore ouvert. Elle entra sans ralentir son allure. On lui avait fait étudier un plan des lieux qu'elle avait en tête. Elle monta le court escalier. La porte était fermée. Au moment où elle s'apprêtait à sonner, elle s'ouvrit toute seule pour laisser sortir trois personnes. Elle reconnut Sécurité 127, qu'on lui avait montré sur des photos, mais elle ne connaissait pas les deux autres, une Ovoïde et un Ovoïde. Ce dernier semblait au désespoir. Elle se dit qu'il était probablement le fiancé de cette biologiste que son gouvernement retenait prisonnière. La jeune Ovoïde était visiblement affligée, elle aussi. Sans doute la sœur, pensa-t-elle.

— Bonjour ! lança-t-elle, faisant mine de ne pas remarquer la préoccupation et le désarroi si lisibles sur leurs pédoncules de communication. Je souhaite voir le professeur Biologie 237. Savez-vous s'il est présent ?

— Bonjour ! Que lui voulez-vous ? demanda Sécurité 127.

Elle nota qu'il l'interrogeait plus machinalement que suspicieusement. Il ne manquait plus qu'à appliquer le plan à la lettre : en cas de question, se faire passer pour une personne un peu simplette, sans importance.

— Je voudrais lui parler d'un étrange champignon que j'ai vu. Normalement, ce n'est qu'à lui que je devrais discuter de ça ! J'ai entendu dire qu'il était très compétent en la matière ! Je me demande comment il le consommerait lui, ce champignon-là.

Tout en parlant, elle s'était reculée pour les laisser passer.

— Le professeur n'est pas là en ce moment, répondit Sécurité 127. Revenez un autre jour.

— Laissez-moi entrer. Je l'attendrai à l'intérieur.

— Ce n'est pas possible, affirma Sécurité 127. Revenez, vous dis-je.

Les deux autres étaient déjà en train de s'éloigner.

— Bien ! Je repasserai demain, alors.

— Essayez plus tard, beaucoup plus tard. Le professeur est en voyage !

— Bon, c'est entendu, céda-t-elle.

Elle partit et fit un détour pour rejoindre ses complices. Quand elle les retrouva, il n'y avait plus personne devant le laboratoire.

— Je crois qu'il n'y a plus personne, dit-elle. Mais ils sont sûrement sur le pied de guerre.

— Ça ne va pas tarder à barder, dit 27 Service Secret. La guerre n'est sans doute pas loin ! Que pouvons-nous y faire ?! Nous, nous avons un boulot à faire. Les ordres sont les ordres ! Allons-y ! Passe devant, 26 ! C'est à ton tour d'agir. Tu en as l'habitude à présent, tu les connais déjà ces serrures !

— Oui, ces portes finiront par s'attacher à moi à force de me voir, plaisanta-t-elle.

***

La confiance de 239 Biologie leur semblait déjà acquise, mais Biologie 237 et Biologie 455 étaient encore en train d'essayer de convaincre 237 Présidente de leur bonne foi quand 27 Service Secret arriva sur le pas de la porte.

— J'apporte les enregistrements demandés, Présidente, dit-il.

— Merci, 27 Service Secret. Donne-les à Biologie 237.

L'agent secret s'exécuta.

— Qu'y a-t-il ? s'enquit la présidente en voyant son Ovoïde hésiter.

— Nous avons pu constater qu'ils sont au courant, Madame.

— Bien sûr qu'ils sont au courant ! répondit-elle de mauvaise humeur. Ça, je ne risque pas de l'oublier !

27 Service Secret préféra se retirer sans chercher plus que ça à connaître les raisons de la tension qui régnait dans ce bureau. En sortant, il rencontra son chef en convalescence pour accident du travail. Son œil droit entièrement enveloppé dans un bandage, il faisait peine à voir.

— Alors, chef ? demanda 27 Service Secret. Comment te sens-tu ? Ça va mieux ?

— À peine, à peine. Je ne sais pas si je reverrai un jour normalement. Je crains que cette bête hystérique m'ait définitivement éborgné. Et toi ? Cette dernière mission ? Je crois comprendre que tu t'en es parfaitement acquitté sans moi !

— C'est parce que nous connaissions déjà les lieux. Mais dismoi, la présidente n'a pas l'air commode. Que s'est-il passé durant notre courte absence pour qu'elle soit dans cet état ?

— Ah, tu n'es pas au courant !

— Non !

— Le ton est monté entre les deux présidents. Et... C'est la guerre, mon vieux ! La guerre ! La guerre est ouvertement déclarée. Notre armée est déjà sur les berges du canal. Sur l'autre rive, les soldats de ceux d'en face risquent de traverser d'un moment à l'autre.

— Nooooon !...

— Si !

58. Il redouta un de ces actes de violence

La porte s'ouvrit. Trois Ovoïdes entrèrent. Deux d'entre eux portaient de longues et robustes tiges de bois. À la manière dont elles étaient tenues, on devinait aisément que ces objets étaient destinés à garder Bartol à distance. Depuis que ce dernier avait malmené 23 Service Secret, une méfiance exacerbée régnait. Le troisième Ovoïde était 26 Service Secret ; il ne portait rien. Il s'approcha de la table qu'on avait récemment amenée là et constata que les humains n'avaient pas touché à la gamelle de nourriture qu'on leur avait proposée.

Celles qui étaient équipées d'un bâton de défense n'étaient autres que 39 Service Secret et 27 Service Secret. 237 Présidente faisait tout son possible pour réduire le nombre de personnes au courant de l'existence de ces animaux chargés de mystère. Que ces derniers fussent des moyens offensifs créés par l'ennemi ou d'exceptionnels produits de l'évolution, mieux valait garder secret le lieu où ils se trouvaient.

Les deux porteuses de bâton ne quittaient pas les humains des yeux. Particulièrement concentrées sur Bartol, elles pointaient leur arme dans sa direction, autant pour l'intimider que pour être prêtes à le repousser.

— Ces bestiaux ne bouffent rien, dit 26 Service Secret.

Ses deux collaboratrices lumino-gesticulèrent en même temps :

— On s'en fout ! sortons d'ici.

— Oui, partons, approuva leur chef. Ces animaux curieusement habillés ne m'inspirent aucune confiance.

— Ces espèces de guignols me menacent, ou je rêve ? maugréa Bartol.

— Ne t'énerve pas, le calma Cara. Je pense plutôt qu'ils se méfient de toi.

— Oui ben… Si c'est le cas, ils font bien !

— Tiens, regarde ! C'est Doc qui arrive, avec heu…

— Ah, oui, fit Bartol. Il n'y a qu'à l'appeler Bobine, celui-là.

— Bobine ! Oui, ça lui va bien.

C'est ainsi qu'ils baptisèrent Biologie 455 à leur manière. Ce nom fut choisi à cause du motif à rayures horizontales de son bandeau-vêtement qui semblait un long fils entouré plusieurs fois autour d'elle.

— Vous pouvez nous laisser, dit le vieux savant. Je vous avais prévenu qu'ils ne mangeraient pas.

— Peut-être, répondit 26 Service Secret, mais j'ai mes ordres. 237 Présidente voulait vérifier.

— À présent que vous l'avez fait, ce serait une bonne idée que vous sortiez. Je crains que votre attitude menaçante ne facilite pas mon travail.

— C'est ce que nous nous apprêtions à faire, de toute façon. Mais nous ne sommes pas menaçants, nous tenons simplement à nous protéger.

Cara et Bartol regardèrent les trois Ovoïdes inconnus se retirer et les deux qui leur étaient familiers rester, sans comprendre ce qui se passait. Ils étaient dans une salle de quelque quinze mètres sur vingt qui disposait de trois fenêtres rectangulaires d'un seul côté. Près du mur opposé, on leur avait installé le désormais traditionnel coussin géant. Pas loin de la porte, on voyait une large vitre épaisse derrière laquelle on les observait. Le sol était un carrelage de bois lisse et clair dont le sens des fibres de chaque carré était croisé. Les murs et le plafond étaient vert pâle.

Bartol posa son bras droit sur les épaules de Cara. Ils étaient tous les deux au centre de la pièce, se demandant ce qu'on leur préparait, car il semblait évident que quelque chose de nouveau allait se produire.

Doc et Bobine s'approchèrent d'eux calmement. Avec des mouvements ralentis, Doc tendit une feuille blanche et un fin cylindre rouge à Bartol. Le Terrien prit les deux objets sans hésiter. Cet Ovoïde ne lui inspirait pas de méfiance. Celui-ci manipula un appareil noir que Bartol reconnut. Sa voix avait été enregistrée à l'aide de cette chose. « Triangle rectangle », l'entendit-on articuler.

— D'accord, dit-il. Je vais te faire un beau triangle. Je suppose que tu veux montrer qui nous sommes à ces ahuris ! J'ai l'impression que tu n'es pas très copain avec eux. Viens, utilisons la table ! Pourquoi dessiner par terre ?

Bartol marcha jusqu'au meuble et posa la feuille et l'objet de traçage. Pour faire de la place, il prit le récipient de nourriture et le laissa sur le sol, devant la porte.

— Cette pitance sent à me moisir le nez, dit-il en revenant. Je n'en mangerais pas même à la limite de l'inanition.

Biologie 237 se plaça de l'autre côté de la table, de manière à ce qu'il pût en même temps voir Bartol et la vitre blindée derrière laquelle 239 Biologie et 237 Présidente ne perdaient rien de la scène. Il leur adressa une lumino-gesticulation :

— Je viens de lui faire entendre son propre cri qui, je pense, veut dire triangle rectangle, ou au moins tout simplement triangle. Vous pouvez constater qu'il a spontanément choisi de travailler sur la table et qu'il se met à tracer quelque chose. À ce stade, même s'il ne faisait qu'un gribouillage, ce serait déjà un exploit. A-t-on ailleurs vu un humain dessiner ?!

— Ces espèces de myriapodes ovoïdes me testent, murmura Bartol à l'adresse de Cara qui ne put retenir un sourire malgré la situation peu réjouissante. Je vais leur refaire le coup du théorème de Pythagore, je crois que Doc et Bobine avaient apprécié.

L'instrument de traçage produisait un trait noir, épais et dense. Il s'appliqua à recommencer son évocation du célèbre théorème du célèbre Terrien. Quand il eut terminé, Biologie 237 souleva la feuille pour montrer son travail aux observateurs.

— Regarde-moi ces godelureaux ! commenta Bartol. Ils n'en reviennent pas !

Cara lui décocha un sourire.

— Hé, Bobine ! Donne-moi une autre feuille, dit-il en tendant la main vers le paquet que l'Ovoïde tenait.

Biologie 455 dut comprendre son geste, car elle posa une nouvelle feuille sur la table.

Biologie 237 était sur le point d'utiliser son appareil d'enregistrement pour demander au sujet de son expérience de réaliser un cercle, mais la surprise stoppa son geste. L'humain prenait l'initiative de ce qui allait suivre. Après avoir réclamé une nouvelle feuille, il dessina un triangle équilatéral, un carré, un pentagone et un hexagone. Il les nomma à haute voix plusieurs fois en les montrant du doigt pendant que Biologie 455 filmait avec son téléparleur. Quand il eut terminé, il tendit son œuvre à Biologie 237, prit une nouvelle feuille dans le tas que Biologie 455 avait posé sur la table et fit une chose imprévue et incompréhensible. Le vieux savant regarda l'humain l'attraper par un bras et le tirer. Dans un premier temps, il redouta un de ces actes de violence qui avait peut-être valu un œil à un des Ovoïdes de 237 Présidente, mais il constata vite que la traction était ferme, mais modérée. L'animal désirait apparemment le faire avancer. Il se mit donc à le suivre. L'humain le conduisit de la sorte jusque devant la porte. Il partit ensuite chercher Biologie 455 pour l'entraîner, elle aussi, au même endroit. Ceci fait, il tendit le bras vers la porte.

— Allez ! Allez ! Sortez ! s'écria Bartol. Allez montrer mes œuvres à vos congénères ! Laissez-nous tranquilles un moment !

Les deux Ovoïdes obéirent. Le Marsalè remarqua que les deux individus armés de bâtons étaient derrière la porte pour le dissuader de s'esquiver par la même occasion.

— Je ne sais pas comment tu fais pour les toucher ! dit Cara, avec une petite grimace de dégoût. Ces deux-là ne semblent pas méchants, mais j'éprouve tout de même une certaine répulsion à l'idée du contact. Avec leurs drôles de mains, là ! Avec un œil en plein au milieu, breueeeeee !

Bartol sourit sans répondre. Penché sur la table, il se remit à dessiner.

— Que fais-tu ? voulut-elle savoir.

— Une dernière œuvre pour leur faire une petite surprise.

— Mais ! J'ai l'impression qu'il vous a tout simplement virés ! s'étonna 237 Présidente.

— Personnellement, j'en ai beaucoup plus que l'impression, répondit le vieux biologiste.

— Et moi, j'en ai la certitude, ajouta Biologie 455. Il nous a plus ou moins poliment priés de sortir.

Ils regardèrent les humains à travers la vitre.

— En tout cas, nous sommes convaincus que vous disiez la vérité au sujet de leur capacité à dessiner, reconnut 239 Biologie. Tout du moins le mâle. C'est tout à fait extraordinaire !

— C'est vrai, convint la présidente. Vos dires à ce sujet sont vérifiés. Reste à nous prouver que ce ne sont pas vos créations destinées à nous attaquer... Mais ? ... Que dessine-t-il encore ? Regardez-le, il dessine quelque chose. Savez-vous ce que c'est ?

— Non, je n'en ai pas la moindre idée, avoua Biologie 237.

59. Que cette conversation reste entre nous !

237 Présidente scruta la rive opposée. Il faisait nuit, mais on la distinguait clairement grâce à l'éclairage artificiel de ceux d'en face. Leurs soldats étaient tous là, alignés le long de la berge. Ils ne faisaient rien pour se cacher.

Dire que Président 234 est peut-être parmi eux, en ce moment, lui aussi en train de regarder vers nous ? pensa-t-elle.

Elle s'arracha machinalement une vieille jambe et la jeta dans le canal. 127 Armée était à côté d'elle. L'attitude du militaire était interrogative. C'était le plus haut gradé. Le chef de toutes les forces armées. Elle lui avait ordonné de rassembler tous ses Ovoïdes devant le canal sans lui donner la moindre explication.

— As-tu remarqué des humains ? lui demanda-t-elle.

— Des humains ?

— Oui. Des humains.

— C'est-à-dire ? Combien ? Où ? Quand ?

— Tu as indirectement répondu, 127. Si tu avais vu un très grand nombre d'humains sur la rive opposée, il y a peu, tu n'aurais pas répondu à ma question par ces autres questions.

— ... ?

— Mes propos doivent te sembler bien sibyllins ! Excuse-moi. Je ne peux pas t'en dire plus pour le moment. Demande à tes Ovoïdes d'ouvrir l'œil à ce sujet. Et toi aussi, fais-en de même. Si vous voyez un nombre d'humains anormalement élevé, préviens-moi tout de suite. S'ils font mine de traverser le canal... je parle toujours des humains... feu à volonté ! Fais en sorte qu'aucun n'arrive chez nous. Je compte sur toi. Et n'oublie pas de m'avertir dès que tu remarques un nombre anormal d'humains !

— Bien, 237 Présidente ! Mais un nombre anormal d'humains, ça en fait combien ?

— Plus d'un ou deux… enfin… Disons à partir de trois.

Sur ces paroles surprenantes, la présidente disparut, laissant son chef d'armée plus que perplexe.

Il s'adressa à ses trois subordonnés :

— 129, 133, 135, faites savoir à tout le monde qu'il faut regarder s'ils ont des humains en face. Si quelqu'un voit un nombre anormal de ces bêtes, qu'on vienne immédiatement me le dire !

— C'est combien, un nombre anormal, chef ? s'enquit 129 Armée.

— À partir de trois.

***

239 Biologie venait d'entrer dans le bureau de la présidente.

— Ces humains ne sont pas des machines de guerre biologique, affirma-t-il. Je pense que Biologie 237 et sa consœur Biologie 455 disent la vérité.

Elle resta silencieuse. Que pouvait-elle répondre ? Elle regarda par la fenêtre. Les premières lueurs du jour révélaient le paysage. Ses yeux las balayèrent encore une fois la berge opposée du canal. Les soldats ennemis étaient encore là, mais on ne voyait toujours pas d'humains suspects. Elle était fatiguée. 127 Armée l'avait appelée deux fois durant la nuit pour lui signaler la présence d'humains. Elle s'était précipitée sur place pour constater qu'il ne s'agissait en définitive que d'animaux ordinaires qui traînaient parmi les troupes adverses, comme il y en avait pour tenir compagnie à ses propres soldats. Elle avait dû demander à n'être dérangée que dans le cas où on verrait des humains suspects. Comme il fallait s'y attendre, 127 Armée lui avait demandé comment on reconnaissait un humain suspect. Elle lui avait montré des photos des deux spécimens que 239 Biologie avait la charge d'étudier.

— De toute évidence, il s'agit d'une espèce mutante, poursuivait le scientifique. C'est une découverte majeure qui fera date, c'est certain.

— D'accord, en résumé, une espèce peu commune d'humains a été découverte. Ces animaux sont capables de dessiner des formes géométriques et d'éborgner 23 Service Secret. Nous avons kidnappé deux biologistes chez ceux d'en face parce que nous soupçonnions ces derniers de fomenter je ne sais quoi.

— Je n'ai soupçonné personne, moi, protesta timidement 239 Biologie.

237 Présidente fit mine de ne pas entendre. C'était une lourde tâche d'avoir à charge la défense d'une nation. Une lourde tâche qui n'était payée que par de l'ingratitude. À supposer que ces animaux eussent véritablement été des armes dangereuses, nul ne l'aurait remerciée d'avoir pris toutes les précautions pour déjouer l'attaque de l'adversaire. S'il se confirmait qu'ils n'étaient nullement des œuvres militaires de l'ennemi, on penserait d'elle qu'elle n'était qu'une paranoïaque et une alarmiste. Quoiqu'il en fût, elle savait qu'elle n'avait aucune reconnaissance à attendre, mais il eût été plus facile pour elle de justifier l'enlèvement des deux scientifiques, si les bêtes avaient représenté une réelle menace de ceux d'en face. Il semblait que ce n'était pas le cas. Elle n'allait pas jusqu'à le regretter, mais la perspective de répondre aux reproches des mouvements pacifistes de son propre camp l'ennuyait déjà.

239 Biologie continuait à parler, mais elle n'avait pas fait attention à ses propos. Il lui montra une feuille en la posant sur le bureau. La surprise se lut sur ses pédoncules de communication :

— Qui a fait ça ?

— C'est le mâle.

— Quoi ! Tu ne vas pas prétendre que...

— Si ! C'est ce que je te disais à l'instant, 237 Présidente. Il ne réalise pas que des formes géométriques.

L'étonnement de la présidente ne faiblit pas. Sur le dessin, on voyait la vitre blindée derrière laquelle elle pouvait aisément se reconnaître à côté de 239 Biologie.

— Il nous a représenté tous les deux derrière la fenêtre d'observation ? voulut-elle qu'il confirme, tant la chose lui paraissait inconcevable.

— Comme tu viens de t'en apercevoir, 237 Présidente ! Comme tu viens de t'en apercevoir...

— Mais... comment est-ce possible ? Avec ses mains d'humain ! Je n'aurais vraiment pas cru que ce soit imaginable !

— C'est une grande découverte. Certes, leurs organes de préhension sont beaucoup moins évolués que les nôtres ! Ils n'ont que cinq doigts malhabiles, dont un seul est opposable aux quatre autres. Leurs paumes ne disposent même pas d'un œil. Ils ne peuvent donc contrôler leur travail qu'à l'aide du sens du toucher et de leurs yeux extérieurs aux mains, mais pourtant... Regarde ce que celui-ci a fait !

237 Présidente prit la feuille et l'observa de près en disant :

— Tout à fait confondant ! ... Et la femelle ?

— Il n'y a aucune raison pour qu'elle n'ait pas les mêmes capacités. Elle est visiblement de la même race.

Il retourna la feuille et ajouta :

— Vois, elle a dessiné le mâle avec une étonnante habileté.

— En effet ! On le reconnaît. C'est proprement incroyable !

— Inouï !

— Aimerais-tu continuer à étudier ces animaux ? demanda-t-elle.

— Bien sûr !

— Je te pose la question parce que Biologie 237 et Biologie 455 sont actuellement nos prisonniers. Il va falloir que je règle ce problème avec ceux d'en face. En d'autres termes que je négocie avec Président 234. Nous ne pouvons pas garder ces deux biologistes contre leur gré indéfiniment. Les troupes adverses sont prêtes à intervenir. Si nous rendons les deux scientifiques, ils réclameront également les deux humains.

— Je sais. Que faire ?

— Négocier, comme je te le disais.

— Je ne vois pas trop comment... que pouvons-nous proposer en échange, puisque tous les torts sont de notre côté ?

— Peut-être pas tous... fit la présidente.

— Pas tous ?...

Elle lui rendit les dessins en répondant :

— Je me demande comment c'est possible, mais j'avais momentanément oublié un point très important de cette affaire. J'ai mon idée. Va rejoindre tes confrères d'en face pour continuer à étudier ces phénomènes. Essaye de faire en sorte que... comment dire...

— ... ?

— Tâche d'engranger plus de connaissances qu'eux. Tu vois ce que je veux dire ?

— ... Non... Que... ?

— Fais ce que tu peux pour que la découverte reste de notre côté. Dissimule-leur les informations les plus importantes. Je ne sais pas moi, ne me regarde pas comme un ahuri ! Prête-leur du matériel moins performant que celui que tu utilises toi-même, par exemple ! Mets en pratique ce genre de manœuvres afin que le mérite scientifique demeure chez nous, tout en donnant l'impression que nous avons généreusement collaboré. J'espère que je peux compter un peu sur ton patriotisme, tout de même !

— Euh... Je verrais ce que je peux faire...

— Bien. Je te fais confiance... Et que cette conversation reste entre nous ! Je dois partir un moment, à présent.

***

Il faisait tout à fait jour quand 237 Présidente arriva chez 312 Histoire. Celui-ci la reçut avec les égards dus à une haute dignitaire :

— Bonjour, 237 Présidente ! Que me vaut l'honneur de...

— Bonjour ! Épargne-moi tes paroles de politesse et dis-moi si tu reconnais l'humain qui a séjourné un moment chez toi, répondit-elle en lui montrant une photo sur son téléparleur.

60. Je n'ai perdu que deux ou trois jambes

312 Histoire était affirmatif. Sa fille, 543 Médecine, et son fils, 762 Jardinage, étaient également catégoriques. C'était bien l'humain qu'ils avaient trouvé une nuit près du canal et qu'ils avaient ramené chez eux. Ils étaient tous dans le jardin, à côté de l'arbre autour duquel la laisse avait été attachée. La présidente se fit une nouvelle fois raconter les détails de cette soirée.

— L'animal n'a pas essayé de vous arracher un œil ? s'enquit-elle.

Seuls des pédoncules de communication surpris lui répondirent.

— Oui, précisa-t-elle, n'a-t-il pas essayé d'attraper l'œil de l'un d'entre vous pour tirer dessus, le tordre ou le mordre ? Ne s'est-il pas montré agressif ?

— Il n'a rien fait de la sorte, affirma 543 Médecine. Pour ce qui est de l'agressivité, il a seulement jeté une pierre dans les jambes de mon frère. Nous étions étonnés. C'était la première fois que nous voyions un humain agir ainsi. Mais ce geste n'a eu aucune grave conséquence.

— Je n'ai perdu que deux ou trois jambes, confirma 762 Jardinage.

— Tout à l'heure, vous me disiez que selon vous il venait probablement de l'autre côté. Qu'est-ce qui vous a donné cette conviction ? Était-il mouillé ?

— Oui. Ses vêtements et ses cheveux étaient trempés, répondit 762 Jardinage, sans oser faire remarquer qu'il l'avait déjà précisé. Je m'en souviens bien. C'est moi qui l'ai vu le premier.

237 Présidente nota que la jeune Ovoïde semblait s'être un peu attachée à sa découverte.

— Pourquoi donnes-tu tant d'importance à cette bête, 237 Présidente ? s'étonna le père.

Elle ignora la question, pour demander :

— Est-ce que ça vous ferait plaisir de le revoir ?

— Oh, oui ! s'écria la fille.

Tandis que son frère manifestait un intérêt modéré, le père n'en montra pas du tout. Il s'arracha une vieille jambe pour la jeter dans les broussailles qui entouraient le jardin et dit :

— Si ça fait plaisir aux enfants ! J'avoue que personnellement, je n'ai pas compris comment Médecine pouvait s'attacher à un animal aussi laid !

La présidente prit soudain un air grave.

— Quoi qu'il en soit, répondit-elle. Je vais vous demander quelque chose pour des raisons patriotiques.

Le ton solennel autant que les paroles surprirent.

— Oui, poursuivit-elle après avoir marqué un temps d'arrêt afin de donner de l'importance à son propos. Je vais vous demander de passer sous silence le fait qu'il venait probablement de traverser le canal. Disons que vous l'avez inexplicablement trouvé dans votre jardin. Il avait faim. Vous l'avez nourri… C'est tout.

Cela dit, elle les regarda tous un à un. Sur cette interrogation muette, ils répondirent tous qu'ils étaient d'accord.

— C'est bien. Il y a peu de chances que l'on vous questionne, mais si cela venait à se produire…

— Mais 391 Vétérinaire est au courant, fit remarquer 312 Histoire.

— Il y a encore moins de probabilités que quelqu'un en parle avec lui. Autre chose, la nuit où l'on est venu vous voler l'humain, il y a eu des violences.

— Non. Il n'y a eu aucune violence, assura 312 Histoire, croyant qu'il s'agissait d'une question.

— Si ! rétorqua la présidente, en durcissant un peu le ton lumino-gestuel. Il y en a eu. Ta fille a été assez gravement bousculée et même blessée. Souviens-toi ! Et toi aussi, 543 Médecine ! Souviens-toi que tu as été violemment bousculée et que tu as été blessée. Toi de même, 762 Jardinage ! Tu as essayé de défendre ta sœur, mais ils étaient trop nombreux, tu n'as rien pu faire !

Tous comprirent où elle voulait en venir. Ils acquiescèrent.

— Bien ! fit-elle alors. Il faudra tout de même vous mettre d'accord pour faire le récit de la même histoire, si jamais vous étiez obligés de la raconter.

— Ils opinèrent des pédoncules de communication.

— Sinon, dit la présidente, maintenant que cela est réglé, j'aimerais savoir…

Des attitudes attentives lui firent face.

— Vous allez très certainement trouver ma question étrange, reprit-elle, mais a-t-il essayé de… comment dire ?

Les attitudes devinrent franchement interrogatives. Elle se décida :

— A-t-il tenté de dessiner quelque chose ?

Réalisant sans peine que personne n'avait compris la question, tant inconcevable elle était au sujet d'un humain, elle conclut :

— N'en parlons plus ! Mais, n'allez pas me prendre pour une folle, s'il vous plaît ! Dites-vous que si je vous ai si étrangement interrogé, c'est parce que j'ai mes raisons.

La présidente s'éloigna, laissant toute la famille perplexe.

***

Au moment même où 237 Présidente arriva chez elle, son téléparleur fixe clignotait. Les tiges de communication de l'appareil répétaient « Président 234 ». Elle prit le temps de « s'asseoir » devant son bureau et de se composer l'humeur la plus sereine qu'elle put avant de toucher le bouton pour établir le dialogue.

— Bonjour, Président 234 ! lança-t-elle, ses pédoncules de communication exprimant le ton le plus désinvolte qu'elle pût prendre. Que puis-je pour toi ?

Les tiges de l'appareil s'agitèrent et clignotèrent en retour :

— Je te somme de me rendre les deux biologistes et les deux humains sur-le-champ, ou je donne l'ordre à mes forces de venir les chercher tout de suite. Tu seras responsable de cette guerre et de toutes les morts qu'elle entraînera. Tu es prévenue que je n'attendrai plus. À l'issue de cette dernière conversation, le sort de ce conflit sera réglé par la diplomatie ou par le sang ! Nous sommes en ce moment même en train d'écrire l'Histoire. Pour épargner des vies à nos deux camps, je ne consentirai qu'à une seule chose : oublier votre kidnapping et votre violation de territoire à la condition que tu nous rendes immédiatement ce que vous nous avez volé.

237 Présidente avait bien conscience d'écrire l'Histoire. Remplie de l'importance de ce rôle, elle souhaitait ardemment éviter que son nom fût lié un jour à un massacre. Mais d'autres considérations levaient le doigt pour s'exprimer dans les recoins plus ou moins conscients de son esprit. Son père ne l'avait jamais aimée, jamais appréciée. Il avait toujours préféré son fils à sa fille. Même aujourd'hui, alors qu'elle était présidente, il

s'efforçait de ternir sa réussite en prétendant qu'elle devait son ascension sociale plus à son opportunisme qu'à ses réelles qualités. Quant à son frère, il n'en disait pas grand-chose. Les privilèges que lui apportait la préférence paternelle étaient bons à prendre. Pourquoi aurait-il ouvertement combattu cet état de fait qui l'avait toujours arrangé ? 237 Présidente voulait marquer sa présidence par un événement important et positif qui lui accordât enfin l'estime de son père. Une guerre n'était pas une bonne chose, mais avoir contribué à une grande découverte scientifique en était une. Il importait donc d'éviter la première sans perdre le mérite de la seconde. Et pour cela, il fallait jouer fin et serré.

— Président 234, dit-elle, j'ai bien entendu ta position. Je comprends ton indignation. En tout cas, je conçois que tu puisses la trouver légitime dans la mesure où tu oublies une information capitale pour juger de la situation.

— Quelle information ?

— Il se trouve que si de notre côté nous pouvons effectivement être accusés de violation de territoire et de kidnapping, il est important de mentionner que nous avons nous-mêmes été victimes d'une violation de notre propre territoire et du vol avec violence de quelque chose qui nous appartient.

— Je ne vois pas de quoi tu parles !

— Je m'étais déjà plainte d'une intrusion dans une de nos propriétés, précisément chez 312 Histoire. Je t'avais demandé des excuses publiques ainsi que la restitution de l'humain que vous avez volé ce jour-là. Aucune suite n'a été donnée à ma plainte. Il se trouve qu'en reprenant cet animal nous avons repris notre bien.

— Mais ce… Ce n'est qu'une bête ! Alors que tu as fait kidnapper deux personnes chez moi !

— Sans doute ! Sans doute ! Mais, je tenais à te signaler que vous n'êtes pas non plus au-dessus de tout reproche. Les enfants de 312 Histoire ont été violemment bousculés et ils ont été gravement blessés.

— Mais… qu'est-ce que c'est que cette histoire ? répondirent les tiges de communication du téléparleur. Pourquoi ne m'en as-tu pas parlé avant ?

— Je ne t'en ai pas parlé avant parce que tu restais sourd à mes plaintes ! Et puis, il ne manquerait plus qu'une chose, c'est que ce soit moi qui me fasse morigéner, en plus !

61. Subir le sort de 23 Service Secret !

Les trois biologistes et 117 Ingénierie regardaient la machine de traduction qu'ils étaient en train de mettre au point. Elle était encore très rudimentaire, mais elle fonctionnait. Il lui manquait pour l'heure beaucoup de vocabulaire, mais le principe avait fait ses preuves. Tandis que l'enregistreur acoustique reproduisait les prononciations des humains près de son capteur sonore, ses tiges de communication lumino-articulaient les concepts équivalents.

Le verbe lumino-articuler étant employé plutôt que lumino-gesticuler parce que, contrairement aux pédoncules de communication des Ovoïdes, les tiges de communication étaient immobiles ; elles ne pouvaient conséquemment pas plus reproduire les expressions de mouvement des pédoncules de communication qu'un haut-parleur ne pouvait reproduire les expressions faciales humaines.

À l'inverse, quand un des Ovoïdes s'exprimait devant la caméra du traducteur, celle-ci diffusait les vibrations de l'air du langage humain correspondant.

Cette prouesse technique devait beaucoup à l'extrême compétence de 117 Ingénierie. Elle avait travaillé avec un très grand enthousiasme. L'idée de communiquer avec des animaux intelligents l'avait passionnée. Alors qu'elle procédait encore à des essais, 239 Biologie entraîna Biologie 237 à l'écart pour lui dire :

— Je suis un peu gêné de te demander ça, mais 237 Présidente aimerait que... Tu sais comment sont les politiques ! ...

Enfin, bref ! Elle voudrait que le mérite scientifique de cette découverte nous revienne.

— Oui, je vois de quoi tu parles. Je suis certain que ce serait pareil de mon côté avec Président 234.

— Merci de ta compréhension. Alors, à l'occasion, si tu pouvais prendre le temps de te plaindre à elle en lui disant que tu as l'intuition que je te dissimule des informations... Tu me rendrais service. Elle sera contente, moi aussi et tout ira bien.

Le vieux savant fit se toucher l'extrémité de ses deux pédoncules de communication et assura :

— Tu peux compter sur moi. Je lui ferais part de ma profonde frustration.

C'est ainsi que, tandis que les intrigues politiques suivaient leur cours, les complicités se renforçaient dans l'équipe scientifique et technique.

— Je viens d'engranger tout le vocabulaire que vous avez acquis dans notre traducteur, dit 117 Ingénierie en s'adressant à Biologie 237 et à Biologie 455. J'ai hâte de procéder aux premiers essais. Ma machine n'est pas ce qu'il y a de plus facile à transporter, j'en conviens, mais je m'occuperai de cet aspect pratique plus tard. En attendant, il nous faudra la déplacer en portant la table sur laquelle elle étale tous ses organes.

Un train de compliments fut livré par les trois scientifiques pour répondre à cette autocritique.

***

— Penses-tu que ces créatures sont sexuées ? demanda Cara.

— Je n'en ai pas la moindre idée, fit Bartol en tapant avec ses doigts repliés sur la vitre d'une fenêtre. Je n'ai rien vu qui ressemble de près ou de loin à un sexe sur ces mecdules. Pas plus que sur les œufs !

Il ricana.

— Oui, tu es très drôle, mon chéri ! Mais pourquoi tapes-tu sur cette vitre ? Ne me dis pas que tu testes sa solidité parce que tu projettes de te jeter par la fenêtre ! Je suis certaine que, comme toute chose dans l'Univers, la résistance de ton crâne a des limites !

Bartol afficha un air mi-penaud, mi-coupable qui fut un aveu manifeste.

— Mais enfin ! Tu ne peux pas sauter de cette hauteur, essaya-t-elle de le raisonner. Je t'en prie, sois patient ! Je sens que les choses vont s'arranger. Grâce à nos dessins, ils ont compris que nous ne sommes pas comme les autres humains de leur monde. Ils vont changer leur comportement. Je le sais. Laisse-leur encore un peu de temps.

— Un peu, alors, fit-il bougon. Un peu… Ensuite, le prochain que j'attrape, je lui …

Il s'interrompit, car la porte venait de s'ouvrir, livrant passage à quatre Ovoïdes.

Il y avait Doc, Bobine et Timide. Cara avait baptisé ainsi celui qui était tout le temps avec les deux premiers depuis qu'ils étaient dans ces lieux. Elle lui avait donné ce nom, parce qu'il se tenait toujours à distance, semblant particulièrement se méfier de Bartol. Le Marsalè avait émis l'idée qu'il était là pour surveiller Doc et Bobine étant donné que selon toutes vraisemblances ces derniers avaient également été kidnappés. Cette hypothèse, très crédible, leur avait fait paraître Doc et Bobine beaucoup plus sympathiques, car ils auraient en commun d'être les prisonniers de la même bande de délinquants, comme disait Bartol.

Mais, un quatrième Ovoïde, un nouveau, qu'ils n'avaient pour l'heure qu'entraperçu une fois ou deux à travers la vitre blindée, était aussi entré. Il aidait Timide à porter une table chargée d'appareils reliés entre eux par des fils.

Bartol tourna le dos à la fenêtre pour les regarder faire. Cara lui souffla :

— Alors, on est d'accord, n'est-ce pas ? Tu n'éborgnes personne pour l'instant.

— D'accord, assura le Marsalè.

Timide et le nouveau posèrent leur chargement au milieu de la pièce. Le premier recula, comme à son habitude. L'autre resta en compagnie de Doc et Bobine pour manipuler les dispositifs sur la table.

— Que font ces pitres encore ? maugréa Bartol. Ce nouveau a une tête qui ne me dit rien de bon. Enfin, quand je dis une tête, tu me comprends, hein !

— Moi, je n'ai pas d'a priori contre lui, assura Cara. Je trouve que la couleur de son habit est magnifique. Il a beaucoup de goût.

La large ceinture du nouveau était dorée, marbrée de veinures rouges et marron.

— N'empêche que je n'aime pas ces préparatifs ! se crut obligé de grogner Bartol, comme s'il eût été de la plus haute importance pour lui de conserver sa mauvaise humeur.

Doc se plaça devant la chose que le Terrien jugeait suspecte et se mit à lumino-gesticuler. Aussitôt, les voix de Cara et de Bartol articulèrent des mots. On entendit tantôt l'une, tantôt l'autre. Il n'y avait aucune suite logique dans ce qui était dit : « Triangle rectangle » avait commencé la voix de Bartol, « Chaussure » avait suivi celle de Cara, « Mur, plafond, fenêtre » avait semblé rétorquer le Marsalè, « Œil, nez, bouche, cheveux, habit » répondait à présent la voix de Cara. Cette énumération de mots se poursuivit quatre ou cinq minutes. Puis, l'étrange appareillage redevint silencieux dès que Doc pressa un bouton.

— Cet incroyable énergumène de Doc a mis au point un traducteur ! hurla Bartol, passant instantanément de l'humeur la plus sombre à un enthousiasme exultant.

— C'est ce que je constate aussi et je partage ta joie, mais ne crie pas si fort, mon chéri. Tu impressionnes Timide. Regarde !

Timide s'était en effet approché de la porte, probablement prêt à battre en retraite. Les trois autres Ovoïdes avaient l'air perplexe, autant que Cara et Bartol pouvaient en juger, car ils avaient tous les deux fini par apprendre à lire quelques-unes de leurs attitudes.

— Quelque chose s'est mal passé ! disait 239 Biologie près de la porte et sur le point de s'enfuir. Nous avons mis cette bête dans une rage folle. Je ne tiens pas à subir le sort de 23 Service Secret !

— Il semble en effet que nous n'ayons pas obtenu le résultat espéré, reconnut Biologie 237. Mais n'aie pas peur ! Il ne te fera rien. Je dois toutefois admettre que ces hurlements sont inattendus, mais je ne pense pas qu'il soit vraiment en colère. Peut-être un peu... qui sait ?

— N'est-ce pas parce qu'il croit que nous lui avons volé, comment dire... son moyen d'expression sonore ? s'enquit 117 Ingénierie.

— Je me le demande, avoua Biologie 455. Je réalise que nous avons beaucoup à apprendre sur la psychologie de ces animaux. C'est vrai que ces cris sont impressionnants. Le mâle ne semble pas apprécier notre traducteur !

62. Je l'ai appris des antennes mêmes de 237 Présidente !

Président 234 marchait de long en large dans son bureau. Il était dans l'embarras ; il était indécis. Son vieux camarade, Biologie 237, n'était pas là pour le conseiller. Et pour cause ! Le sujet même de la décision qu'il avait à prendre concernait justement le fait que ce dernier avait été kidnappé par ceux d'en face. Personnellement, Président 234 n'avait rien contre ces gens-là, en général. Mais parmi ceux qui lui avaient confié la plus haute fonction, certains les abhorraient, certains ne les aimaient pas, certains ne les appréciaient guère, certains ne ressentaient rien de particulier à leur sujet. Et puis, principalement parmi les plus jeunes, il y avait aussi un courant pacifique qui prêchait l'égalité et la fraternité. Ce parti de tolérance s'était souvent et parfois violemment affronté avec l'autre extrême, celui de la haine. Ceux de ce bord s'étaient regroupés sous le nom : « Les Défenseurs Nationalistes ».

Président 234 voulait faire le bon choix. Le bon choix pour lui était celui qui ferait le plus de contents. C'était la marche à suivre pour se maintenir au pouvoir. Devait-il faire la guerre ou suivre une voie diplomatique proposée par 237 Présidente ?

Que ceux du camp de la haine vinssent à apprendre qu'il avait négocié !... Ils le ressentiraient comme la pire des humiliations et ne le lui pardonneraient jamais. Ils étaient loin de représenter la majorité, mais ils étaient si actifs, mus par leur phobie !

Déclarer une guerre pour libérer deux scientifiques ! Beaucoup hurleraient leur incompréhension de voir gaspiller tant de ressources et des vies pour ça. Ah ! pour peu que ceux d'en face eussent kidnappé un seul joueur vedette du sport populaire, le multiraquettes, le choix eût été facile ! La majorité l'eût poussé à faire la guerre. Mais il ne s'agissait pas de délivrer un de ces héros à qui la nation doit tant !

Président 234 ne savait que faire. Il avait espéré impressionner celle qui gouvernait en face en envoyant ses troupes sur la berge du canal, mais au lieu de ça elle lui avait signalé ce regrettable incident qui pouvait se retourner contre lui. S'ils venaient à l'apprendre, les pacifistes ne manqueraient pas de hurler partout que nous avons déclenché une guerre à tort en blessant une jeune Ovoïde étrangère pour lui voler son animal.

Le témoin de son interparleur s'alluma sur son bureau. Il pressa le bouton pour établir la liaison. Les tiges de l'appareil s'agitèrent en clignotant :

— Eau 631 désire vous parler, lumino-gesticula son secrétaire.

— Fais-le entrer, répondit-il.

Il coupa la communication et ajusta son bandeau-vêtement en velours bleu sombre devant le grand miroir fixé au mur à côté de la porte.

Dès que sa première jambe toucha le sol du bureau du président, Eau 631 dit d'un ton plus que décidé :

— Je vais sur place pour demander leur libération à 237 Présidente.

— Mais... tenta de répondre Président 234.

— Je ne peux pas me résoudre à rester là inactif, à attendre qu'elle rende la liberté à ma compagne !

— Mais...

— Je ne serai pas seul ! Écologie 982, la sœur de Biologie 455 désire m'accompagner. J'ai essayé de l'en dissuader, mais elle n'a rien voulu entendre. C'est ma sœur, me dit-elle. Que puis-je répondre ?…

— Euh…

— Du coup, son compagnon souhaite se joindre à nous. Il refuse de la laisser y aller sans sa protection.

— Oui, ben…

— Plus nous attendons, plus nous perdons… euh… du temps.

— Oui, ça, c'est indiscutable. Mais, je voudrais te demander… Le compagnon en question… Comment s'appelle-t-il déjà ?

— 501 Mathématiques.

Le président posa un regard pesant sur son vis-à-vis.

— Quoi ? répondit ce dernier. Tu ne vas pas me dire que ça pose un problème ? Je ne te pensais pas raciste.

— Je ne le suis pas.

— Alors que signifie le regard que tu m'adresses à l'écoute de son nom ?

— Il signifie que je m'interroge au sujet d'un événement louche à son sujet.

— Lequel ?

— Ne serait-ce pas lui qui t'a aidé à récupérer l'humain chez ceux d'en face ? Dans la propriété d'un certain 312 Histoire, plus précisément ?

Eau 631 parut embarrassé par la question.

— Est-ce important ? fini-t-il par demander.

— Très !

— Pourquoi donc ?

— Parce que 237 Présidente nous accuse d'avoir sauvagement attaqué la famille de 312 Histoire. On dit que vous avez gravement blessé ses enfants ainsi que lui-même.

— Mais...

— Ils ont failli succomber à leurs blessures, paraît-il !

— Mais...

— Tu comprendras que dans ces conditions, je ne te recommande pas d'aller jouer les héros libérateurs là-bas !

— Mais...

— Encore moins de te compromettre en présence de ton futur beau-frère. Il est peut-être considéré comme un traître chez lui, de l'autre côté.

— Euh...

— En voulant sauver Biologie 455, ta belle compagne, tu risquerais au contraire de la mettre en danger.

— Mais enfin ! Je te jure que nous n'avons jamais attaqué qui que ce soit !

— En es-tu sûr ? Sûr et certain ?

— Bien sûr !

— Raconte-moi comment les choses se sont passées exactement, selon toi.

— Hé bien... En fait, moi j'attendais sur leur berge. 501 Mathématiques a récupéré l'humain tout seul dans le jardin. Il est arrivé en courant en portant l'animal dans les bras. Ce n'est qu'à ce moment-là que je l'ai aidé.

— Tu n'étais donc pas avec lui lors de la récupération proprement dite ?

— Non, mais...

— Tu ne peux alors pas être au fait de ce qui s'est exactement passé chez ces gens ?

— Non, mais… je sais que ce que m'a raconté 501 Mathématiques est vrai. Je lui fais parfaitement confiance !

— C'est ton choix… C'est ton choix… Mais encore une petite question.

— Oui ?

— Il était blessé, n'est-ce pas ? Il me semble qu'il avait quelque chose à l'œil.

— Oui. En effet. C'est cet animal qui lui avait attrapé l'œil et qui…

— Ah bon ! Tu crois vraiment qu'un humain aurait pu faire ça ?

— Oui. Cet humain-là oui, en tout cas. Il est un peu spécial, tu sais ! Et puis d'ailleurs, 501 Mathématiques n'est pas le seul à avoir fait les frais de ce traitement. Métallurgie 2007 a eu un problème identique.

— Bon ! Si tu le dis !

— …

— Quoi qu'il en soit, je ne peux pas t'empêcher d'agir. Tu le feras même si je m'y oppose, n'est-ce pas ?

— …

— Je te conseille donc d'accepter mon aide. Prenez avec vous Sécurité 127. Il a toute ma confiance. C'est un professionnel. Il pourra vous être utile.

Eau 631 parut hésiter.

— Qu'est-ce que tu as ? lui demanda le président. Mon offre ne semble pas t'enthousiasmer !

— Ce qui me préoccupe n'a aucun rapport avec ton offre. Je voudrais savoir d'où tu tiens les informations selon lesquelles il y aurait eu des violences envers la famille de 312 Histoire ?

— Je l'ai appris des antennes mêmes de 237 Présidente !

— …

— Troublant, n'est-ce pas ?

— Elle a peut-être menti ! …

— Peut-être. Mais tout le monde peut mentir ou dissimuler la vérité.

— Oui, bien sûr.

— Alors, veux-tu un coup de main de Sécurité 127, oui ou non ?

— Mais en quoi nous sera-t-il utile ? Je n'ai pas l'intention de monter un commando d'exfiltration ! Nous souhaitons seulement rencontrer 237 Présidente pour lui demander de vive voix de les libérer. C'est tout !

— Bien sûr, j'ai compris ! Mais vous traverserez un territoire hostile. Je te conseille son assistance. C'est plus prudent.

— D'accord. Mais qu'il soit vite prêt, car nous partons dès la tombée de la nuit. Qu'il se rende chez moi sans attendre.

C'est sur ces derniers mots qu'Eau 631 sortit.

Président 234 était assez satisfait. Il n'y avait pas lieu de se réjouir outre mesure, l'affaire était loin d'être réglée, mais Eau 631 lui avait donné une idée. Parmi les options disponibles, il n'avait pas une seule fois eu la présence d'esprit de penser à un commando. Il appela Sécurité 127 et, en un mot, lui expliqua ce qu'il attendait de lui, à savoir accompagner Eau 631 et ses deux compagnons et lui rapporter tout ce qui se passait. Ensuite, il fit venir Service Secret 24 dans son bureau et lui tint ces propos :

— Service Secret, lui dit-il, prépare-toi à partir sur-le-champ avec tes Ovoïdes les plus entraînés pour une mission que je vais te détailler dans l'urgence.

***

Quand Sécurité 127 arriva devant la maison d'Eau 631, ce dernier l'attendait avec Écologie 982 et 501 Mathématiques.

— Attendons un peu que la nuit soit plus noire, leur dit-il, plus pour se donner une attitude de professionnel que pour autre chose. Ce serait une bonne idée de traverser le canal plus en amont, loin des sources de lumière. Et puis il serait également préférable de vous habiller plus discrètement. Choisissez un vêtement sombre.

63. Tu fais de l'ovoïmorphisme !

— Abir s'est bien gardé de me dire ce qui m'attendait ici... marmonna Bartol.

Cara ne put retenir une indignation amusée :

— Là, tu exagères un peu ! Je l'ai clairement entendu te déconseiller d'y venir. C'est toi qui as insisté.

Sa mauvaise foi fit preuve du même entêtement que lui-même :

— Oui, mais bon... Il a cédé assez rapidement tout de même. Il aurait pu...

Ces derniers mots se perdirent dans un grognement et des bougonnements inaudibles.

Ils étaient tous les deux devant une fenêtre. On ne voyait pas grand-chose, car la nuit était tombée. L'éclairage urbain révélait malgré tout les constructions et les espaces verts alentour.

Les quatre Ovoïdes s'affairaient autour de l'équipement de traduction. Le nouveau manipulait un clavier sphérique depuis plus d'une heure. Timide examinait un à un les clichés pris par Doc. Celui-ci exécutait de nombreuses lumino-gesticulations devant la machine tandis que Bobine apportait régulièrement une foule d'objets hétéroclites qu'elle disposait sur une grande table récemment installée près du bureau.

— Nous allons devoir leur dispenser une nouvelle leçon de vocabulaire, dit Bartol en regardant cet étalage se former.

Cara ne parut même pas entendre. Elle se dirigea vers l'exposition.

— Où vas-tu ? demanda Bartol, qui avait noté qu'elle semblait intéressée par quelque chose qu'elle venait d'y apercevoir.

En l'absence de réponse, il la rejoignit, autant pour découvrir ce qui avait attiré son attention, que pour la protéger. Au cas où... car il ne savait que penser du nouveau.

Timide avait vu Cara avancer sans sourciller, mais il donna quelques signes d'inquiétude dès que Bartol approcha à son tour. Bobine leva deux yeux intéressés vers l'humaine et profita de sa présence pour lui désigner son exposition d'une manière explicite. Cara était venue pour autre chose, mais elle se prêta au jeu. Elle tendit son index vers chaque objet et articula son nom à haute et distinctive voix : « Cube. Cylindre. Sphère. Pyramide. Pierre. Bois. Herbes. Assiette. Boîte. Tige... ». Elle eut un sourire en remarquant ce qui suivait. Le prenant dans sa main, elle le montra tout entier et dit : « Bobine », puis déroulant une partie de son contenu, qu'elle mit en évidence en le portant devant les yeux de son élève, elle articula : « Fil ». Bobine ne perdait rien de la leçon. L'Ovoïde enregistrait chaque son et faisait des annotations sur des étiquettes qu'elle posait à côté de chaque chose nommée. Cara montra l'outil que Bartol avait utilisé pour dessiner et, après avoir hésité entre plusieurs mots, elle choisit : « Crayon ». Puis, il y eut l'objet pour lequel elle était venue spontanément. Elle le prit et prononça son nom : « Miroir ».

Bobine préparait déjà une étiquette pour faire correspondre l'objet au son qu'elle venait d'enregistrer, mais au lieu de reposer la chose sur la table, Cara la garda en main. Elle se tourna vers Bartol et lui dit :

— Je n'ai pas fini, mais continue la leçon, mon chéri. Je te laisse faire. Et n'oublie pas que de toi dépendra notre aptitude à communiquer avec ces créatures que tu as tant tenu à rencontrer, malgré la mise en garde d'Abir !

Elle le laissa sur place, s'éloignant vers le coussin géant. Il voulut la suivre, mais Bobine lui mit le cube sous le nez. L'Ovoïde désirait apparemment tout recommencer depuis le début avec la voix de Bartol. Il se résigna : « Cube. Cylindre. Sphère... »

*

Assise sur le coussin géant, Cara se regardait dans le miroir qu'elle tenait à deux mains devant son visage.

—> Plus clairs, les yeux, murmura-t-elle.

Sa céph exécuta quelques instructions du logiciel d'auto bio-grimage qui contrôlait certains dispositifs moléculaires. À la surface avant de ses iris, des millions de nanomachines s'orientèrent précisément afin d'obtenir l'éclaircissement réclamé.

—> Un peu plus verts, ajouta-t-elle.

—< Plus verts, les yeux ? demanda sa céph.

—> Oui, les yeux.

Les nanomachines tournèrent sur un autre axe.

—> Un peu moins verts, les yeux.

Les nanomachines pivotèrent sur le même axe, mais de quelques degrés dans le sens opposé. Elle observa le résultat un long moment puis décida de revoir plus tard.

—> Un peu plus épaisses, les lèvres. Un tout petit peu seulement.

Heureusement que rien ne saurait venir à bout de la patience infinie de l'informatique ! Elle avait déjà changé ce réglage-là une trentaine de fois. Au moins !

Des légions de dispositifs moléculaires se dilatèrent légèrement dans le milieu intercellulaire de ses lèvres. Elle sourit plusieurs fois au miroir en tournant la tête d'un côté ou de l'autre. Son regard se fixa sur son nez. Là encore, elle s'observa avec concentration sous plusieurs angles. Elle toucha le bord de sa narine droite et dit :

—> Plus large.

Son nez s'épaissit symétriquement des deux côtés à l'endroit demandé.

—> Encore un tout petit peu… à peine.

— Mais ! Que fais-tu ?

Elle sursauta. Elle n'avait pas entendu Bartol arriver.

— Tu vois bien que je me biogrime un peu ! Tu as déjà fini, avec eux ?

— Déjà ! Il y a plus d'une heure que je leur donne des noms. Ils viennent de me montrer des centaines d'images et…

— Plus d'une heure ! Que le temps passe vite !

Elle surprit son regard fixement posé sur elle.

— Quoi ? Qu'est-ce qu'il y a ? Je ne te plais pas ?

Il l'observa tout aussi fixement avec un sourire figé un peu stupide, ne répondant que par un vague borborygme.

— Est-ce que je suis jolie ? insista-t-elle.

Il la trouva belle comme une déesse. De plus, cette question avait été posée d'une manière empreinte de naïveté ingénue, sur un ton, avec une voix et une expression qui la rendaient tout simplement divine. En guise d'acquiescement, sourire comme un benêt était la seule chose dont il fut capable durant de longues secondes. Mais la réponse verbale pouvait attendre, car elle sut la lire dans ses yeux et elle en fut satisfaite. C'était une très bonne réponse ! Sandrila Robatiny n'avait qu'à bien se tenir ! Sans doute était-ce le moment de lui demander ce qu'il avait fait du bracelet ! Mais quelque chose l'en empêcha. Elle ne voulait pas qu'il se remît à le porter un peu contraint seulement parce qu'elle lui en avait parlé.

En fait et finalement, pensait le Terrien, la testostérone que j'accusais semble n'y être pour rien ! Cette femelle congénère m'a géanturement happé le cœur ! Géantissimerie de géante géanture ! Je crois que je l'aime !

— On dirait que notre attitude éveille l'intérêt de nos hôtes, dit-elle.

Il se retourna et réalisa que Doc était en train de les filmer.

Biologie 455 regardait les deux humains, une expression de tendre empathie sur ses pédoncules de communication. Les voir se comporter de cette manière l'un envers l'autre alluma au fond d'elle une envie de tendresse. Eau 631 lui manquait terriblement. Elle se demandait ce qu'il était en train de faire en ce moment même. Pensait-il à elle ? Certainement ! En tout cas, elle l'espérait. Elle eût aimé lui téléparler pour lui faire part de sa situation, pour qu'il ne se fasse pas trop de souci, mais on leur avait confisqué les téléparleurs. Elle regarda ces animaux se prendre dans les bras avec une émotion grandissante. Ils semblaient si ovoïdes, par moments ! ... Mais !

La surprise la sortit de ses réflexions. Quelque chose avait-il changé sur le physique de la femelle, ou avait-elle la berlue ? Elle n'osa pas s'approcher d'eux, car ils se livrèrent soudain à une bien étrange occupation. Ils semblaient vouloir se mordre l'un l'autre. Elle ne sut que faire. Biologie 237 fut heureusement plus réactif. Il se jeta sur eux pour les séparer. Elle se précipita alors sur la porte pour demander du renfort à l'extérieur. On ne pouvait pas compter sur 239 Biologie qui resta pétrifié derrière le bureau, mais 117 Ingénierie vint apporter son aide en même temps que 39 Service Secret qui arriva en toute hâte en réponse aux appels au secours. L'humain fut ceinturé et éloigné de sa femelle. Chacun prit garde à ne pas être éborgné. On préféra le ligoter par sécurité.

— Que se passait-il ? demanda 39 Service Secret, quand le forcené fut maîtrisé.

— C'est incompréhensible, répondit Biologie 455. On aurait vraiment dit qu'il allait la dévorer. Il lui mordait la gueule !

— Il lui mordait la gueule ! Cet animal a des réactions vraiment imprévisibles. Il est dangereux. Je vous déconseille de le détacher. Mieux vaudrait le remettre en cage.

— Tu as sans doute raison. Mais… Je ne comprends pas. Il avait l'air si tendre quelques instants avant.

— Tu vois des attitudes trop ovoïdes dans les humains, dit Biologie 237. Tu fais de l'ovoïmorphisme !

64. Qu'attendez-vous pour la disséquer ?

Eau 631, Écologie 982 et 501 Mathématiques marchaient dans l'obscurité, derrière Sécurité 127. Ils avaient franchi le canal depuis un moment déjà.

Entourés d'arbres d'espèces variées, ils progressaient sur un tapis humide et moelleux de feuilles mortes dégageant des odeurs d'humus. Tous étaient silencieux, entendons par là un silence électromagnétique bien sûr, c'est-à-dire qu'aucun ne lumino-gesticulait. Non pas qu'ils n'eussent rien à se dire, mais pénétrer chez ceux d'en face, qui plus est en un pareil moment de tension diplomatique, leur ôtait toute envie de se faire remarquer. On racontait tant de choses sur ceux qui habitaient ici !

Eau 631 et Écologie 982 pensaient : « oui, bien sûr, 501 Mathématiques est l'un des leurs et il n'a encore jamais mangé personne ! Mais… ».

501 Mathématiques de son côté ne savait ce qu'il pourrait bien répondre si on lui demandait ce qu'il faisait avec ces étrangers en situation irrégulière. Une idée lui trottait en tête depuis un moment, mais il avait peur de ses éventuelles consé-quences. Il finit par vaincre ses craintes :

— Je n'habite pas très loin du palais présidentiel, expliqua-t-il. Je vous propose donc d'aller chez moi. Vous m'y attendrez pendant que j'irai seul solliciter une audience auprès de 237 Présidente. Je viendrai vous chercher dès que je l'aurai obtenue !

— Moi, je suis d'accord, déclara Eau 631. C'est une bonne idée.

— Je suis d'accord aussi, dit Écologie 982.

Sécurité 127, qui était en train de pianoter sur son télé-parleur pour informer Président 234 de ce qui se passait, entendait leur conversation.

***

Service Secret 24 et ses Ovoïdes suivaient discrètement Eau 631 et ses compagnons. Il était de la plus haute importance qu'ils ne se fissent repérer ni par ces derniers, ni par les autochtones. Tous les quatre étaient entièrement teints en noir et vêtus d'un bandeau-vêtement noir. Pour l'instant, ce n'était pas nécessaire de communiquer, mais au besoin ils se feraient comprendre par gestes.

Service Secret 24 comptait beaucoup sur cette mission pour renforcer son statut de commandant des forces secrètes. Président 234 lui avait ordonné d'intervenir militairement dans l'éventualité où la négociation entreprise par Eau 631 ne donnerait aucun résultat.

— Entre en scène uniquement dans ce cas ! avait-il insisté.

Ayant conçu l'idée que nul militaire ne s'élève sans action et que ce serait donc une bonne chose pour sa carrière que la présidente refuse de libérer les prisonniers pour l'obliger à passer aux actes, Service Secret 24 se demandait comment faire échouer les pourparlers en évitant que la manœuvre ne soit remarquée.

Service Secret 25 de son côté se disait que cette mission lui offrirait peut-être l'opportunité de prendre la place de son supérieur. Il n'avait qu'un rang d'ancienneté de moins que 24. Il était tout à fait envisageable que l'on confiât plus de commandement à un vingt cinquième qu'à un vingt-quatrième. Pour peu que des entreprises brillantes pussent lui être attribuées, il avait bon espoir de devenir le plus haut gradé des forces secrètes. Ce qui était loin d'être une inane ambition !

Il pouvait compter sur le témoignage de 26 et de 27, si l'occasion lui était donnée de réaliser quelque action d'éclat. Mais comment élaborer des plans pour faire mieux que son supérieur quand on ne sait encore rien de l'objectif final de sa mission ?

***

237 Présidente savait qu'elle ne pourrait pas garder les deux savants d'en face éternellement. Président 234 avait pour l'heure tout intérêt à étouffer l'information pour éviter les pressions d'une partie de son peuple, mais tôt ou tard, on finirait par l'apprendre. Alors, pour ne pas perdre la face, les deux dirigeants n'auraient d'autre recours que l'affrontement armé. Elle savait qu'elle serait bientôt obligée d'organiser la fausse évasion de ses prisonniers. C'était toujours moins humiliant que de reconnaître qu'on avait cédé. Les deux biologistes seraient donc rendus aux leurs, mais les animaux resteraient. Pour le moment, il importait de gagner un peu de temps pour que 239 Biologie soutire le maximum d'informations à ses confrères d'en face.

En entrant dans la salle d'étude et de réunion depuis laquelle il était possible d'observer les humains derrière la vitre blindée, elle découvrit les trois savants et 117 Ingénierie apparemment consternés. Les biologistes paraissaient même totalement abattus. Elle conçut l'espoir que les scientifiques étrangers étaient mécontents de la disparition de quelques précieuses données que 239 Biologie aurait eu la bonne idée de dissimuler, mais cette pensée fut éphémère, car elle savait d'expérience qu'elle ne pouvait pas trop compter sur le patriotisme de ce dernier. Aussi était-il plus raisonnable de supposer qu'une contrariété les avait tous mis dans cet état et que son biologiste ne jouait pas la comédie pour donner le change aux autres.

— Que se passe-t-il ? s'enquit-elle.

— J'ai commis une erreur à un moment donné, prétendit Biologie 237.

— Pourquoi seulement toi ? intervint 239 Biologie.

— Nous sommes tous les trois responsables ! ajouta Biologie 455.

— Quand vous aurez fini de vous faire des politesses, vous me répondrez, dit sèchement la présidente.

Les salamalecs des scientifiques qui se partagent les responsabilités d'un insuccès l'avaient toujours agacée.

— Nous ne savons pas ce qui a pu le mettre dans un tel état de fureur, mais le mâle est subitement devenu très dangereux, expliqua 239 Biologie. Il menaçait même de s'en prendre à la femelle. Sans notre intervention, il l'aurait cruellement mordue ! Nous avons dû de nouveau l'enfermer.

— Ce qui est d'autant plus incompréhensible, précisa Biologie 455, que l'instant d'avant il se conduisait avec une étonnante tendresse, presque ovoïdement, avec elle.

La présidente eut un moment d'abattement. Le doute pesa sur elle. Ce que ces trois chercheurs prétendaient avoir découvert sur ces animaux valait-il vraiment une crise diplomatique ? Comment le savoir ? Ils se comportaient comme des adolescents immatures. Elle fit un énorme effort pour conserver son sang-froid et se retint de hurler : « Poursuivez vos travaux urgents pendant que je m'efforce de gagner du temps pour vous ! » pour dire presque calmement :

— Cette bête n'est pas docile ! Quelle importance cela a-t-il ? Qu'attendez-vous pour la disséquer ? Qu'attendez-vous pour lui ouvrir le crâne et regarder de plus près ce qu'il y a dedans ?

Des attitudes embarrassées répondirent à ces mots. Même 117 Ingénierie, qui n'était pourtant arrivée là que par le hasard du fait qu'ils eussent besoin de ses compétences, semblait trouver choquant ce qu'elle venait d'entendre. La présidente eut de plus en plus de mal à garder son calme :

— Quoi ? Est-ce la première fois que vous disséquez un humain ? Vous, les biologistes ! C'est à vous que je parle !

— Non, bien sûr que non, convint 239 Biologie. Mais...

Quelqu'un se présenta sur le pas de la porte. C'était 39 Service Secret.

— Que... ? fit la présidente.

— Quelqu'un demande à te voir de toute urgence, 237 Présidente.

— Qui est-ce encore ? Je n'ai pas le temps ! Je suis en train d'essayer de faire comprendre à ceux-là qu'il faut travailler !

— Il prétend s'appeler 501 Mathématiques.

65. Toi seul, contre mon armée et tous mes Ovoïdes ?

— Tu as beaucoup insisté pour me voir, jeune Ovoïde. J'espère que c'est pour un motif qui le justifie. Je t'écoute, mais sois le plus concis possible.

— Je t'assure que je le serai, 237 Présidente, prétendit 501 Mathématiques. Pour gagner ton intérêt, j'en viens tout de suite au fait. Il s'agit de tes otages.

Les pédoncules de communication de la présidente accusèrent cette entrée en matière pour le moins brutale d'une manière furtive, mais visible.

— De quoi parles-tu ? se crut-elle obligée de répondre, car rien ne lui permettait de savoir si son interlocuteur était réellement en possession d'informations sur ce sujet ou s'il feignait pour enquêter.

— Je parle des deux biologistes : Biologie 237 et Biologie 455 principalement. Accessoirement, je parle aussi des deux humains que vous avez emportés lors de l'enlèvement.

— Comment es-tu au courant de ça ?

— Je suis un peu de la famille de Biologie 455. Je suis informé de cette affaire parce que Biologie 237 connaît très bien Président 234.

— Oui, oui... De la famille ? Comment est-ce possible avec une d'en face ?

— La sœur de Biologie 455 et moi, nous nous aimons.

— Ah, je vois !... Soit ! Et que veux-tu ? La libération de ta belle-sœur ? Est-ce le but de ta visite ?

— Tu confirmes donc la détenir ?

— Est-ce le but de ta visite ? t'ai-je demandé. J'ai horreur qu'on réponde à une de mes questions par une autre question !

— Oui. C'est pour cette raison que je suis venu te voir. En fait, je suis censé solliciter une entrevue pour Eau 631 et Écologie 982.

— Qui sont-ils ?

— Le fiancé et la sœur de Biologie 455.

— Ils veulent donc me demander de libérer les deux biologistes ?

— Oui.

Tous les deux étaient en train de s'expliquer dans la salle d'audience du palais présidentiel. Face à face sur un fauteuil-cylindre confortable et séparés par un bureau sur lequel la présidente posait ses bras enroulés. Les pédoncules de communication de cette dernière se tinrent cois un instant. Elle paraissait réfléchir et c'était bien ce qu'elle faisait. N'y avait-il pas là une circonstance opportune à saisir pour se débarrasser des deux scientifiques sans perdre la face, en restant digne ? Certainement ! Mais il serait doublement profitable de les faire patienter encore un peu. D'abord parce qu'en ne se pressant pas elle montrerait qu'elle n'avait fait preuve d'aucune faiblesse, qu'elle n'avait pas accordé cette libération avec le soulagement de quelqu'un qui craint une éventuelle confrontation. Ensuite parce que cela permettrait, elle l'espérait encore, à 239 Biologie de soutirer quelques informations supplémentaires sur le mystère de ces animaux.

— Pourquoi me fais-tu confiance, 501 Mathématiques ?

— … ?

— Si je te faisais croire que je veux bien leur parler, je pourrais les garder prisonniers, eux aussi !

— …

— Et, toi, je pourrais t'infliger le traitement qu'on réserve aux traîtres ! Ne me dis pas que tu n'y as pas songé !

— J'ose espérer que tu ne vas pas le faire puisque tu m'en parles !

— Peut-être pas ! Dis-moi si tu agis pour le compte de Président 234. Car, vois-tu, moi je suis bien moins confiante que toi ! Qu'est-ce qui me prouve que ce n'est pas lui qui te manœuvre ?

— Non ! Pas du tout ! Je suis là parce que je ne voulais pas que celle que j'aime vienne te rencontrer sans mon aide. Elle est motivée par la libération de sa sœur, moi je ne l'ai suivie que pour sa protection.

Un sourire un peu moqueur s'esquissa sur les antennes de la présidente :

— Protection ! La protéger contre moi ? Toi tout seul ? Toi seul, contre mon armée et tous mes Ovoïdes ?

501 Mathématiques préféra garder le silence.

— Soit ! dit-elle. Je cesse de te torturer. Je suis d'accord pour rencontrer tes complices. Va les chercher. Qu'ils s'expriment devant moi et je verrai si je leur accorde ce qu'ils désirent. Je vais donner des ordres pour qu'on te laisse sortir librement. Mieux vaut que l'on ne t'oppose aucune résistance. Je ne voudrais pas que tu causes trop de dégâts dans mes rangs !

Le mathématicien se garda de réagir à ce dernier sarcasme.

***

Service Secret 24 avait reçu un appel téléparlique. Il avait été informé, par Président 234 lui-même, du fait que 501 Mathématiques avait proposé d'aller voir seul 237 Présidente pour demander audience pendant que les autres attendraient chez lui. Il supposait que son président tenait cette information de

Sécurité 127 et regrettait de ne pas être directement en rapport avec ce dernier. Président 234 aimait tout savoir et tout contrôler. C'était pour cette raison qu'il agissait ainsi.

Service Secret 24 et ses trois Ovoïdes étaient en observation dans une vieille cabane remplie d'outils de jardinage placée sur le terrain de 501 Mathématiques, près de la maison de celui-ci. D'aucuns eussent reproché au commandant des forces secrètes d'avoir choisi une cachette trop exposée dans laquelle ils risquaient à tout moment d'être découverts. Il eût répondu à ces esprits critiques qu'on pouvait supposer que le mathématicien avait en ce moment autre chose à faire que du jardinage. Sans ôter son œil d'un interstice entre deux planches, il s'arracha une vieille jambe et la jeta dans un coin du cabanon. Il allait demander à être remplacé dans son rôle de surveillance quand il vit revenir 501 Mathématiques.

— Le voilà de retour, murmura-t-il.

**

— Regardez comme elle passe ses bras à travers les barreaux pour l'enlacer ! dit Biologie 455. Et il ne la mord pas…

— En effet, reconnut Biologie 237. Voyez, elle pose sa gueule sur sa main et il ne semble pas s'en plaindre. Ils ne se mordent pas quand ils font ça en fait. Je pense que nous avons peut-être mal interprété ce geste.

Les scientifiques avaient demandé qu'on plaçât la cage contenant l'humain dans la pièce d'observation où se trouvait toujours la femelle. Dès qu'elle l'avait vu arriver, celle-ci s'était précipitée vers lui sans même attendre que les Ovoïdes s'éloignent. Elle lui avait tendu les bras à travers les barreaux et c'était à cette touchante scène de retrouvailles qu'assistaient les trois biologistes.

239 Biologie s'étonna aussi :

— C'est étrange, non ? On jugerait qu'elle va lui dévorer la main, alors qu'il ne pousse pas le moindre cri de douleur.

— Ça ressemble même à un geste de tendresse, ajouta Biologie 455.

— Encore une fois, prenons garde à ne pas tomber dans le piège de l'ovoïmorphisme ! prévint Biologie 237. La tendresse est une production de l'esprit de notre espèce.

Biologie 455 eut une lumino-gesticulation qui était l'équivalent ovoïde d'une moue un peu rebelle.

— Je vais en prendre le risque ! Je me demande si cette façon d'agir n'est pas chez ces animaux une manifestation de tendresse. Ou de quelque chose qu'on pourrait apparenter à de la tendresse, si tu préfères que je le formule ainsi.

Le vieux savant la regarda. Elle poursuivit :

— Quand nous nous adressons un peu de chaleureuse amitié, nous avons coutume de nous effleurer d'une jambe, voire de deux pour les fortes sympathies. Quand nos amoureux expriment leurs amours, ils s'entortillent le plus de jambes possible. Peut-être qu'eux se touchent avec la gueule et que ce contact a pour eux une signification identique à nos effleurements ou à nos enlacements de membres.

— Pourquoi pas ? Admit pensivement Biologie 237. Pourquoi pas ! C'est une idée très intéressante, en tout cas. Je dois reconnaître que plus je les observe et plus ton hypothèse me paraît crédible. Regarde, c'est à son tour à présent ! Je jurerais qu'il s'apprête à lui dévorer les mains, mais elle ne semble pas s'en plaindre. Bien au contraire. Je serais d'avis qu'on le libère tout de suite. Quelle que soit la signification de ces gestes, nous nous sommes trompés, c'est évident. Ils n'ont rien d'agressif.

66. Vous avez introduit un espion chez moi !

Trois Ovoïdes venaient de libérer Bartol. Laissant les humains seuls, ils s'étaient retirés en emportant la cage. Le Marsalè s'assit sur le sol, les avant-bras posés sur les genoux. La tête basse, il regardait dans le vague avec un air déprimé.

Cara s'agenouilla près de lui. Lui passant une main dans les cheveux, elle dit doucement :

— Ne sois pas abattu comme ça, mon amour. Ils ont cru que tu m'agressais. C'est une erreur !

L'amertume et la tristesse qui remplissaient à l'instant le cœur de Bartol se dissipèrent instantanément, comme sous l'effet d'un puissant souffle magique. Ce qui était sans doute le cas, car le principe actif des deux mots qu'il venait d'entendre était plus de l'ordre de l'enchantement que de la raison. Son visage se transforma. On eût dit un paysage sombre soudainement illuminé par le soleil après une disparition aussi fulgurante qu'inexpliquée des nuages. Ce fut si rapide et apparent qu'elle ne réalisa pas sur le moment qu'elle en était elle-même le ressort. Elle suspecta un coup sur la tête, encore un. Ce dernier plus tous les autres avaient-ils fini par rendre sa raison instable ?

Tout à sa félicité, Bartol ne se rendit pas compte de son inquiétude. Elle lui avait dit « mon amour » ! Qui lui avait déjà dit ça ? Il ne s'en souvenait pas. Sandrila ? Non ! Il n'aurait pas pu l'oublier. Peut-être une autre femme, quand il était un autre ! Mais ça ne comptait pas ! Puisque, justement, il était un autre ! Et que de plus, il n'en avait aucun souvenir. Mais tout cela importait peu ! Il venait de l'entendre de la bouche de Cara et cela lui était adressé.

Son abattement devenu enthousiasme ardent, il se leva brusquement et déclara :

— Il est urgent de poursuivre nos efforts de communication. Ces bestioles ont raison ! Nous devons les aider à enrichir leur dictionnaire et leur connaissance de notre langage.

Avisant le regard toujours un peu inquiet qu'elle portait sur lui, il se méprit :

— Non, je ne suis plus fâché contre eux. Tu as raison. Ils ont cru que je t'agressais. C'est une erreur, je sais bien. Raison de plus pour accélérer la mise au point de leur machine qui nous permettra de parler avec eux.

Pendant qu'elle le regardait d'un air incertain, il traversa la pièce à grands pas pour cogner à la vitre blindée d'observation en criant :

— Doc, Bobine et les autres, venez ! On continue ! Allez ! Dépêchez-vous, on reprend !

***

Il faisait toujours nuit, mais les lieux étaient fortement éclairés autour du palais présidentiel. Eau 631 observa les Ovoïdes en armes qui en gardaient l'entrée. Il marchait à côté d'Écologie 982 et de Sécurité 127. Tous les trois suivaient 501 Mathématiques qui les guidait.

Les cinq gardes les regardèrent approcher. L'un d'eux vint à leur rencontre. Il parut reconnaître 501 Mathématiques.

— Je reviens comme prévu, lumino-gesticula ce dernier.

— Je vous accompagne, répondit l'Ovoïde. Suivez-moi.

Juste devant l'entrée, on leur fit signe de s'arrêter et on les fouilla méticuleusement. Puis, celui qui était venu à eux leur dit qu'ils pouvaient entrer, ce qu'ils firent. À l'intérieur, ils furent accueillis par un Ovoïde de très grande taille. Sa corpulence imposait le respect. N'eût été son appendice oculaire droit, visiblement contusionné, qui suscitait la curiosité et presque la pitié, il eût même été très impressionnant. Ils le suivirent presque en silence. Presque, parce que 501 Mathématiques ne put s'empêcher dans un sourire de dire à basse lumino-gesticulation :

— Tout porte à penser que Danseur a passé sa colère sur lui.

***

237 Présidente commençait à se demander si elle avait eu raison de faire installer les trois scientifiques et les deux animaux dans une dépendance du palais. Elle avait préféré les garder près d'elle pour avoir un œil sur eux pendant qu'elle vaquait à ses affaires, mais cette idée se retournait contre elle, car au lieu de lui faire gagner du temps comme prévu, elle lui en faisait perdre, parce qu'elle ne cessait d'aller les voir pour savoir ce qui se passait. Elle revenait justement des locaux qu'elle leur avait affectés, assez contente d'avoir appris que les travaux d'étude avaient repris, mais quelque peu dubitative quant à la pertinence de ces derniers. Ces esprits imprévisibles n'avaient rien trouvé de plus saugrenu que d'essayer de communiquer avec les humains !

Je devrais sans doute les renvoyer tous les trois avec les animaux chez Président 234, se dit-elle. Aux moins, les soucis occasionnés par leurs gamineries seraient pour lui.

237 Présidente venait à peine d'entrer dans son bureau et n'avait même pas encore refermé la porte quand 23 Service Secret arriva suivi de quatre Ovoïdes. Elle reconnut 501 Mathématiques. Il était accompagné par trois autres Ovoïdes. L'un de ces derniers lui donna l'impression d'être un militaire

ou un agent de sécurité. Quelque chose dans son attitude lui disait qu'il n'était pas un civil en tout cas, bien qu'il ne portât aucun signe vestimentaire de sa fonction.

— Bonsoir 237 Présidente ! dit 23 Service Secret. Ces gens veulent te parler. On m'a dit que tu étais au courant.

— Bonsoir 23 ! En effet, je suis au courant. Laisse-moi seule avec eux, mais reste à proximité dans le couloir au cas où j'aurais besoin de toi.

Elle s'adressa directement à 501 Mathématiques et ses compagnons pour dire :

— Entrez dans mon bureau !

Ils s'exécutèrent. Elle referma la porte, les pria de prendre place sur un cylindre rembourré et lâcha sans ambages :

— Bon ! Ainsi Président 234 n'a pas trouvé mieux pour que je lui rende ses deux compatriotes ?

— Ce n'est pas lui qui nous envoie, 237 Présidente. Je te l'assure. Moi, je suis Eau 631 et je suis là parce que Biologie 455 est ma fiancée.

— Et moi, parce qu'elle est ma sœur. Je suis Écologie 982.

— Et toi, qui es-tu ? demanda la présidente à Sécurité 127, sur un ton lumino-gestuel qui ne cachait rien de son ironie. Son frère ?

— Simplement un ami.

— Heum… Et vous avez donc décidé de venir me voir sans rien dire à personne ? Président 234 n'est pas au courant de votre démarche ?

— Si, il le sait, car je le lui ai dit, expliqua Eau 631. Mais ce n'est pas lui qui nous a envoyés.

Elle était encore debout. Tandis qu'ils la regardaient, guettant sa réaction, elle alla se poser derrière son bureau, enroula ses bras dessus et fixa Sécurité 127 sévèrement.

— Et toi, l'ami. Pourquoi n'as-tu pas dit ton nom ?

— Je suis Eau 680, mentit-il.

— Ah ! Moi qui croyais que Président 234 t'avait rajouté à l'équipe pour avoir un espion sur place, je me suis trompée. Je suppose que tu as connu Eau 631 au travail ! N'est-ce pas ?

Sécurité 127 sentait que les choses commençaient à tourner mal pour lui. Il n'avait pas imaginé que 237 Présidente serait si méfiante et perspicace. De toute évidence, si elle persistait dans ses questions, elle trouverait rapidement des contradictions et un interrogatoire séparé révélerait immédiatement la supercherie. Il s'en voulut d'avoir été malhabile. Les yeux de la présidente qui ne quittaient plus les siens semblaient l'inviter à choisir une sortie honorable à son mensonge.

— Je suis Sécurité 127, avoua-t-il. Ces jeunes gens disent la vérité. Président 234 m'a demandé de les accompagner pour les protéger des mauvaises rencontres, mais eux n'y sont pour rien. Ils étaient même peu enthousiastes à l'idée que je les suive. J'ai dû les convaincre qu'ils auraient plus de chances avec moi.

La présidente ne répondit pas. Elle posa son regard sur Eau 631. Celui-ci se fait du souci pour sa belle, pensa-t-elle. C'est beau l'amour ! Cette Biologie 455 avait de la chance ! Elle était plutôt jolie et son Ovoïde semblait réellement épris d'elle. 237 Présidente avait depuis longtemps renoncé à être aimée. Elle se jugeait moche. L'idée que quelqu'un pût tomber amoureux d'elle lui paraissait absurde. Son père ne l'avait jamais chérie, sa mère pas beaucoup non plus et personne ne risquait de lui déclarer sa flamme. Elle s'était faite à cette idée depuis longtemps et, faute d'amour, elle avait décidé de conquérir respect et considération grâce à sa position sociale.

— Euh… lumino-gesticula Eau 631.

La présidente s'extirpa de ses pensées et détacha son regard du bel Ovoïde qui était destiné à une autre.

— Je vais réfléchir à votre requête, dit-elle. Estimez-vous déjà heureux que je ne prenne pas ombrage du fait que vous ayez introduit un espion chez moi, car c'est bien le cas ! Vous avez introduit un espion chez moi !

67. Guerre totale entre les deux nations

Service Secret 24 regardait dans un petit télescope de type Newton, mais inventé par son espèce, l'entrée du palais présidentiel. Bien qu'il en fût si près pour la première fois, la disposition des lieux lui était presque familière tant il les avait déjà vus en images et en plans dans ses séances de formation et d'entraînement. Lui et son équipe se trouvaient sur la crête d'une légère élévation boisée. Dissimulés derrière des troncs, ils observaient. Bien que les bandeaux-vêtements et les grimages noirs les rendissent pratiquement invisibles dans la nuit, ils se cachaient par réflexe.

Service Secret 24 se disait que si Eau 631 et ses amis obtenaient satisfaction et sortaient avec les deux scientifiques, il serait trop tard pour espérer se distinguer dans une action brillante. Mieux valait ne pas leur laisser le temps. Il trouverait plus tard une justification à sa décision prématurée. Ses Ovoïdes, suspendus non pas à ses lèvres, mais à ses pédoncules de communication, attendaient ses ordres.

— Maintenant, souffla-t-il.

Tout était prévu et avait été répété plusieurs fois. Service Secret 25 sut que ce mot lui était adressé. Même s'il y avait lieu de s'étonner de ce commandement qui ne paraissait pas encore justifié, il n'avait qu'une seule chose à faire : obéir. Il visa donc le groupe de gardes devant l'entrée du palais avec un tube noir et pressa un bouton. Dans un bruit pneumatique étouffé, l'arme cracha un projectile. Celui-ci déploya quatre ailes et accéléra au moyen d'une hélice à deux pales. La chose ressemblait à ces avions biplans qui étaient parmi les premiers engins volants plus lourds que l'air conçus par les humains solairiens sur leur planète d'origine. Son moteur ne produisait qu'un bruit très faible. Arrivé près des gardes, l'avion épandit un gaz soporifique puissant avant de s'écraser contre le mur du palais. Ceci produit un petit bruit d'impact qui fit se retourner les militaires. Mais c'est à peine s'ils eurent le temps de terminer ce mouvement tant le gaz avait une action rapide. Ils churent dans l'inconscience.

***

Eau 631 et Biologie 455 se mélangeaient cinquante jambes devant le regard attendri, presque paternel, du vieux biologiste et sous celui plutôt agacé, mais patient, de la présidente. Hormis Sécurité 127 qui avait été enfermé quelque part, ils étaient tous dans la salle d'observation, la pièce depuis laquelle on pouvait étudier les humains à travers la vitre blindée.

117 Ingénierie, un clavier sphérique en main, travaillait sur son traducteur en prêtant peu de cas aux nouveaux venus. Écologie 982 regardait sa sœur avec le bonheur de la revoir en bonne santé tandis que 501 Mathématiques restait près d'elle, quatre ou cinq jambes les réunissant.

— Je vais vous laisser ensemble un moment, dit la présidente, mais pouvez-vous m'accorder un peu d'attention, Mademoiselle, j'ai une question à vous poser.

La fin de cette phrase était adressée à Écologie 982.

— Oui ? fit celle-ci.

— Savez-vous quelque chose au sujet de ces animaux ?

— Euh… Scientifiquement, voulez-vous dire ?

— Oui.

— Non. Je ne sais rien. C'est ma sœur qui les étudie.

— Bien, je vous laisse. Je vais prendre ma décision au sujet de votre éventuelle libération. J'ai trois options. Vous offrir la liberté à tous. Ne relâcher que vous trois qui êtes courageusement venus me demander de vous les rendre. Vous garder tous. Ce qui est certain, c'est que l'espion restera ici sous mes verrous.

Elle quitta les lieux sous les yeux perplexes et soucieux. 23 Service Secret, qui attendait devant le pas de la porte, la suivit.

Après un silence pesant, Eau 631 prit l'initiative d'une diversion :

— Et si nous allions dire bonjour à Danseur ! proposa-t-il en regardant par la vitre blindée.

— Oui, venez ! s'exclama Biologie 455. Ça lui fera plaisir de vous revoir. Vous tombez bien, car il a l'air de bonne humeur. Comme vous le constatez, il ne cesse de taper à la vitre. Je ne sais pas ce qu'il a ! On dirait qu'il demande quelque chose.

— Oui, vous arrivez à un bon moment, confirma le vieux savant.

Il leur expliqua en quelques concises lumino-gesticulations l'erreur qu'ils avaient commise en croyant qu'il voulait mordre sa femelle.

***

— Je suis certain que c'est Œuf Affable, dit Bartol. Je l'ai vu.

Cara allait répondre, mais la porte s'ouvrit livrant passage à cinq arrivants dont le premier était effectivement celui dont il était à l'instant question.

— Œuf Affable ! s'écria le Terrien en approchant les bras tendus.

Il n'oubliait pas ce que l'Ovoïde avait fait pour lui et sa physionomie devenue familière lui apparaissait désormais sympathique. À tel point même que le contact ne lui inspirait plus de réelle répugnance.

— Salut vieux camarade, dit-il. Je suis géantissimement content de te voir. Figure-toi qu'avec tes congénères, nous sommes en train d'inventer une machine pour traduire nos langages et nous allons donc bientôt pouvoir dialoguer comme des... hé ! Que, qu'est-ce que mais !... Arrête de me caresser la tête comme si j'étais ton petit chien ! Je ne supporte pas ça ! C'est fini oui ! Arrête !

Il s'efforça de repousser la main, qui farfouillait affectueusement dans ses cheveux, tout en évitant d'être trop brutal dans ses gestes de rejet. L'Ovoïde ne semblait pas se rendre compte que ses caresses indisposaient l'humain. Celui-ci, si occupé qu'il était à le lui faire comprendre, laissa involontairement échapper quelques-uns de ses mots qui façonnaient une de ses originalités. Quelques-uns seulement, car il était en présence de Cara.

***

Service Secret 24, suivi de ses frères d'armes, arriva devant l'entrée du palais en courant. Service Secret 25 ramassa la carcasse disloquée de l'engin volant qui avait permis d'endormir les gardes et l'enfouit dans son sac. Leçon numéro un : la technologie d'armement ne doit jamais tomber dans les mains de l'ennemi. Ils s'engouffrèrent dans le palais.

Service Secret 24 ne savait pas où se trouvaient les deux scientifiques prisonniers. Il fallait le découvrir vite, car on ne tarderait certainement pas à donner l'alarme. Alors qu'ils avançaient rapidement, les sens tendus et les armes en avant, dans un couloir tout habillé de marbre blanc, deux Ovoïdes apparurent soudainement, tout au fond au détour d'un angle. L'un d'eux était un géant inconnu. Il s'écroula sous le tir de Service Secret 25. Le chef du commando identifia l'autre, mais une fraction de temps après que son doigt eut pressé la détente de son arme, heureusement non létale. Il eut conscience de cette chance immédiatement. S'il avait tué 237 Présidente, une crise d'une ampleur jamais connue eût obligatoirement débouché sur une guerre totale entre les deux nations. S'en prendre à la présidente n'était pas dans ses prévisions. Sous la tension nerveuse, il venait de commettre un geste regrettable. Mais, il n'avait pas le temps de méditer sur cette erreur. Il poussa la présidente endormie sur le côté et ordonna :

— Trouvons les deux savants et tirons-nous d'ici au plus vite !

En suivant le couloir, ils arrivèrent jusqu'à la salle d'observation. Service Secret 24 ne vit qu'une table pleine d'appareils et de dispositifs complexes qu'il ne connaissait pas. Il n'y avait personne dans cette pièce, mais à travers une vitre rectangulaire il reconnut Biologie 237 puis Biologie 455 dont on lui avait donné des photos.

— Ils sont là, chef, dit Service Secret 25.

Tout à l'heure sous les arbres, Service Secret 24 avait montré les portraits à ses Ovoïdes pour leur expliquer le détail de leur mission.

— Oui, j'ai vu, répondit-il en s'apprêtant à ouvrir la porte pour inviter les deux biologistes à le suivre en toute hâte.

Mais il s'écroula avant de poser sa main sur la poignée. Service Secret 26 et Service Secret 27 perdirent également connaissance et tombèrent presque en même temps.

68. Nous ne nous intéressons pas à la politique

Service Secret 25 avait choisi de prendre le risque. Dans sa culture ovoïde, il existait aussi un aphorisme qui prétendait que la fortune sourit aux audacieux. Ce serait lui, lui seul, qui ramènerait les deux savants à Président 234. Il est des décisions, comme celle-ci, que l'on saisit en un éclair de temps, mais qui peuvent changer le reste d'une vie. L'occasion qu'il attendait depuis longtemps venait de se présenter.

Il tira le corps de Service Secret 24 pour dégager la porte et ouvrit.

— Biologie 237, Biologie 455 ! cria-t-il. Venez vite ! Je suis là pour vous libérer. Suivez-moi. Dépêchez-vous, le temps…

Sa phrase fut interrompue par une détonation. Il tomba en avant sous les yeux des Ovoïdes et des humains interloqués. 39 Service Secret apparut, une arme à la main.

— Ne vous affolez pas, dit-elle. La situation est maîtrisée.

***

23 Service Secret était réveillé depuis un petit moment. Son appendice oculaire convalescent avait visiblement à nouveau souffert à cause de la chute. Lui et 39 Service Secret regardaient la présidente, posée sur un fauteuil cylindrique. Elle reprenait peu à peu ses esprits. Ils étaient tous les trois dans la salle d'audience.

— Que s'est-il passé ? demanda la dirigeante dans une lumino-gesticulation encore engourdie.

— Nous avons été victimes d'une attaque, lui expliqua 39 Service Secret.

— Une attaque ?

— Oui. Une attaque. Des agents d'en face. Ils sont quatre.

— … ?

— Ils étaient là pour exfiltrer les deux biologistes.

La présidente s'arracha une vieille jambe et se leva pour aller la jeter dans une poubelle murale.

— Ah ! Oui, fit-elle en se reposant sur son siège. Je me souviens à présent que quelqu'un a tiré sur moi.

Elle regarda 23 Service Secret et ajouta :

— J'en déduis que tu m'as sauvée, mon bon vieux 23 !

— Je n'ai sauvé personne, 237 Présidente. C'est 39 qu'il faut remercier. C'est elle qui nous a sauvés tous les deux. Quand je me suis réveillé tout à l'heure, j'ai constaté qu'elle les avait tous mis hors d'état de nuire.

La présidente ne fit rien pour dissimuler sa surprise :

— 39 ! Toi ! Une jeune recrue comme toi ! Bravo ! Mais que s'est-il passé exactement ? Tu les as maîtrisés tous les quatre toute seule ?

— J'ai eu la chance d'y parvenir, 237 Présidente. Je suis heureuse de t'avoir sauvé la vie. Tu peux aller les voir pour les interroger. Je les ai tous laissés sur place. Je me suis contenté de les immobiliser.

La présidente eut un nouveau regard vers son agent des services secrets le plus gradé, comme pour lui demander confirmation de ce qu'elle entendait. Le géant approuva :

— C'est vrai ! Comme je te le disais, quand j'ai repris connaissance, je les ai tous vu allongés dans la salle d'observation des humains, expliqua-t-il. 39 était en train de les immobiliser.

Suivie par ses deux agents, la présidente sortit et marcha à vive allure. Quand elle arriva dans les locaux des scientifiques, elle trouva effectivement les quatre militaires, tout de noir vêtus et maquillés, étendus sur le sol. Leurs bras étaient liés et il ne leur restait plus de jambes.

***

Bartol et Cara étaient toujours sous le choc. Il leur apparaissait désormais évident qu'un certain nombre de ces créatures étaient en conflit avec d'autres. Autrement dit qu'ils étaient au milieu d'un conflit Ovoïde.

Ils avaient vu l'un d'eux ouvrir brutalement la porte et lumino-gesticuler. Ce qu'il avait dit n'avait visiblement pas laissé Œuf Affable et les autres indifférents, car ils avaient tous paru s'agiter. Puis, on avait entendu une détonation et celui qui les mettait dans cet état était tombé en avant sur le sol. Un autre Ovoïde inconnu était alors arrivé pour lui attacher les bras au moyen d'un dispositif semblable à des menottes et pour lui arracher toutes les jambes. Cara avait poussé plusieurs cris d'horreur en assistant à cette scène. Œuf Affable s'était précipité vers les humains pour s'interposer entre eux et cet affreux spectacle, comme pour les empêcher d'en voir la suite. L'Ovoïde avait même tendu deux grands bras protecteurs autour d'eux pour former une barrière les obligeant à rester là.

Bartol avait ressenti deux sentiments antagonistes. D'un côté, la patente sollicitude d'Œuf Affable était touchante ; c'était un geste amical attachant. D'un autre, ce paternalisme avait quelque chose d'un peu humiliant, car il avait l'impression d'être traité comme un petit enfant par un adulte. Et puis ! Et puis ! N'était-ce pas à lui que revenait le rôle de protéger Cara ?!

Eu égard au premier de ces deux sentiments, il s'était efforcé de ne pas être trop désagréable pour repousser l'assistance de l'Ovoïde.

***

— Amenez-les dans la salle d'audience, dit la présidente. Je vais les interroger tous les quatre sans attendre. Prenez celui-là d'abord.

Les deux agents s'exécutèrent. Ils soulevèrent Service Secret 25 et l'emmenèrent.

La présidente entra alors dans les lieux réservés aux humains et elle s'adressa aux Ovoïdes étrangers :

— Gardez un œil sur les animaux, s'il vous plaît. Il ne manquerait plus qu'ils me mordent !

— Ils ne te mordront pas, 237 Présidente, assura son biologiste. Ils ne sont pas dangereux.

— Sauf quand ils éborgnent le plus costaud de mes agents !

239 Biologie ne sut que répondre.

Mais la présidente s'adressa de nouveau à ceux d'en face :

— Comme vous avez pu le constater, vos militaires nous ont attaqués. Vous comprendrez que dans ces conditions…

— Ce ne sont pas mes militaires ! l'interrompit Eau 631. Ni les miens, ni ceux de mes amis. Nous n'y sommes pour rien ! Nous ne cautionnons pas leurs agissements !

— Il a raison, déclara le vieux biologiste. Ce ne sont pas nos militaires ! Nous ne sommes pas responsables de leur conduite. Ce n'est pas nous qui leur donnons des ordres. Nous ne nous intéressons pas à la politique.

— Ne me regarde pas comme ça, 237 Présidente, dit 501 Mathématiques. Non, je ne me sens pas coupable d'aimer une d'en face ! Je suis vraiment désolé que des soldats vous attaquent. Mais ce n'est pas en renonçant à l'amour d'Écologie 982 que j'aurais pu éviter ce qu'ils ont fait. Moi non plus, je ne m'occupe pas de politique.

— Oui, dit la présidente. Je sais. Vous êtes des scientifiques, la politique vous indiffère ! Vos esprits œuvrent bien plus haut ! Et vos cœurs trouvent sans doute les frontières vulgaires. Mais si vous ne vous intéressez pas à la politique, la politique, elle, s'intéresse à vous ! Donc, en réalité, vous faites de la politique malgré vous. Moi, c'est l'inverse. Je ne m'intéresse pas à la science. Mais la science s'intéresse à moi, parce que c'est moi qui lui donne les crédits. Je fais de la science malgré moi, en ce moment, parce que je vous permets d'en faire uniquement dans le but de ne pas nous faire dépasser, dans quelque domaine que ce soit, par ceux d'en face. C'est important, car, si nous nous laissons distancer, nous deviendrons une nation sous-développée et je n'aurais donc plus de crédit à vous accorder pour vos travaux. Vous voyez que tout se tient, que tout s'imbrique. Alors, souffrez que la gentille naïveté des esprits scientifiques et des cœurs amoureux soit un peu bousculée dans son confortable retrait des réalités du monde ! Je vous disais donc que je fais de la science, malgré moi, à ma façon et pour mes raisons. Il se trouve que votre président est prêt à tout pour m'en empêcher. Ceci pèse contre vous. Et puis, les trois amis qui sont venus demander la libération des otages sont arrivés avec un espion. Je veux bien croire qu'ils ne s'en rendaient pas vraiment compte, mais il y a des limites à la candeur que je peux supporter. Aussi, avant même d'interroger les quatre agents étrangers qui ont tenté de vous libérer par la force et qui n'ont pas hésité à faire usage de leur arme contre moi, je peux vous dire que je suis à présent très loin de songer à vous laisser partir. Je suis plutôt sur le point de déclarer la guerre à votre nation.

69. Ils grattent le ciel avec leurs doigts

Président 234 ne savait toujours pas quoi faire. Dix jours s'étaient écoulés depuis l'intervention manquée de son commando. Dix jours et donc dix nuits durant lesquelles il dormait très peu, d'un sommeil agité et troublé de nombreux cauchemars. 237 Présidente avait été très claire : cette tentative d'attaque dirigée contre elle-même lui donnait toute la légitimité d'une déclaration de guerre. Elle gardait tous les militaires capturés en otage pour prouver aux deux peuples qu'elle n'était pas la responsable du conflit qu'elle menaçait de déclencher.

Président 234 n'avait rien pour négocier, aucun moyen d'exercer une pression sur elle. Il n'avait d'autre choix que d'attendre. Attendre en espérant que les choses finissent par rentrer dans l'ordre. Attendre en espérant que les Défenseurs Nationalistes n'apprissent rien. Attendre en espérant que les Nationalistes Libres, le parti politique équivalent chez ceux d'en face, n'entendissent rien, eux non plus. Attendre en espérant que 237 Présidente ne profitât pas de sa position de force pour exiger l'impossible. Attendre en espérant... C'est tout ce que Président 234 était réduit à faire.

***

— Ça, maison travail à moi, dit 239 Biologie en inclinant son pédoncule de communication gauche dans la direction d'une construction ovale.

Bartol et Cara regardèrent dans la direction indiquée.

— Moi pas travailler là maintenant parce que moi travailler vous dans maison présidente, ajouta l'Ovoïde. Comprendre vous moi ?

— Oui, je te comprends, répondit Bartol en s'efforçant d'articuler soigneusement et de maîtriser son vocabulaire.

Depuis dix jours, il s'appliquait à éliminer de son langage les « grande géanture ! » ou tous les néologismes du même acabit et bien sûr tous les mots de son riche lexique de discourtoisies. C'était le prix à payer pour améliorer le traducteur que les Ovoïdes continuaient à perfectionner. L'appareil était un peu moins encombrant que lors de son premier fonctionnement. Tous ses organes étaient à présent réunis dans une sorte de valise que 117 Ingénierie portait. Bien qu'il fût, par définition, impossible de lire une expression faciale sur une créature sans face, il était permis de deviner qu'elle devait être assez fière de son travail, car elle en prenait visiblement un très grand soin. De toute évidence, elle n'acceptait que personne d'autre qu'elle ne transportât sa machine. Les humains parlaient devant ce qui ne pouvait être qu'un micro, un cylindre gris au bout d'une tige qui sortait de la valise, et les Ovoïdes lumino-gesticulaient devant ce qui ne pouvait être qu'un récepteur électromagnétique. Les sons destinés aux premiers étaient produits par un haut-parleur et les traductions réservées aux seconds étaient émises par un unique petit cylindre lumineux qui clignotait à l'instar des pédoncules de communication des Ovoïdes.

C'était le moment de la promenade quotidienne, instaurée depuis six jours sur l'initiative de 239 Biologie. Ce devait être la moitié de l'après-midi. Bien que la céph de Cara fonctionnât normalement, à la surprise de Bartol qui ne s'en était aperçu que grâce à la séance de céph-biogrimage, elle ne pouvait donner l'heure locale ici.

Cara avait toutefois appris à Bartol qu'elle avait noté la longueur du jour de ce monde. Il durait trente heures, à une demi-heure près. Elle n'avait pu être plus précise puisqu'on ne voyait jamais l'astre du jour ni se lever ni se coucher, dans cette ville couverte. Le Marsalè avait été surpris d'apprendre que les journées fussent si longues, en l'absence de tout moyen de mesure du temps rien ne lui avait permis de s'en rendre compte.

Les Ovoïdes avaient considérablement enrichi le vocabulaire humain de leur traducteur. En dépit de ses tournures phraséologiques encore archaïques, le dispositif offrait déjà des possibilités de conversations simples, mais extrêmement formatrices pour les deux espèces.

— Oui, poursuivit 239 Biologie. Moi pas travailler dans maison travail de moi. Moi travailler vous dans maison présidente. Présidente vouloir pas vous partir alors vouloir garder vous dans maison de présidente.

Tandis que Cara expliquait qu'elle comprenait ce qui était prononcé par la machine et le reformulait pour aider ses concepteurs à la perfectionner, 117 Ingénierie faisait courir ses vingt-quatre doigts autour de son clavier sphérique.

Les humains n'étaient heureusement pas tenus en laisse, mais les quatre gardes qui suivaient les promeneurs de près ne les quittaient pas des yeux. Les constructions qui constituaient cette ville ressemblaient beaucoup à celles qui s'étendaient de l'autre côté du canal. On pouvait seulement noter que les fenêtres y étaient généralement rectangulaires au lieu de rondes ou ovales. Ici non plus, on ne distinguait pas vraiment de rues, car, comme sur l'autre rive, il n'y avait aucun alignement dans l'agencement des bâtiments.

De temps en temps, un passant promenait son humain. Ces apparitions mettaient Cara et Bartol mal à l'aise. Surtout quand les humains en question poussaient des cris en tirant sur leur laisse dans leur direction. Ceux qui les promenaient eux-mêmes pour leur montrer cette ville avaient visiblement compris l'embarras de Bartol et Cara, car on les voyait faire ce qu'ils pouvaient pour éviter ces rencontres ou pour les éloigner.

Les deux humains solairiens se sentaient le point de convergence de la curiosité des habitants. Des Ovoïdes de petite taille, Bartol et Cara avaient eu la confirmation qu'il s'agissait d'enfants, les suivaient en lumino-gesticulant et en se bousculant. On pouvait supposer qu'ils jouaient. Bartol, qui avait de plus en plus de facilité à reconnaître les individus, s'aperçut qu'un certain nombre d'entre eux semblaient être des habitués. Cela faisait plusieurs fois qu'ils tournaient autour des promeneurs et paraissaient même attendre leur sortie quotidienne.

Sur le chemin du retour, ils passèrent devant une estrade au centre d'une petite place située entre quatre édifices qui avaient une forme particulière. On eût dit des amandes géantes posées sur leur extrémité arrondie. Sur cette estrade récemment dressée, le Marsalè ne l'avait en tout cas pas remarqué la veille, se tenaient quatre Ovoïdes. Cara et Bartol n'eussent su dire s'il s'agissait de mâles, de femelles ou d'un peu des deux. Ils avaient appris de leurs hôtes que leur espèce était effectivement sexuée, mais ils ne pouvaient pas encore distinguer chacun des attributs. En revanche, ils savaient à présent que Doc, Œuf Affable et Œil Tordu étaient des mâles et que Bobine était une femelle. Il leur apparaissait en outre évident qu'Œuf Affable et Bobine formaient un couple.

Devant l'estrade qui était adossée au mur de l'un des immeubles, une centaine d'individus tortillaient leurs grands bras en tous sens au-dessus d'eux, tout en animant leurs jambes dans d'étonnants mouvements ondulatoires qui n'étaient pas sans rappeler les vagues que forme le vent dans les hautes herbes. Cara et Bartol, qui marchaient tranquillement en se tenant la main depuis le début de la promenade, s'immobilisèrent pour considérer ce spectacle surprenant.

— Quelle est donc cette géantissimale mascarade de fous furieux ? demanda Bartol.

Il n'avait heureusement pas parlé assez fort et ne s'était pas tourné vers le microphone de l'appareil interprète, mais Cara lui fit malgré tout discrètement l'observation :

— Ce n'est pas avec une formulation de la sorte que tu vas faire progresser le traducteur !

Il murmura :

— Oups ! Excuse, Messieurs et Mesdames ! Il faudrait qu'ils fassent des efforts de leur côté. Ils ne devraient pas s'étonner que je m'étonne quand ils font pareillement les clowns !

— Mais ils ne font pas les clowns ! Ne devines-tu pas ce qu'ils font ? répondit Cara.

— Non ! Vraiment pas ! Ils grattent le ciel avec leurs doigts et le sol avec leurs jambes ?

— Mais enfin ! Tu vois bien qu'ils dansent ! C'est évident à mes yeux !

— Tiens, tu as raison ! Ça alors ! Géantissime !

Les gardiens qui les accompagnaient s'étaient approchés. Il y en avait deux de chaque côté d'eux.

— Ceux-là ont peur de nous voir filer, chuchota le Terrien.

Un des Ovoïdes présents sur l'estrade manipulait un étrange appareil comportant une longue tige qui clignotait de mille couleurs.

— Ce ne peut être qu'un instrument de musique, suggéra Cara. Ou du moins l'équivalent lumineux de ce qui pour nous en est un.

— Tu as raison ! s'extasia Bartol. Les clignotements qui en sortent sont magnifiques ! Cet objet est en plus d'une beauté géantissimesque !

— Ça quel nom en langage de toi ? demanda Œuf Affable, grâce à la machine et en tendant son pédoncule de communication droit vers les danseurs. Le traducteur parlait soit avec la voix de Cara soit avec celle de Bartol et souvent avec un mélange des deux. En l'occurrence, le Marsalè eut la surréaliste impression de répondre à sa propre voix. Montrant à son tour ceux qui s'agitaient autour de l'estrade, il renseigna l'Ovoïde en articulant soigneusement devant le microphone :

— Danseurs.

Puis, il les imita du mieux qu'il put, levant les bras au ciel et frétillant des jambes quelque peu grotesquement, pour dire :

— Danser.

À cette vision, Cara éclata de rire :

— Et tu prétends que ce sont eux qui font les clowns !

70. Dans deux jours seulement !

Une des réunions des Défenseurs Nationalistes venait de se terminer. Petit à petit, les membres étaient partis en lumino-gesticulant tranquillement de choses et d'autres. Il ne restait plus qu'un possible nouvel adhérent qui avait participé à l'assemblée en tant que curieux et Administration 562 qui était le fondateur et le numéro un du parti. La salle principale du local qui abritait les activités de ce dernier pouvait contenir un peu moins de deux centaines d'individus au maximum ce qui était largement suffisant, car le front ne comptait qu'à peine plus de cent membres. On voyait douze rangées de seize sièges et un long bureau posé sur une estrade depuis lequel le dirigeant et ses deux assesseurs présidaient.

Presque au fond de la salle, au milieu de la neuvième rangée, le nouveau était encore là. Administration 562 le remarqua alors qu'il venait de ranger le contenu d'un tiroir et qu'il s'apprêtait à fermer le local pour partir à son tour.

— Tiens ! Tu es toujours là ! Excuse-moi, je t'avais complètement oublié. Alors ? Que penses-tu de ce que tu as entendu ? Quelles sont tes impressions ?

L'inconnu ne répondit pas. Il se leva et marcha vers lui.

Administration 562 ne se souvenait plus de son nom. Il n'était même pas sûr qu'il le lui eût dit. Ce type l'avait abordé avant la réunion en lui confiant qu'il voulait lui parler. Le leader des Défenseurs Nationalistes l'avait observé avec une méfiance certaine, car il redoutait toujours d'avoir affaire à un espion à la solde de l'Union Fraternelle, une organisation pacifique qui selon lui ne prêchait que le laxisme sous le nom de tolérance et la perte de l'identité nationale sous le vocable d'antiracisme. Mais l'inconnu ne lui avait pas semblé en être un. Il faisait confiance à son instinct pour déceler ce genre de chose. Et puis, de toute façon, rien de bien secret ne serait abordé ce soir. Il avait donc décidé de le retenir. Peut-être deviendrait-il un nouveau membre !

— Je n'ai pas le temps de discuter maintenant, lui avait-il répondu. Je dois présider l'assemblée de ce soir. Reste si tu veux voir comment ça se passe. Nous parlerons ensuite.

L'inconnu s'arrêta devant le bureau et lumino-gesticula :

— J'ai bien entendu ce qui s'est dit durant cette soirée, mais ça ne m'intéresse pas vraiment. Je ne suis pas venu pour faire de la politique.

— Que veux-tu alors ?

— T'apporter une information à laquelle tu ne t'attends pas, mais qui va donner beaucoup d'importance à ton parti.

— Ah, oui ! lumino-gesticula Administration 562.

Il ne prenait pas cette déclaration au sérieux. Ce personnage lui faisait l'effet d'être un pauvre type, certainement un peu trop porté sur les lichens. Sa « tête » lui disait quelque chose, mais il n'arrivait pas à savoir où et quand il l'avait déjà vu.

— Oui.

— Nous pourrons en parler un autre jour, si tu veux. Je n'ai pas beaucoup de temps en ce moment. Nous sommes-nous déjà rencontrés ? Il me semble que…

— Te souviens-tu de moi ? fit l'inconnu avec une lueur d'intérêt dans les pédoncules de communication.

— Oui, mais… J'avoue que je ne sais plus…

— Je fus un chanteur très célèbre en mon temps.

— Ah ! Mais oui ! Je m'en souviens bien à présent, mentit Administration 562.

C'est peut-être ça, se dit-il, mais il était très loin d'en être certain. Métallurgie 2007 sentit son manque de sincérité.

— Pour en revenir à l'information que je possède…

— Oui. Comme je te l'expliquais je n'ai pas trop de temps, mais tu peux repasser euh…

— Je sais que ceux d'en face ont fait des prisonniers chez nous ! C'est un renseignement sûr que je te donne. Même si ma mine de chanteur déchu ne t'inspire pas une grande confiance, je te dis la stricte vérité. Tu aurais tort de passer à côté d'un moyen d'exacerber les sentiments de haine qui font ton fonds de commerce !

Le chef des Défenseurs Nationalistes eut un soudain sursaut d'intérêt.

— Ce que tu prétends m'apprendre m'intéresse, avoua-t-il, mais tu t'exprimes comme un pacifiste. Si tu en es un…

— Si j'en étais un, pourquoi te confirais-je cela, puisque ça ne pourrait que nuire à la paix ? Quand je parle des sentiments de haine qui font ton fonds de commerce, je le dis sans passion, en toute objectivité. Je ne m'intéresse pas à la politique. Je suis si désabusé que je ne m'intéresse qu'à moi-même. Je ne suis pas immoral, mais amoral. C'est l'avantage ou le handicap de ma déchéance ! Quoi qu'il en soit, c'est tellement vrai que si cette information avait plus de valeur pour l'Union Fraternelle que pour les Défenseurs Nationalistes, je ne serais pas en train de négocier avec toi en ce moment. En fait, je n'ai plus de convictions. Plus de passions. Plus de causes à défendre. Plus rien de tout cela. Je suis mort.

Un peu ébranlé par le ton et l'attitude du personnage, Administration 562 resta un moment silencieux puis conclut :

— Si tu étais vraiment mort, tu n'aurais pas pris la peine de me dire tout cela. Il y a forcément quelque chose qui est encore en vie en toi !

— Tu as raison… Il reste quelque chose de vivant en moi ; c'est le désir de venger une mort. Paradoxal, non ?

— Peu importe. Nous avons tous nos motivations. J'espère que ce quelque chose, paradoxal ou non, rejoindra notre cause. Il ne s'agit pas d'exacerber la haine, mais de préserver notre identité en évitant d'être dilués dans une autre culture, d'être asservis à des mœurs qui ne sont pas les nôtres. Souhaites-tu voir des fenêtres rectangulaires partout ? Imagines-tu le nom de nos enfants qui commence par le numéro ?

— …

— Tu me disais donc que ceux d'en face ont fait des prisonniers chez nous. Tu peux développer ?

— Oui, je peux te donner des précisions qui te permettront de faire pression sur Président 234 pour qu'il déclenche une guerre, mais je me moque complètement des fenêtres et des noms. C'est de l'argent que je veux.

Métallurgie 2007 n'avait effectivement aucun intérêt pour la politique, mais il savait que les Défenseurs Nationalistes souhaitaient l'abandon du troc pour le retour total de l'argent et qu'à ce titre leur association en avait.

— Si c'est ce que tu veux, tu en auras, assura le chef du parti, avec une ombre de mépris dans les pédoncules de communication. Je t'écoute.

— Je parlerais quand tu auras tamponné cela, dit l'ancien chanteur en posant un document sur le bureau, car ce que je te vends, ce n'est rien de moins que la guerre.

Il s'agissait d'une reconnaissance de dette. Outre la date figurant en haut, il comportait un texte que la traduction résumera ainsi :

« *Moi, Administration 562, dirigeant le parti des Défenseurs Nationalistes, m'engage à donner la somme de 1 658 880 unités à Métallurgie 2007 si une guerre a lieu entre les deux peuples séparés par le canal dans les 24 jours qui suivent la date de cet accord.* »

Le chef du parti lu le montant avec un ton exclamatif qui fit vibrer ses antennes.

— C'est une belle somme ! fit-il un peu moqueur.

— Tu ne risques pas de la payer s'il n'y a pas de guerre.

— J'en conviens. C'est juste.

— Alors tamponne !

Administration 562 regarda un moment le chanteur déchu dans les yeux, puis il prit son sceau dans la poche idoine de son bandeau-vêtement pour l'apposer sur le document. Métallurgie 2007 s'en saisit, l'examina et parut satisfait. Après l'avoir empoché, il dit :

— Je vais à présent te donner tous les détails qui te permettront de faire pression sur Président 234. Mais tu ne dois commencer à en faire usage que dans deux jours. C'est très important ! Dans deux jours seulement !

— Pourquoi dans deux jours ?

— Je ne peux pas te le dire, mais suis bien cette recommandation, si tu veux cette guerre.

71. Comprendre le sexe opposé de sa propre gent !

— Que me veux-tu ? s'enquit Président 234, derrière son bureau. Pourquoi as-tu demandé à me voir de si bonne heure ? S'agit-il toujours de ces deux humains ? Si c'est le cas, je n'ai plus rien à dire à ce sujet. Je ne sais même pas où ils sont.

C'était le début de la matinée. Il avait encore très mal dormi et il se sentait de mauvaise humeur.

— Je suis venu te vendre la paix, lumino-gesticula Métallurgie 2007, en se posant sur un siège cylindrique sans attendre d'y être invité.

— Hein ?

Les pédoncules de communication du président exprimèrent l'ahurissement et l'incompréhension.

Le visiteur inopportun s'arracha une vieille jambe et la jeta derrière lui sans prendre la peine de chercher une corbeille.

— Je suis venu te vendre la paix, répéta-t-il.

— ... ?!

— Je sais que tu te trouves dans une situation extrêmement délicate. Je sais tout. Pour l'instant, tu n'as pas d'autre choix que d'attendre en espérant que 237 Présidente n'abuse pas des moyens de pression que tu lui as donnés.

— De quoi es-tu au courant, exactement ? demanda le dirigeant en se crispant.

Métallurgie 2007 lui exposa par le menu tout ce qu'il savait.

— C'est très fâcheux, conclut-il. Très fâcheux ! Surtout le commando ! Tu as joué à quitte ou double ! Ça aurait pu marcher... Hélas !

— C'est bon ! Ça va ! Je me passe de tes commentaires ! Où veux-tu en venir ? Tu proposes de me vendre ton silence, c'est ça ?

— Oh ! Bravo ! Tu es très perspicace ! On voit que tu es dans la politique, que tu as l'esprit putride de la profession…

— Qu'est-ce qui te prends de m'insulter ? Je pourrais te faire emprisonner pour n'importe quel motif. Je serais ainsi débarrassé de toi et de tes menaces de sale délinquant drogué. Crois-tu que quelqu'un se préoccupera de la disparition d'un chanteur sans talent dont plus personne ne parle depuis longtemps ?

Un sourire amer passa sur les pédoncules de communication de l'artiste oublié.

— Mes menaces de sale délinquant drogué ne sont pas pires que celle que tu viens de proférer à mon encontre. Et je m'y attendais. C'est pour cette raison que j'ai prévu un dispositif destiné à me protéger de tes mauvaises intentions.

— … ?

— J'ai écrit tout ce que tu aimerais garder sous silence. Tout ceci est dans une enveloppe cachetée que j'ai confiée à un Ovoïde de loi. Selon mes instructions, s'il s'écoule deux journées entières sans qu'il me voie dans son bureau, il enverra l'enveloppe au siège des Défenseurs Nationalistes, à l'attention d'Administration 562. Tu as déjà commis une grosse erreur, avec ton commando. Essaie de ne pas en commettre encore une qui te serait fatale. Tu sais, un président démis ne vaut pas mieux qu'un chanteur négligé ! Ta chute sera bien plus brutale que la mienne. Moi, on m'a oublié petit à petit. Toi, tu seras destitué sous les huées ! Moi, on ne me voit pas passer dans la ville, je suis invisible. Toi, tu seras le point de convergence de tous les regards et des mots accusateurs. Je gage que tu seras encore plus drogué et plus déchu que moi d'ici peu.

— Saleté !

— Là, c'est toi qui m'insultes, à présent ! lumino-gesticula Métallurgie 2007 en jetant une deuxième jambe derrière lui. Je n'ai pas le pouvoir de t'enfermer en mes cachots, moi, mais tu sais ce que je peux faire...

— Ça va ! C'est bon, j'ai compris. Dis-moi ce que tu veux en échange de ton silence et cesses de salir mon bureau, mets tes déchets dans la corbeille, là.

— Je veux de l'argent. 1 658 880 unités.

— Tu es fou ! Les Doux Nuages te montent à la tête !

— Oh ! J'ai affaire à un connaisseur ! C'est très instructif de communiquer avec un président de cette manière-là, je trouve. Je ne me serais jamais douté en t'écoutant parler à la télédiffusion que tu connaissais les Doux Nuages. Veux-tu qu'on s'en paye un, là ?

— Arrête ! Restons concentrés sur notre affaire. 1 658 880 unités c'est trop ! J'admets que tu me tiens, mais je fais appel à ton civisme. Si tu donnes ces informations aux Défenseurs Nationalistes, ils s'en serviront pour exacerber les phobies entre les peuples et pour réclamer des représailles. Tu sais bien que leur fonds de commerce n'est que la haine !

— Tu parles comme un pacifiste ! répondit Métallurgie 2007 sans retenir un rire.

— Quoi ? Qu'est-ce qui t'amuse ?

— Oh rien !

— Bon, alors ? Tu peux réviser ton prix à la baisse ? Tu ne vas pas traiter avec des gens sans idéal ! Sans valeurs ! Sans... euh...

— Mais si, ils ont un idéal ! Ils veulent défendre les fenêtres rondes ou ovales ainsi que les nombres après les noms. Ils y croient. Pour eux, c'est important. Ils appellent ça « leur culture ». Toi, ton seul idéal, c'est toi. Pour toi, tu es important, toi. Alors que pour moi, je ne suis pas très important, moi. Je ne le suis plus en tout cas. Alors, savoir si je fais le bien ou le mal, je n'en ai cure ! Et pour tout te dire, j'ai de plus en plus de difficulté à discerner l'un de l'autre. De quel côté vais-je me placer ? Du côté d'un troupeau d'imbéciles prêts à tuer pour défendre des formes de fenêtres ? Ou du côté d'un égocentrique qui ne redoute qu'une seule chose, perdre le pouvoir et la considération ? La réflexion est si vaine, que je préfère prendre mon argent et aller me faire quelques Doux Nuages pour vous oublier tous ! Alors, décide-toi, sinon, je vais négocier avec Administration 562. Ne me pousse pas ! Déjà qu'une bonne guerre ne serait pas pour me déplaire ! Une guerre très meurtrière comme la dernière, celle qu'a déclenchée ton prédécesseur qui devait te ressembler beaucoup ! Que dis-je ! Une guerre beaucoup plus meurtrière encore ! Une guerre totale qui éteigne définitivement notre espèce malfaisante !

Métallurgie 2007 avait prononcé ces derniers mots avec une violence inouïe qui avait cloué le président de stupeur.

***

Cara n'éprouvait plus aucune répugnance au contact d'un Ovoïde. En l'occurrence, il s'agissait précisément d'une Ovoïde en la personne de Bobine. Les deux femelles discutaient et par moments se touchaient timidement. Bartol, de son côté, parlait avec Œuf Affable. Dans ces échanges, le fait que les mâles fussent tous deux d'un côté et les femelles d'un autre était le pur fruit du hasard. C'est en tout cas ce que les quatre créatures concernées eussent répondu si on leur avait posé la question. Mais, peut-être que cela était dû au fait qu'il était inconsciemment plus facile pour chaque femelle de s'adresser à une autre femelle et réciproquement pour chaque mâle. Pour ces premiers échanges, eût-il été avisé d'ajouter à la si grande différence des espèces, celle des sexes ? Interrogé sur le fait, Bartol eût certainement fait remarquer qu'il avait déjà bien du mal à comprendre le sexe opposé de sa propre gent !

Il y avait à présent deux traducteurs. Deux autres ingénieurs avaient uni leurs compétences et leurs efforts à ceux de 117 Ingénierie. Les trois Ovoïdes travaillaient sans répit à perfectionner le système avec l'aide d'un quatrième individu qui tenait le rôle de linguiste.

Cara et Bobine ainsi que Bartol et Œuf Affable se trouvaient en ce moment dans la salle réservée aux humains. Pour leur laisser un peu d'intimité, les autres se tenaient à l'écart dans la pièce d'observation. Sur le plan physiologique, les humains avaient beaucoup de choses à apprendre sur les Ovoïdes. En revanche, ces derniers n'en avaient pratiquement pas à découvrir sur les humains puisqu'il en vivait dans leur monde.

Cara prit la main droite de Bobine dans les deux siennes et l'examina avec attention.

La biologiste se laissa faire en éprouvant une étrange sensation à ce contact. Elle avait l'habitude de voir des mains à cinq doigts, bien sûr, mais elle n'avait jamais été touchée si délicatement par un organe préhensile si soigné. Les doigts de Coquette étaient si fins et si propres ! Et ses griffes rouge sombre étaient si entretenues ! De plus, elles changeaient incompréhensiblement de couleur. La dernière fois qu'elle y avait fait attention, elles étaient bleues. L'humaine modifiait aussi la teinte de ses yeux et même de son tégument. Danseur, lui, ne changeait jamais les couleurs de son corps. Pourquoi ? C'était là un des mystères à élucider. Pour l'instant, Biologie 455 se laissait examiner sans rien dire, mais elle se préparait à interroger Coquette sur cette question.

Cara était très impressionnée par l'œil en plein centre de ce qu'on était tenté d'appeler l'intérieur de la paume. Une si étrange paume ! Très petite, proportionnellement à la main. Presque circulaire. Avec ces douze doigts qui en faisaient le tour comme les rayons d'une roue, elle ressemblait plus à un moyeu qu'a une paume. Les doigts étaient souples, se pliant aisément dans tous les sens, comme des tentacules de poulpe. Mais le plus surprenant était cet œil logé dans un renfoncement. Elle avait déjà vu cet œil plusieurs fois, mais jamais de si près. À demi fermée, cette main faisait penser à une petite cage. Cara fut convaincue que cet organe de préhension était considérablement plus performant que ses propres mains.

L'idée lui vint que c'était, au moins en partie, grâce à cette différence que dans leur monde les Ovoïdes avaient évolué considérablement plus vite que les humains, ne laissant à ces derniers aucune chance d'ériger une civilisation avant eux.

72. Bartol n'avait pas ri, cette fois !

99 Armée était un vieux militaire à la retraite. Il dirigeait le parti des Nationalistes Libres, qu'il avait fondé avec son plus proche ami. Ce dernier, mort depuis peu, lui avait soudainement laissé la charge d'administrer seul la base de ce pour quoi ils étaient prêts à tout donner : la défense de leur identité, de leur culture et de leurs traditions.

— Qui es-tu et que veux-tu ? demanda-t-il à l'inconnu qui avait souhaité le rencontrer.

— Mon nom ne te dira pas grand-chose ! Ce qui compte le plus c'est ce que j'ai à te vendre.

— N'es-tu pas un de ces pacifistes imbéciles cherchant à nous espionner ? Si c'est le cas, prends conscience que tu viens de te mettre dans une très mauvaise situation.

En disant cela, 99 Armée faisait défiler des photos sur un écran placé sur son bureau, afin de vérifier que l'inconnu ne figurait pas sur les images prises lors des manifestations de pacifistes. Posé sur un tabouret cylindrique en face de lui, Métallurgie 2007 le regarda faire. Un ricanement amer fut exprimé par ses pédoncules de communication.

— Tu ne risques pas de me trouver parmi eux, assura-t-il. Je ne suis pas d'ici. Je suis d'en face.

99 Armée se crispa :

— Tu oses ! Veux-tu mourir ?

— Laisse-moi parler avant de me tuer ! Je suis venu te vendre la guerre.

— … ?

— Oui. La guerre ! Je sais comment la déclencher. J'ai des informations qui te permettront de le faire toi-même.

— Qu'est-ce qui me prouve…

— Tu ne me paieras que si la guerre a lieu. Regarde !

99 Armée baissa ses yeux vers le document que Métallurgie 2007 venait de poser devant lui.

***

Les humains parlaient de plus en plus facilement avec les Ovoïdes. Les progrès étaient grands parce que les deux espèces y consacraient presque tout leur temps, leur bonne volonté et leurs moyens. Fascinée par les premiers résultats, 237 Présidente avait délégué trois programmeurs supplémentaires qui travaillaient sous la direction de 117 Ingénierie. Le traducteur évoluait de plus en plus vite et ceux qui en faisaient usage devenaient plus performants dans leur manière de s'en servir.

Bartol et Cara connaissaient maintenant beaucoup plus de choses concernant les Ovoïdes. Ils avaient par exemple appris qu'à la manière des reines abeilles, les femelles possédaient une spermathèque. Cet organe conservait les caractères génétiques de plusieurs mâles.

Seule la fidélité affective formait et soudait les couples. Chaque femelle avait le loisir et l'habitude d'ouvrir sa spermathèque aux partenaires qui suscitaient son attention pour ce rôle. Et réciproquement, il n'y avait rien de plus normal pour un mâle que de proposer ses gènes à celles qui, selon son estimation, les méritaient.

Quand Cara avait dit à Bobine qu'elle décapiterait volontiers la première femelle qui porterait de cette manière un intérêt pour les gènes de Bartol, l'Ovoïde avait été très étonnée.

Tous les Ovoïdes identifiaient leur mère avec certitude, mais il leur était plus difficile de savoir qui était leur père parmi plusieurs mâles. Parfois, une ressemblance, ou un caractère quelconque les mettait sur la voie, mais souvent rien ne permettait jamais d'en avoir la plus petite idée. Toutefois cela ne préoccupait personne. De quelque père qu'ils fussent, les enfants étaient toujours élevés par le couple lié par les sentiments.

Il y avait une autre différence. Et non des moindres ! psychologiquement, en tout cas. C'était en effet la femelle qui pénétrait le mâle au moyen d'une sorte de tube pour aller chercher les gènes du partenaire choisi, ces organes de transfert de gènes se trouvant sous le corps, au milieu. La mère mettait son enfant au monde par un orifice, qui se créait au moment venu sur la partie avant, celle qu'un humain serait tenté d'appeler le ventre, et qui se refermait quelque temps après sa fonction assumée.

La question « de quel monde venez-vous ? » avait dû être posée plusieurs fois de diverses manières, tant elle avait eu du mal à être comprise. Les Ovoïdes avaient répondu qu'il existait des informations, sous forme d'écrits et d'images, en faveur d'une thèse selon laquelle leur espèce venait d'un monde sphérique beaucoup plus grand que celui-ci tournant autour d'une source d'énergie également sphérique aux dimensions colossales. Cette explication des origines de leur espèce s'opposait à celle qui prétendait qu'ils avaient toujours vécu dans ce monde-là et que toutes les informations s'efforçant de prouver le contraire étaient truquées. Biologie 237 avait précisé que les penseurs penchant pour la première thèse, parmi lesquels il se comptait, appuyaient leur conviction en faisant remarquer qu'un si petit nombre d'individus dans un si petit monde n'auraient jamais pu engranger toutes leurs connaissances et inventer toute leur technologie à eux seuls. Il s'avérait, en effet, que ces êtres utilisaient une ingénierie qui les dépassait eux-mêmes. Bartol avait par exemple appris que personne ne pouvait expliquer le principe du champ de force qui permettait de créer la colonne d'eau vue chez Œuf Affable.

Quand Bartol et Cara leur eurent révélé qu'ils venaient eux-mêmes d'un monde sphérique bien plus grand que celui-ci gravitant autour d'une source d'énergie colossalement plus grande encore, une vague de murmure exclamatif avait parcouru les pédoncules de communication.

Quand les Ovoïdes eurent à leur tour annoncé que le nom qu'ils donnaient à leur monde actuel était « Union, Association ou Symbiose », le traducteur avait du mal à choisir, ce furent Cara et Bartol qui se regardèrent avec la même surprise.

— Leurs ancêtres se sont pris un « Bienvenue dans Symbiose ! » dans la coquille, eux aussi ! avait dit le Terrien.

Lors d'une discussion à quatre, réunissant les deux humains, Biologie 455 et Eau 631, fut abordé le sujet du nom des individus. Les Ovoïdes parvinrent, non sans mal, à expliquer qu'ils se désignaient entre eux par une lumino-gesticulation correspondant à une fonction sociale suivie d'un nombre. Ainsi Eau 631 révéla que son travail consistait à s'occuper de l'eau, sa spécialité étant de veiller à sa propreté. Au moment où il avait endossé cette responsabilité, six cent trente l'avaient fait avant lui. Ceci permettait de comprendre que, pas toujours, mais souvent, plus le chiffre était petit, plus haut était l'Ovoïde dans la hiérarchie grâce à son expérience. Les humains apprirent également que du côté du canal dirigé par Président 234, les chiffres étaient après la désignation de la fonction, mais que du côté de 237 Présidente, le chiffre était avant. Les Ovoïdes n'avaient pas encore abordé la raison de cette différence.

Les humains avaient à leur tour donné leur nom en précisant qu'ils n'étaient que des sons qui ne voulaient rien dire d'autre. Les Ovoïdes avaient apparemment trouvé cette coutume aussi étrange qu'exotique.

Vint alors à l'idée de Cara de révéler à Biologie 455 qu'elle l'avait nommée Bobine à cause de son bandeau-vêtement. Bartol en avait profité pour expliquer que pour lui, Eau 631 serait toujours Œuf Affable, car c'était un nom qui lui allait bien. Il avait fallu préciser ce que signifiait « affable ». Sans doute entraînée par ces confidences somme toute amusantes, Bobine avait avoué que, pour eux, Cara était Coquette et que Bartol était Danseur.

— Pourquoi Danseur ? Grande gé... Je veux dire, pourquoi Danseur ? s'était-il étonné.

Quand les Ovoïdes lui en eurent expliqué la raison en lui montrant des enregistrements filmés de lui en train d'essayer de se faire comprendre en gesticulant, il s'était mis à rire assez généreusement. Ce qui avait fait plaisir à Cara, car c'était la première fois qu'elle le voyait de si bonne humeur depuis qu'ils étaient dans ce monde, mais cet étrange « cri d'humain » avait laissé les deux Ovoïdes plutôt perplexes. Décidant sans doute d'étudier la signification de ce son plus tard, Bobine avait ajouté que Danseur était le deuxième nom qu'on avait attribué à Bartol.

— Quel était donc le premier ? s'était enquis celui-ci.

Pour répondre, elle avait lumino-gesticulé et le traducteur avait fait ce qu'il avait pu. Il avait prononcé :

— Urine Bouteille. Parce que toi avoir uriné dans bouteille.

Bartol n'avait pas ri, cette fois !

73. Une graine sur une dalle de marbre

237 Présidente entra dans la salle d'audience. Après avoir brièvement salué l'Ovoïde qui l'y attendait, elle en vint vite aux faits :

— Alors ? Je t'écoute. Tu as été payé, n'est-ce pas ? Tu n'as pas de plainte à formuler pour ça !

— Oui, j'ai été payé comme convenu. J'ai voulu te revoir pour un tout autre marché.

Restant debout elle-même et ne proposant pas un siège à son visiteur, elle répondit :

— Parle alors ! Dis-moi vite de quoi il s'agit. Je n'ai pas que ça à faire !

— Je suis venu te vendre la paix.

— … ?

— Je sais que Président 234 aimerait éviter une guerre. Ça ne le rendrait pas populaire auprès de la majorité, car tu as les moyens de prouver que c'est lui qui a commencé les hostilités avec son commando.

La présidente se demanda comment il pouvait être au courant de cette tentative de libération, mais ses pédoncules de communication restèrent impénétrables.

— Et alors ? fit-elle. Je t'ai dit que j'étais pressée.

— Il aimerait donc éviter la guerre, mais il va peut-être bientôt être obligé de te la déclarer.

Les antennes de la présidente exprimèrent l'équivalent humain d'un froncement de sourcils :

— Pourquoi ?

— Parce que les Défenseurs Nationalistes risquent de lui mettre la pression s'ils savent que tu as capturé deux biologistes chez eux. Ils sont très actifs et ils harangueront les foules pour demander que leur armée intervienne pour les libérer. Il y a aussi un autre problème. Chez toi, les Nationalistes Libres pourraient ne plus ignorer qu'un commando d'en face est venu attaquer toute la famille de 312 Histoire, en faisant des blessés. Tout cela juste pour voler un humain. S'ils l'apprennent, tu auras toi aussi la pression de tes propres fanatiques, prêts à tuer pour défendre les fenêtres rectangulaires et les chiffres devant les noms ! Ils vont profiter de cet incident pour exacerber les passions. Si tu ne fais pas la guerre, tu seras lâche pour certains ; si tu la fais, d'autres te le reprocheront. Difficile de savoir quels seront les plus nombreux, mais ce qui est certain, c'est que tu ne pourras pas faire plaisir à tout le monde. Tu devras faire face à des attentats, des choses de ce genre.

237 Présidente dut faire un effort pour ne rien laisser paraître de sa surprise et de son embarras. Il lui fallut un moment pour répondre :

— Pourquoi les Défenseurs Nationalistes entendraient-ils parler des deux biologistes qui travaillent chez moi et pourquoi les Nationalistes Libres auraient-ils vent de cette prétendue attaque d'une famille pour voler un humain ?

— Oh ! Ben… Par exemple parce que je le leur dirais.

— Tu es venu me vendre ton silence ! s'indigna la présidente. Tu n'as vraiment aucune morale ! Te rends-tu compte des conséquences d'une guerre ?

— Bien sûr que je m'en rends compte ! J'en veux pour preuve la somme que je te demande : 1 658 880 unités.

— C'est énorme ! J'imagine que tu as pris des précautions pour éviter que j'obtienne ton silence d'une manière plus écono-mique et plus radicale !

— Je suis flatté que tu ne doutes pas de mon intelligence !

— Heum… Pourrais-je tout de même savoir quelles sont ces précautions, afin de me convaincre que ce serait une mauvaise idée de te faire disparaître ?

Métallurgie 2007 lui détailla le principe de l'enveloppe qu'il avait déjà exposé à Président 234.

— S'il y a une guerre, des centaines d'innocents mourront, plaida 237 Présidente. Ce sera ta guerre ! Ce seront tes morts !

— Des centaines d'innocents sont déjà morts lors de la dernière !

— Raison de plus…

— Ce n'était pourtant pas la mienne ! Je n'y étais pour rien !

— Bien sûr, mais…

— Ce n'est pas moi qui ai inventé la guerre ! s'emporta Métallurgie 2007 avec une surprenante violence. Je n'ai pas le pouvoir de la créer et d'obliger qui que ce soit à la faire ! Si guerre il y a, je n'en serai qu'à peine responsable. Sans la bêtise, la cruauté, l'égoïsme et l'instinct naturellement belliqueux de notre espèce, aucune guerre ne pourrait avoir lieu. Pour aucune raison ! Pour aucun prétexte ! Sous aucune pression ! Est-ce ma faute si nous sommes malveillants ? si l'Ovoïde est mauvais ?

La présidente recula sous la force de la colère qui se dégageait de cette lumino-gesticulation. Son visiteur poursuivit, comme emporté par son accès de rage :

— Pose une graine sur une dalle de marbre, elle n'y prendra jamais racine. Pose cette même graine sur un sol fertile, une plante se développera. Mon seul pouvoir est de planter la graine de la guerre. Si elle se développe, c'est que nous sommes fertiles pour elle et pour cette raison, d'un côté ou de l'autre du canal, nous sommes une espèce détestable ! Une espèce détestable qui ne mérite qu'un destin : disparaître sous ses propres coups ! S'anéantir elle-même !

Métallurgie 2007 fixa 237 Présidente et poursuivit sur un ton presque abattu qui tranchait avec la violence de celui avec lequel il venait de tonner :

— Non, la guerre ne m'a pas attendu pour exister et faire des morts !

Alors que la présidente gardait sur lui son regard surpris, il ajouta, avec une trace d'égaiement :

— Je disais donc 1 658 880 unités.

74. Quand Danseur est en colère

Le traducteur avait encore fait d'énormes progrès. Non seulement son vocabulaire s'était considérablement enrichi, mais en plus il était maintenant capable d'articuler avec une seule voix. Avant cela, il utilisait de courts enregistrements prononcés soit par Cara, soit par Bartol. C'était assez surprenant de l'écouter changer de voix sans cesse, souvent à chaque mot. À présent, il avait recours à un mélange des deux timbres, ce qui produisait un curieux effet androgyne, d'autant plus troublant pour les deux humains qu'il était composé de leur propre voix qui n'en formait plus qu'une.

— C'est notre enfant acoustique, avait dit Cara en riant.

*

La nuit tombait. Bartol, Cara et tous les Ovoïdes, scientifiques, ingénieurs et techniciens, étaient dans la salle de vie des humains. Les autochtones discutaient beaucoup, échangeaient des idées, proposaient des méthodes de travail. Tous avaient à cœur de mettre en œuvre toutes leurs capacités pour mieux communiquer avec les étranges créatures humaines afin de tout apprendre de leur origine. Qu'elles vinssent d'un monde sphérique tournant autour d'une énorme source d'énergie était pour eux une idée bouleversante qui corroborait ce qui avait fini par prendre l'aspect d'une légende en ce qui concernait leur propre provenance.

Bartol et Cara leur avaient demandé s'ils avaient un Dieu ou des dieux. Il avait fallu éclaircir cette notion, car elle était totalement étrangère pour les Ovoïdes. Quand Bartol avait essayé de simplifier en énonçant que Dieu était une idée qui expliquait l'existence de tout dans la mesure où c'était lui qui était censé avoir tout créé, les habitants de ce monde avaient marqué une grande surprise, une surprise visible même par les humains. Ce sujet avait entraîné une longue conversation extrêmement confuse. Les scientifiques et les ingénieurs avaient cherché à savoir à quoi pouvait bien servir cette étrange idée puisqu'au bout du compte on était forcément obligé de se demander qui avait créé Dieu. Les humains avaient répondu qu'ils n'étaient pas des spécialistes de la question et que leur espèce était partagée sur le sujet depuis l'aube des temps. Bartol avait demandé à Biologie 455 comment lui-même et les siens expliquaient l'origine de tout. Le vieux savant avait simplement répondu :

— À ce sujet, je pense qu'on peut tout expliquer en réalisant qu'on ne peut rien expliquer.

Percevant l'attitude attentive de l'humain, l'Ovoïde avait demandé :

— Comment mesurez-vous la masse de votre bonheur, ou bien de votre tristesse ?

— Mais, s'était exclamé Bartol, cette question n'a pas de sens ! Ni le bonheur, ni la tristesse n'ont une masse.

— Et bien peut-être que le tout dont tu parles n'a pas d'origine. Peut-être que toutes les questions qu'on peut se poser à son sujet n'ont aucun sens. Le tout n'est pas ce que nous voyons de lui. Il nous apparaît comme nous le concevons en fonction de la manière dont nous sommes nous-mêmes conçus en lui. C'est un peu comme si des organes de locomotion, incapables d'imaginer le déplacement qu'ils permettent, se demandaient pourquoi le sol change chaque fois qu'ils entrent en contact avec lui.

Le Terrien avait souri en s'imaginant que ses pieds pussent se poser pareille question.

— En ce qui concerne le fait que nous ne percevons pas ce qui est, mais que nous concevons d'après nos illusions, nous avons un philosophe qui a parlé de ça il y a longtemps.

— Que disait-il ? voulut savoir le vieux biologiste.

Bartol lui raconta l'allégorie de la caverne de Platon.

*

Bartol entraîna discrètement Œuf Affable à l'écart devant une fenêtre. L'Ovoïde portait la valise d'un des traducteurs.

— Je voudrais t'interroger au sujet de vos femelles, lui dit le Terrien.

— Je écouter question de toi, fit entendre le dispositif.

Bartol se demanda comment ses propres paroles étaient traduites. Quelle rudimentaire phraséologie Ovoïde l'appareil lumino-articulait-il dans l'autre sens ?

— Comment toi, en tant que mâle Ovoïde, désires-tu les femelles de ton espèce ?

— Moi, rien comprendre question de toi, Danseur. Ou alors traducteur mal traduire question de toi. Lui demander à moi comment moi désirer femelle de nous. Traducteur dire n'importe quoi souvent. Beaucoup travail encore pour perfectionner machine.

— Le traducteur a bien traduit. C'est bien la question que je t'ai posée, Œuf Affable.

— Alors c'est toi qui pas bien marcher... Parce que question de toi veut rien dire !

— Hein !

Bartol s'étant exclamé un peu fort, Cara se tourna vers lui. Elle semblait être en grande discussion avec Bobine. Tant mieux, il préférait poursuivre la sienne avec Œuf Affable en privé !

— Je marche très bien ! Je ne te permets pas de douter de mon bon fonctionnement ! La question que je te pose est parfaitement compréhensible ! Je vais la reformuler. Qu'est-ce qui fait la différence entre une femelle qui t'attire et une femelle qui ne t'attire pas ?

L'Ovoïde ne s'exprima pas durant un moment. Quand il se remit à lumino-gesticuler, Bartol essaya de lire quelque chose dans ses pédoncules de communication, mais il ne vit que de petits éclats colorés clignoter, comme d'habitude.

— Je pas comprendre drôle de question de toi. Toi pas cassé, j'espère !

L'humain s'efforça d'être patient :

— Non, je ne suis pas cassé. D'abord, on ne dit pas « cassé », mais « malade ». Mais, je veux juste savoir ce qui te plaît chez les femelles. Aimes-tu celles qui ont de grands bras ? Celles qui ont les yeux bien… euh… Qu'est-ce qui te plaît chez Bobine, par exemple ?

— C'est d'être avec elle. Normal, non ? Question de toi abîmée, parce que moi rien comprendre !

— Mais non ! Je te dis que ma question n'est pas cassée, ni abîmée ! C'est sans doute ce traducteur qui ne fonctionne pas. Ça ne veut rien dire une question abîmée ! Ce n'est pas normal que tu ne comprennes pas une question aussi simple. Qu'est-ce que tu préfères chez les femelles ? Comment pourrais-je exprimer ça ? Quelles parties aimes-tu chez les femelles ?

— Morceaux de femelles j'aime ? Que veut dire « morceaux de femelles » ? répéta plusieurs fois l'Ovoïde, apparemment perplexe.

Malgré les progrès de la machine, les conversations prenaient encore par moments des tournures surréalistes, surtout quand l'un reformulait les questions de l'autre, la traduction aller-retour multipliait les maladresses de choix des mots.

— Essayons autrement, proposa Bartol. Qu'est-ce que tu aimes faire avec Bobine ?

— J'aime quand nous entourer jambes de nous autour de jambes de nous ! Moi, très aimer. Elle aussi, très aimer.

— C'est tout ?

— Ça, pas c'est tout ! Ça beaucoup ! Nous beaucoup jambes. Toi seulement deux. C'est toi c'est tout ! C'est pas moi !

— Non, mais ne t'énerve pas ! Je n'ai pas voulu dire que ce n'était pas bien.

— Et toi ? Pourquoi aimer mordre elle et elle pour quelle raison aimer mordre toi ? Moi regarder vous quand toi utiliser organe reproduction. Vous souvent mordre l'autre avant.

— Tu nous as regardés faire l'amour ! Sale voyeur ! Je ne sais pas ce qui me retiens de !…

Dans son emportement, Bartol avait empoigné Œuf Affable par une jambe. Celui-ci fit un bond comme s'il avait été élec-trocuté et d'un mouvement d'une promptitude fulgurante, il écarta les doigts du Marsalè pour libérer son membre filiforme. Cette manœuvre brusque lui fit lâcher le traducteur qui tomba sur le sol.

— Quoi ? s'étonna l'humain.

L'Ovoïde ramassa l'appareil et lumino-gesticula devant son objectif.

— Toi pas toucher jambes Ovoïde comme ça ! traduit la machine.

— Mais… ?!

— Tranquillité de moi cassée parce que toucher jambes très sexuel !

— Ça c'est drôle ! Ça c'est drôle, grande gé… !

— Que vous arrive-t-il ? demanda Cara en approchant.

Elle avait vu qu'il se passait quelque chose et elle semblait un peu inquiète.

— Rien de grave, maugréa Bartol. La tranquillité de monsieur est cassée, figure-toi ! Tu sais pourquoi elle est cassée, parce que je lui ai touché une jambe. Je viens d'apprendre qu'il nous a regardé dans notre intimité la plus intime, lui. Mais il joue la jeune fille qui rougit parce que je l'ai attrapé par une de ses tiges ! Voilà ce qui se passe.

— Toi parler tout cassé, se plaignit l'Ovoïde. Moi, rien comprendre.

— C'est-à-dire ? s'enquit Cara.

— Lui demander moi quel morceau meilleur de la femelle, essayèrent d'expliquer Œuf Affable et le traducteur.

— Comment ça ? s'écria Cara en jetant un regard torve et indigné au Marsalè.

— Mais, non ! Il ne comprend rien ! Je n'ai pas demandé ça !

— Pourquoi es-tu venu parler à l'écart, alors ?

— Pour être tranquille. Il y a trop d'agitation là-bas pour discuter paisiblement.

Cara garda une attitude outrée.

— Nous avons la chance de communiquer avec des créatures d'une nouvelle espèce intelligente et toi la seule chose qui te vient à l'esprit, c'est de leur exhiber les relents douteux de ta libido !

— Mais… je te jure que c'est lui qui ne comprend rien ! Je…

— Moi, normalement comprendre, assura Œuf Affable. Mais cette fois questions de Danseur moisies beaucoup.

Elle se rangea à cette opinion :

— Moisies beaucoup, oui ! Il marche parfaitement bien ce traducteur. Et de toute évidence, Œuf Affable fait preuve d'un jugement pertinent. Sinon, as-tu confié à ton ami Ovoïde quel est mon meilleur morceau ?

Bartol réussit le tour de force de prendre un air aussi exaspéré qu'abattu qu'indigné qu'ingénu qu'innocent que penaud pour dire :

— Puisque je te dis qu'il s'agit d'un malentendu et que...

Il s'interrompit, car 117 Ingénierie arrivait avec son traducteur et son appareil d'enregistrement sonore.

— J'ai questions à poser aux humains, dit-elle.

— Nous vous écoutons, dit Bartol, trop heureux de saisir cette diversion.

— J'ai enregistrement mots pas encore connaître le sens. Moi te faire écouter toi me dire quoi vouloir dire.

— Volontiers ! Fais-moi écouter.

Elle mit son appareil en marche et on entendit les imprécations lubriques que le Marsalè avait libérées quand on l'avait soudainement séparé de Cara dans l'intention de l'empêcher de la mordre.

— Euh... fit-il en pressant lui-même le bouton d'arrêt de l'enregistreur. Ce n'est pas très... Euh... Pas facile à traduire d'une part et...

— Et pas très intéressant d'autre part, poursuivit Cara en posant sur lui un regard encore un peu fâché, mais aussi amusé et amoureux. Quand Danseur est en colère, ses mots sont... un peu cassés, un peu moisis, disons !

75. Ça drôle ! dit Œuf Affable. Ça drôle !

237 Présidente fixa Métallurgie 2007 droit dans les pédoncules de communication. Ils ne révélaient plus aucune trace du moment de violente exaltation qu'ils venaient d'exprimer. Elle avait failli appeler du secours. Il lui aurait suffi de presser le bouton d'un dispositif qu'elle gardait sur elle pour faire venir sa garde, mais il n'y avait apparemment plus lieu de s'inquiéter. Pour l'instant, en tout cas. L'individu semblait d'une humeur quelque peu instable. Mieux valait-il rester sur ses gardes !

— Je suppose que tu as déjà vendu ton silence en face ! Ou bien que tu comptes le faire.

— Il serait ridicule d'essayer de mentir à un esprit aussi perspicace que le tien ! Oui, je l'ai déjà vendu.

— Président 234 a-t-il dépensé la somme demandée ?

— Oui. Il a accepté de payer. C'est la seule réponse que je pouvais te donner, car s'il avait décliné mon offre, je ne pourrais pas en ce moment te vendre la paix, puisque son refus m'aurait obligé à semer la guerre.

— Logique ! C'est la réponse que j'attendais, en effet. Mais… comment ferais-tu si je n'acceptais pas de payer, moi ? Comment t'y prendrais-tu pour sanctionner mon refus par la guerre tout en respectant la promesse de paix qui est ton engagement à son endroit ?

Métallurgie 2007 parut un moment déstabilisé, mais un très court instant seulement.

— Je me verrais contraint de semer la guerre. Je veux dire que l'obligation de sévir contre ton entêtement l'emporterait sur mon désir d'honorer mon contrat envers lui.

— Donc, dans cette perspective, tu ne tiendrais pas parole ?

Métallurgie 2007 sentait que la conversation prenait une mauvaise direction pour lui. Il maudit la sagacité de son interlocutrice. Il maudit aussi la faiblesse qui lui avait fait consommer un Doux Nuage avant de la rencontrer. Son esprit avait du mal à se concentrer. Les montées du stupéfiant étaient toujours aussi imprévisibles !

— Donc, dans cette perspective, tu ne tiendrais pas parole ? répéta la présidente, sur un ton plus appuyé.

— Dans cette perspective, non ! ne trouva-t-il rien d'autre à répondre.

— Dans ce cas, pourquoi te ferais-je confiance ? Qui me dit qu'il n'a pas refusé de te payer, ou qu'il ne refusera pas de le faire et que tu déclencheras la guerre contre lui, même si je te paye, moi ?

Une forte montée du Doux Nuage troubla la réponse de Métallurgie 2007 :

— Quelle importance ? N'est-ce pas ! Quelle importance ?

— Métallurgie 2007, je ne te donnerai pas la somme demandée. Je vais même prendre le risque de te retenir en captivité, malgré la menace de l'enveloppe dont tu m'as parlé. J'ai l'habitude de détenir des gens d'en face, décidément ! D'abord les deux biologistes, puis Eau 631, Écologie 982 et Sécurité 127 , ensuite les quatre agents secrets et à présent toi ! Je vais être obligée, de faire agrandir mes locaux pour vous garder tous !

***

Président 234 et Service Secret 28 se tenaient sur la berge du canal derrière un buisson. Le président essayait de regarder ce qui se passait sur l'autre rive sans se faire voir. Elle m'a suffisamment humilié comme ça, sans que je lui montre que je suis aux abois, se disait-il, en pensant à son homologue.

— Par la force des choses, tu deviens donc la plus gradée du service, 28 ! Et il y a des chances pour que cette situation perdure. Qui sait si tes quatre supérieurs sont encore en vie, au moment où nous parlons ?

Ne sachant que répondre à cela, elle choisit de changer de conversation :

— Je dois te confier quelque chose, Président 234. Des rumeurs courent. Des rumeurs qui prétendent qu'un commando d'en face serait intervenu sur notre territoire pour capturer deux savants.

Les pédoncules de communication du président tressaillirent.

— Ah, bon ! Où en sont-elles ces rumeurs ?

— Pour te dire la vérité, au risque de t'inquiéter, elles se répandent vite. Je peux te dire qu'elles sont parties des Défenseurs Nationalistes. Ils font courir le bruit que tu veux étouffer l'affaire parce que tu as peur d'affronter 237 Présidente.

— Ce stipendié de Métallurgie 2007 m'aurait donc trahi, murmura-t-il. Pourquoi ai-je fait confiance à cette épave !

— Que dis-tu, Président 234 ?

— Que la guerre paraît désormais inévitable !

***

Grâce aux efforts de 501 Mathématiques, de Bartol, de 117 Ingénierie et de son équipe, le traducteur pouvait maintenant convertir, dans un sens comme dans l'autre, les nombres Ovoïdes en base 24 et les nombres humains solairiens en base 10. En plus d'en assurer automatiquement la conversion, l'appareil savait aussi les prononcer ou les lumino-articuler. C'était encore un pas, très important, dans la compréhension des deux espèces qui venait d'être accompli. À l'aide de ce nouveau moyen, Bartol et Cara avaient déjà appris qu'il existait environ un peu moins d'un demi-million d'Ovoïdes recensés, mais que le plus grand nombre vivait à l'extérieur de la ville couverte sous la colline. Les humains eussent aimé connaître un certain nombre de dimensions, entre autres et pour commencer le rayon de la sphère qui contenait ce monde, mais encore fallait-il s'entendre sur les unités de mesure utilisées par chaque espèce. Et ça, c'était un autre chantier ! Comment apprendre aux Ovoïdes qu'elle était la longueur exacte d'un mètre, en l'absence de toute référence ? Bartol essaya de se souvenir de la définition du mètre, basée sur une fraction (1/ un grand nombre commençant par 299...) de la distance parcourue par la lumière dans le vide durant une seconde. Seconde, définie à son tour par un nombre, encore plus grand, de périodes de la radiation émise lors d'un changement d'énergie d'un électron, situé sur une certaine couche, lié à un atome dont il avait oublié le nom. Quand bien même se fût-il souvenu de tout, il y avait peu de chances pour que les Ovoïdes pussent tirer grand-chose de ces données. À tout hasard, il demanda à Cara si elle possédait cette information dans sa céph.

— Pourquoi aurais-je ça dans ma céph ? avait-elle dit. Tout ce que je veux savoir est dans le Réseau et je n'ai pas pensé que j'allais encore en être coupée. En plus, je t'avoue que si j'y avais pensé... Ça n'aurait pas changé grand-chose. Pourquoi aurais-je eu la présence d'esprit de stocker cette information plutôt qu'une autre ?

— Je conviens que cela eût été une coïncidence géantissimesque ! avait admis le Marsalè.

Bartol avait tout de même envie d'interroger les Ovoïdes au sujet de la taille de la sphère qui contenait leur monde. Espérant obtenir une réponse approximative, exprimée par un multiple de quelque chose qu'ils choisiraient ensemble, par exemple, la longueur moyenne de son propre pas ou de celui de Cara. Il décida de s'informer auprès de son meilleur ami ici, Œuf Affable. Celui-ci était un peu à l'écart, en train de regarder des photos dans son téléparleur. Quand Bartol lui posa sa question, l'Ovoïde manifesta de la surprise.

— Tu m'étonnes beaucoup fort, Danseur !

— Pourquoi ça, Œuf Affable ?

— Pour deux raisons. Une raison parce que monde de nous pas dans une sphère, mais dans moitié de sphère. Nous certains que au-dessus de nous est une voûte sphérique. Mais savons pas ce qu'il y a dessous le sol du monde.

— euh… fit Bartol, se disant qu'il allait falloir bientôt parler de Symbiose. Et la deuxième raison ?

— Deuxième raison c'est que toi dire : « monde de vous dans symbiose ». Comme si toi penser plusieurs mondes dans symbiose ! Ça étonne moi beaucoup. Où autres mondes pourraient être ? Symbiose être nom de notre monde, c'est tout !

— Il est temps de parler de Symbiose, en effet !

— Je pas comprendre bien très.

Bartol sourit en se demandant encore une fois de quelle manière ses propres propos étaient traduits en Ovoïde. Il eut cette fois l'idée de le demander ?

— Dis-moi, Œuf Affable, quel est le niveau de mon langage dans ta langue, à travers cette machine ? Donne-moi une note de un à dix.

— Environ trois ou quatre, dit l'Ovoïde. Mais nous progresser vite en même temps que traducteur.

— Tu as raison !

L'Ovoïde regarda les membres de l'équipe qui travaillaient encore sur l'enrichissement du dictionnaire de l'appareil. Ils étaient tous réunis autour d'une table et utilisaient le micro et la caméra pour entrer de nouveaux mots et de nouvelles lumino-articulations. Cara était avec eux.

— Allons avec autres qui nous regardent, dit Œuf Affable en poussant gentiment Bartol sur les fesses !

— Oh ! Ne fais pas ça ! cria le Marsalè.

— Je pas comprendre bien très.

— Je dis, ne me touche pas là ! Je ne veux pas que tu me touches là !

— Moi pas toucher jambes !

— Je sais ! Mais moi, c'est là que je ne veux pas que tu me touches ! Et devant non plus.

— Pourquoi ? s'étonna l'Ovoïde.

— Parce que… Euh… Parce que !

— Je pas comprendre bien très.

— Parce que c'est sexuel.

— Ça drôle ! dit Œuf Affable. Ça drôle !

— Oui, ben tranquillité de moi cassée, si tu préfères, maugréa Bartol à voix basse, pour ne pas être entendu du traducteur.

76. Œuf Affable ! hurla-t-il

23 Service Secret avait demandé à parler à 237 Présidente de toute urgence.

— Que se passe-t-il ? s'enquit-elle dès qu'il mit une jambe dans son bureau.

Son pédoncule oculaire portait encore des traces de la colère de l'humain, mais elles étaient de moins en moins visibles. L'organe se remettait peu à peu de sa maltraitance. La présidente était posée derrière son bureau. Il lui répondit sur un ton inquiet :

— Hélas, 237 Présidente ! Ce que tu redoutais est bel et bien en train de se passer !

— Veux-tu dire que les Nationalistes Libres sont au courant ?

— Oui. 99 Armée galvanise les membres du parti. Il est prévu une manifestation dans l'après-midi et ils préparent des affiches, des tracts et des annonces télédiffusées.

— Essayons d'entraver leur propagande pendant que je réfléchis à la conduite à tenir. Tâche de découvrir s'il est possible de corrompre 99 Armée. Arrange-toi pour faire savoir aux pacifistes quand et où aura lieu la protestation. Encourage-les à y faire obstacle et à arracher les affiches. Je vais voir de mon côté comment retarder ou empêcher les télédiffusions.

— Il y a autre…

— … ?

— Un informateur m'a appris que les Défenseurs Nationalistes sont également au courant.

— Ça, c'est plus grave ! Je ne sais pas si Président 234 va pouvoir résister longtemps à leur pression...

— Ne peut-on pas libérer les deux savants et même les autres étrangers que nous détenons ?

— Il est sans doute temps de le faire... Mais je ne sais pas si ça suffira à...

237 Présidente fut interrompue par un appel de son télé-parleur.

— C'est justement lui, dit-elle, en regardant l'écran de l'appareil.

Son chef des services secrets allait sortir, mais elle lui fit signe de rester et même de se poser en face d'elle. Elle connaissait 23 Service Secret depuis suffisamment longtemps pour lui accorder toute sa confiance et aussi de l'amitié. Or de l'amitié, elle en avait grand besoin dans cet instant difficile.

— Président 234, bonjour, dit-elle en pressant le bouton pour établir la communication.

— Bonjour, 237 Présidente. Devines-tu l'objet de mon appel ?

Le moment n'était ni aux faux-semblants ni à quelque joute verbale que ce fût.

— D'après ce que je sais de la situation générale, il y a malheureusement des probabilités pour que ce soit pour le pire : une déclaration de guerre.

— Ma position ne me laisse pas le choix.

— Je comprends... Je comprends... Mais pouvons-nous encore faire quelque chose pour l'éviter ?

— Je ne vois pas quoi...

La présidente réfléchit rapidement et dit :

— S'il y a une guerre et que tu la gagnes, tu as des chances de rester au pouvoir. Si tu la perds, tu perds le pouvoir avec, c'est certain. Si tu ne me déclares pas la guerre, une partie trop importante de ton peuple te reprochera de ne pas avoir réglé l'humiliation que je vous ai infligée et, là aussi, tu perdras le pouvoir. C'est ça, n'est-ce pas ?

— Oui, c'est exactement ça. Tu vois bien qu'il ne me reste plus qu'à te déclarer la guerre et à la gagner !

— Et si je te rends les deux savants, ton commando et l'agent de sécurité ?

— De mon côté, cela arrangerait tout. Je ne serais plus obligé de te déclarer la guerre. Je n'aurais plus qu'à dire que la menace a été suffisante et les plus extrémistes chez moi auront du mal à convaincre que nous sommes toujours humiliés.

La présidente garda le silence.

— Mais dans ce cas, c'est toi qui seras dans l'embarras, reprit Président 234. Tes Nationalistes Libres auront de quoi faire en sorte que tu perdes le pouvoir.

— Tout est bien résumé, confirma-t-elle. Nous n'avons donc pas le choix.

— Non. Ça va te sembler presque incongru, mais j'ai une faveur à te demander.

— Avant de me déclarer la guerre ?

— Oui.

— Je t'écoute.

— Je voudrais savoir si quelqu'un de chez moi ne t'a pas rendu visite. Il s'agit d'un certain Métallurgie 2007.

— Si, en effet, répondit spontanément la présidente.

— Je pense que nous en sommes là par notre faute, mais nous y avons été un peu aidés. En tout cas, j'ai un compte personnel à régler avec cet individu. Je suppose qu'il est venu te vendre la paix et que tu l'as gardé.

— En effet.

— Voudrais-tu me le rendre ?

— Je veux bien, oui.

— Merci, fit-il.

— ...

— Bon... Je te déclare la guerre, alors !

— Entendu. Quand attaqueras-tu ?

— Si je le savais, je ne te le dirais pas, bien sûr. Mes stratèges vont en décider. Au revoir... Et merci au sujet de Métallurgie 2007.

— Au revoir... Et merci de m'avoir prévenue.

Après avoir écouté ces paroles, que d'aucuns eussent trouvées surréalistes, mais qui étaient tout à fait dans l'usage du code d'honneur des Ovoïdes, 23 Service Secret regarda la présidente d'un air grave :

— C'est donc trop tard pour les missions que tu venais de me confier, 237 Présidente ?

— De toute évidence, oui. Ce qui importe à présent, c'est de gagner cette guerre. Fais libérer Métallurgie 2007 et convoque d'urgence 127 Armée.

23 Service Secret se leva pour exécuter les ordres.

Espérons que les biologistes aient trouvé quelque chose qui justifie le désastre qui s'annonce, songea la présidente en le regardant sortir.

**

Depuis plusieurs jours déjà, les humains n'étaient plus contraints de rester dans la grande salle qu'on leur avait réservée à leur arrivée. Ils étaient libres de circuler dans nombre de pièces et de couloirs du palais de la présidence. Comme de juste, Bartol vérifiait régulièrement s'il lui était permis de sortir et, également comme de juste, il constatait chaque fois que ce n'était pas possible. La porte donnant sur l'extérieur était sans cesse bien gardée.

Ce matin-là, le Marsalè qui, tout en faisant mine de déambuler, se livrait à une de ces vérifications reconnut un Ovoïde qu'il n'avait pas vu depuis longtemps. Il était en compagnie de deux autres autochtones qui étaient devenus familiers, étant de ceux que Bartol appelait du nom générique de « gardes », car il avait appris de 117 Ingénierie, qu'ils étaient là pour assurer la sécurité ; c'était du reste assez souvent eux qui étaient en poste devant la porte d'entrée.

— Je veux parler à ce type ! s'écria Bartol en courant vers eux trois.

Ils le regardèrent arriver en exprimant un étonnement que Bartol commençait à peine à savoir difficilement discerner sur les pédoncules de communication.

Il attrapa Métallurgie 2007 par une main, car c'était de lui qu'il s'agissait, et répéta :

— Faut que je parle avec toi !

Réalisant qu'il n'avait aucune chance d'être compris et que les gardes étaient sur le point de laisser partir celui avec qui il voulait communiquer, il courut à toutes jambes chercher son ami. Pendant que Cara dormait sur le coussin géant dans la pièce voisine, celui-ci était en train de lumino-gesticuler en compagnie de l'équipe travaillant à perfectionner les traducteurs. Bartol saisit la valise d'un de ces appareils d'une main et, de l'autre, il attrapa Eau 631 par un doigt et tira dessus avec une vigueur donnant l'illusion que son intention était de le lui arracher pour s'en emparer.

— Œuf Affable ! hurla-t-il. Viens ! Viens vite avec moi !

Remorqué avec la dernière énergie par son doigt, Eau 631 n'eut d'autre recours que de poursuivre son organe pour ne pas le perdre. Arrivé dans le couloir au bout duquel se trouvait la sortie, il vit deux agents de sécurité de la présidente et Métallurgie 2007 qui les regardaient courir vers eux, une mimique d'étonnement interrogatif colorant et courbant leurs pédoncules de communication.

Bartol posa le traducteur devant eux et s'exprima dans son micro en montrant Métallurgie 2007 :

— Il faut que je parle à cet Ovoïde !

Un des agents répondit :

— Nous avons ordre de l'accompagner dehors.

Bartol s'entêta, comme seul lui-même en était capable.

— Je vais demander ce qu'il faut faire à 237 Présidente, finit par céder celui qui avait déjà parlé.

Métallurgie 2007 assistait à cette conversation qui le concernait, visiblement frappé de stupeur.

77. C'est donc toi le voleur !

237 Présidente venait à peine de finir sa discussion télépar-lique avec Président 234 puis de s'entretenir avec 23 Service Secret. Et voilà que dans son bureau était entré un des deux gardes qui était en faction devant la porte principale du palais présidentiel ; il était accompagné par Eau 631, Métallurgie 2007 et l'humain. Le militaire avait pris le premier la parole pour lui faire la demande la plus surréaliste qu'elle n'eût jamais entendu : « L'humain peut-il parler avec le prisonnier, avant que nous ne le fassions sortir ? ».

237 Présidente avait assisté à quelques-unes des conversa-tions entre les scientifiques et les animaux, mais elle avait du mal à réaliser qu'il s'agissait de véritables discussions. Ce dispo-sitif qui servait d'intermédiaire ne lui avait inspiré qu'une confiance limitée. Rien ne prouvait que les propos lumino-arti-culés par cette machine vinssent vraiment de la volonté des humains. Ce prétendu traducteur automatique n'était-il pas qu'un téléparleur et n'y avait-il pas quelqu'un, caché quelque part, qui essayait de la faire marcher ? Quelqu'un employant une élocution niaisement rudimentaire pour faire croire que c'était les animaux qui s'exprimaient ?

C'était aussi difficile pour 237 Présidente de s'imaginer que des humains pussent parler que pour un humain solairien de croire que des chiens en fissent de même. Ce fut donc sur un ton doublement étonné qu'elle demanda à Métallurgie 2007 :

— Pourquoi désires-tu parler avec cet animal ?

— Ce n'est pas moi qui le réclame, répondit Métallurgie 2007 toujours pas remis de sa propre surprise, c'est lui. D'après ce qu'il m'est donné de comprendre, ce serait cet humain qui veut me voir en privé.

— En privé ! Répéta la présidente. En plus !

« Seul à seul ! Plus ! » émit le traducteur, à l'attention de Bartol.

— Oui, confirma Bartol. Je voudrais lui parler seul à seul ! « Oui, lumino-articula la machine à l'intention des Ovoïdes, moi voudrais parler lui tout seul et seul ».

— Je ne comprends rien à ce que raconte cette machine, prétendument en train de traduire les cris de cette bête ! S'impatienta la présidente. Je vous prie de me dire au plus vite ce que vous attendez de moi, car je n'ai vraiment pas la tête à jouer aux devinettes en ce moment.

À ce moment-là, les trois biologistes et 117 Ingénierie se présentèrent sur le pas de la porte du bureau qui n'avait pas été refermée.

— Pardon, 237 Présidente ! Je me permets d'intervenir, dit 117 Ingénierie. Je confirme que Danseur souhaite simplement parler seul à seul avec cet Ovoïde nommé Métallurgie...

— Métallurgie 2007, compléta l'intéressé.

— Accordé. Si vous estimez que c'est nécessaire. Mais que ce ne soit pas long. Je me suis engagée à libérer cet individu.

Elle prit le ton que l'on emploie pour demander à des enfants d'aller jouer ailleurs pour ajouter :

— Maintenant, si vous voulez bien me laisser, je vous en serais reconnaissante !

Les pédoncules de communication de 237 Présidente s'affaissèrent mollement, geste bref par lequel un Ovoïde exprimait la fatigue ou le découragement.

***

À cause des patentes difficultés de compréhension, dues aux performances encore limitées du traducteur, Bartol avait finalement jugé plus prudent de ne pas être seul pour parler avec Métallurgie 2007. Il avait demandé l'aide de son ami Œuf Affable et de 117 Ingénierie, cette dernière étant la plus habile pour interpréter ce que lumino-articulait la machine-interprète.

En fait, ce que le Marsalè n'avait pas osé dire depuis le départ, de peur que ses paroles ne parvinssent aux oreilles de l'intéressée, c'est qu'il ne voulait pas que Cara fût présente à cet entretien. L'humain et les trois Ovoïdes étaient isolés dans une pièce du palais présidentiel. À peine plus grande que le bureau de la présidente, celle-ci était éclairée par une seule fenêtre. On y apercevait une partie du canal au loin, dans une ouverture laissée par le rideau d'arbres. Bartol crut distinguer un attroupement d'Ovoïdes sur l'autre rive. Pour la énième fois, il s'imagina un instant pouvoir zoomer comme pouvait le faire l'Éternelle, ce qui lui eût permis de voir ce qui se passait là-bas. Mais, il n'était pas ici pour s'inquiéter de ce qu'il y avait dehors. Il s'approcha du traducteur et parla devant le micro avec les mots les plus simples qu'il put trouver :

— J'avais un bracelet.

Au lieu de traduire, la machine répondit à Bartol :

— « Bracelet » : Mot inconnu.

— J'avais un objet à mon poignet droit, essaya le Marsalè en faisant un geste autour de son articulation.

Il attendit la réaction du traducteur. Celui-ci se mit à clignoter. C'était au moins le signe que les mots employés étaient cette fois tous connus. Il ne restait plus qu'à espérer qu'ils fussent correctement interprétés et transposés.

— Moi avais un objet sur poignet droit à moi, lumino-articula la machine.

Œuf Affable fit signe à Bartol que l'essentiel avait été compris, qu'il pouvait continuer. Bartol reprit donc :

— Quand cet Ovoïde m'a capturé pour la première fois, dans ton appartement, Œuf Affable, j'ai perdu cet objet auquel je tiens beaucoup.

Après avoir dit au Terrien que grâce à lui il apprenait qui s'était introduit avec effraction chez sa compagne, Œuf Affable lumino-gesticula quelques minutes avec le ravisseur. Leur conversation trop rapide surchargeait les capacités du traducteur qui émettait quelques mots, sans aucun doute en rapport avec ce qu'ils se disaient, mais pas très explicites pour autant : « Voleur, humain, porte, maison, comment, pourquoi… ».

— C'est moi qui ai demandé à parler avec lui, intervint Bartol en donnant un léger coup de coude à son ami Ovoïde.

— Excuse-moi, Danseur. Moi, reposer la question pour toi à lui.

Œuf Affable attrapa la main droite de Bartol et se remit à lumino-gesticuler en faisant un geste pour montrer le poignet de l'humain. Au bout d'un moment, il s'adressa à Bartol :

— Lui dire qu'il a la chose chez lui. Lui trouvé elle étrange. Lui gardé elle.

Métallurgie 2007 vivait un des moments les plus surprenants de son existence. Il n'avait eu que peu de temps pour réaliser que l'animal, qu'il avait capturé deux fois, était censément capable de s'exprimer au moyen d'une machine qui, selon ce que venait de prétendre Eau 631, serait susceptible de traduire ses cris en langage Ovoïde. Il avait tout d'abord cru à une énorme farce, mais en rapprochant cette surprenante chose aux vifs intérêts que les biologistes et les présidents portaient à ces deux animaux, il avait eu un doute : et si c'était vrai ! De plus, une de ces bêtes avait exprimé sa volonté de communiquer avec lui. Sur le moment, Métallurgie 2007 s'était demandé à quoi rimait cette mise en scène. Quel était le but de cette manœuvre ? Que voulait-on obtenir de lui en essayant de lui faire gober une telle idiotie ?

Prêtons-nous au jeu, s'était-il dit. Nous verrons bien de quoi il s'agit.

Quand l'humain avait poussé quelques cris et que la machine avait lumino-articulé : « Moi avais un objet sur poignet droit à moi. », il avait fait mine de croire que ces mots sortaient de l'esprit de l'animal. Attendons de voir ce qu'ils attendent de moi, se disait-il toujours. Toutefois, il se souvenait de l'objet dont il était question.

Si c'est cette chose qui a de l'importance et qu'ils veulent la récupérer, s'était-il étonné, voilà une bien étrange manière de manœuvrer pour l'obtenir de moi !

Le prétendu traducteur avait poursuivi :

— Quand cet Ovoïde attrapé moi fois une dans appartement de œuf gentil, moi perdu objet que je tiens beaucoup.

Métallurgie 2007 n'avait pratiquement rien compris à ce charabia. Il en fut d'autant plus surpris quand Eau 631 s'était soudainement emporté contre lui :

— C'est donc toi le voleur ! C'est toi qui as détruit la porte ! …

Comment avait-il fini par apprendre que c'était lui ? Et encore une fois, pourquoi chercher à lui faire croire que c'était cet animal qui venait de le lui révéler ? Tout cela était pour le moins curieux ! À cause de sa captivité, il n'avait pas fait usage de Doux Nuage depuis un temps inhabituellement long. Il se sentait un peu en manque, mais il avait l'esprit clair.

Je ne peux pas attribuer l'étrangeté de ce que je suis en train de vivre à ce psychotrope, s'était-il dit. La situation est véritablement folle en elle-même !

Eau 631 avait lumino-gesticulé :

— Danseur prétend que quand tu l'as capturé la première fois, chez Biologie 455, il a perdu cet objet qui a beaucoup d'importance pour lui. Que réponds-tu à cela ? Délinquant !

Métallurgie 2007 se souvenait d'avoir trouvé cette chose étrange et qu'il l'avait gardé dans un tiroir, chez lui. Sans doute décontenancé par le surréalisme de sa situation, il l'avait avoué.

78. Qui est Cara ?

Ces types sont vraiment un peu spéciaux ! se disait Métallurgie 2007. Passer par une telle mise en scène pour me demander si je suis bien le ravisseur !… N'empêche que, sous la surprise, ils ont réussi à me faire avouer… Ils ne sont peut-être pas si fous que ça, finalement !

— Moi, perdu objet, quand nous bagarre dans ascenseur, lumino-articula le traducteur.

117 Ingénierie n'intervenait pas. Elle n'était là que pour aider, dans le cas où la conversation se bloquerait à cause d'une limitation de l'appareil.

— Danseur dit que… commença à reformuler Eau 631.

Métallurgie 2007 lui coupa la lumino-gesticulation :

— Oui, j'ai compris ! J'ai compris !

L'ancien chanteur parut assommé. La certitude que c'était bien cet animal qui parlait venait de le frapper à l'esprit. L'impact fut inattendu, sa surprise grande, ses sentiments complexes et nombreux. Contrairement aux scientifiques, il n'avait pas réalisé cette chose extraordinaire lentement, peu à peu. Cette découverte percutait son entendement de plein fouet. Il n'y avait que deux témoins de ce qui s'était passé durant ce kidnapping : lui-même et l'humain. L'information selon laquelle ils s'étaient battus dans l'ascenseur ne pouvait donc venir que de cette bête. Il fixa Bartol et, avec l'étrange sensation de s'apprêter à faire une chose absurde qui avait un goût de ridicule, il demanda :

— Que s'est-il passé durant cette bagarre dans l'ascenseur ?

Réagissant à cette question, la machine de traduction émit des sons semblables aux cris des humains à l'adresse de l'animal. En réponse, ce dernier produisit à son tour une série de cris qui firent lumino-articuler l'appareil interprète :

— Je attraper œil de toi et je tirer fort. Toi lâcher moi. Ascenseur en bas. Moi fuir.

Métallurgie 2007 était absolument certain de n'avoir rien dit au sujet de cet événement. Il n'avait parlé ni du lieu ni des circonstances dans lesquelles sa blessure oculaire s'était produite. Il avait le très net souvenir d'avoir vu l'objet sur le plancher de la cabine. Malgré sa souffrance et les gerbes d'étincelles que le Doux Nuage faisait exploser dans son champ de vision hallucinatoire, il avait machinalement ramassé cette chose pour l'empocher. L'humain était bel et bien en train de communiquer avec lui. De nouveau, il s'imprégna de ce fait, il se le dit, il se le répéta. Certaines idées sont si extraordinaires, si incroyables, que la conscience s'y prend en plusieurs fois pour les réaliser.

Son esprit était clair, grâce à la privation de Doux Nuage. Mais son esprit était sombre, à cause de la privation de Doux Nuage.

— Pourquoi cet objet est-il important pour toi ? demanda-t-il à l'humain.

— Objet important, parce que Cara donner lui à moi.

— Qui est Cara ?

— Cara femelle avec moi.

— Cet objet est donc important pour cette raison ?

— Oui. Objet important pour ça.

— Cara est donc importante pour toi ?

— Oui. Cara très importante pour moi.

— Mais, si tu perds l'objet, tu ne perdras pas Cara !

— Si je perds objet, Cara triste.

— Si tu perds l'objet, Cara sera triste ?!

— Oui.

— Mais ! s'exclama Métallurgie 2007.

Il fut sur le moment incapable de lumino-gesticuler un mot de plus. Était-ce dû au manque ? Il n'aurait su le dire lui-même.

Il se sentait emporté par l'émotion. Humain, ses lèvres eussent tremblé. Ovoïde, ses pédoncules de communication émirent des ondes électromagnétiques au-dessus du spectre visible par les humains, des ultra-violets. Un seul détail eût été perceptible par les yeux du terrien solairien ; quelque part, à l'intérieur du corps translucide ovoïde, on pouvait distinguer qu'une zone de la partie rouge s'éclaircissait, et s'assombrissait régulièrement au rythme d'une respiration. Tout à sa volonté de se faire comprendre et d'obtenir satisfaction le plus rapidement possible, Bartol ne le remarqua pas. Seuls Eau 631 et 117 Ingénierie perçurent l'état émotif du chanteur oublié.

Celui-ci tendit son membre gauche en direction de l'humain pour lui montrer la jonction entre la main et le bras. Un anneau de métal satiné ornait cette partie en dégradé de gris que l'on était tenté d'appeler le poignet.

— Moi aussi, j'ai un bracelet, lumino-gesticula-t-il.

Durant la conversation, 117 Ingénierie ayant pris soin d'ajouter ce mot dans le dictionnaire du traducteur, Bartol entendit :

— Moi aussi avoir un bracelet.

Le Terrien évita de dire que d'apprendre cela le laissait complètement indifférent. Il était préférable, pour l'heure, de garder le personnage dans de bonnes dispositions.

— Il est beau ! déclara-t-il. Sinon, quand puis-je récupérer le mien ?

— Il est beau ! Quand moi pouvoir avoir mien ? traduisit la machine.

— Celui-ci m'a été offert par Jardinage. L'amour de ma vie ! lumino-gesticula Métallurgie 2007, en ignorant totalement, mais tout à fait involontairement, la question qui lui avait été posée. Je me souviens qu'un jour je l'ai perdu. Il me serrait un peu trop quand ma chérie me l'avait donné. J'avais prévu de le faire légèrement agrandir, mais j'avais tardé à m'en occuper. Un soir, avant de rentrer sur scène, je l'avais mis dans une poche. À la fin de mon spectacle, j'eus droit à une des plus ferventes ovations de ma carrière...

— Danseur te demande... essaya Eau 631.

Mais l'ancien chanteur poursuivait :

— Comme d'habitude, je n'oubliais pas de rappeler à mon public que je n'interprétais que les œuvres de Jardinage. Mais, vous savez ce que c'est... les gens ne s'intéressent qu'à celui qui est sur scène !

Là, Métallurgie 2007 eut une expression lumino-gestuelle qui correspondait un peu à un soupir humain, puis il reprit :

— Pour en revenir à mon bracelet, quand je suis rentré chez moi, avec celle sans qui je n'étais rien, j'ai complètement oublié que je l'avais mis dans une de mes poches. J'ai laissé traîner mon bandeau quelque part, car je suis très désordonné et lorsque je me suis rendu compte que je n'avais plus le bracelet, je l'ai cherché en prenant bien soin de ne pas me faire remarquer par Jardinage. Je vous laisse deviner quel ne fut pas mon soulagement quand...

La porte s'ouvrit brusquement. Eau 631 et 117 Ingénierie se retournèrent pour protester, mais ils furent surpris de voir 237

Présidente accompagnée de Sécurité 127. La présidente lumi-no-gesticula gravement :

— Il vient de se produire un événement inattendu très regrettable ! Quoique... Au point où nous en sommes !...

— Que se passe-t-il ? demandèrent simultanément Eau 631 et 117 Ingénierie.

Ce fut Sécurité 127 qui répondit :

— 26 Service Secret et moi, nous étions avec les trois biologistes et Écologie 982. Nous étions en train de promener l'humaine. D'après ce que m'ont expliqué les savants, elle voulait se procurer un instrument de lumino-musique vu lors d'une précédente sortie, pour faire plaisir à son mâle. Nous avons été attaqués. Nos assaillants étaient nombreux. Nous n'avons rien pu faire.

— Alors, s'enquit Eau 631 ?

— Ils ont enlevé leurs deux biologistes ainsi que l'animal.

— C'est vrai ?

— Oui.

Bartol, qui ne comprenait rien à ce qui se lumino-gesticulait, car rien de ceci n'avait été dit devant le traducteur, commençait à s'impatienter outre mesure.

— Que se passe-t-il encore ? grogna-t-il dans le micro de l'appareil.

Eau 631 et 117 Ingénierie n'osèrent l'informer, chacun cherchant dans le regard de l'autre s'il avait une idée de quelle manière il faudrait s'y prendre. Métallurgie 2007 les devança :

— La personne qui compte le plus au monde pour toi vient d'être enlevée, dit-il à Bartol.

Le chanteur déchu entendit l'animal pousser des cris et cela le bouleversa. Certain que ces sons ne pouvaient qu'être des manifestations de douleur, il communia avec cette détresse, il la fit sienne. Elle fut celle qu'il avait ressentie quand la dernière guerre lui avait pris celle qui était tout pour lui. Celle dont l'absence faisait qu'il n'était plus rien. Cet être avait perdu une compagne qu'il aimait. Comme lui. Elle lui avait donné un bracelet auquel il tenait. Comme lui. Ces deux similitudes renforcèrent son sentiment d'identification. Il se sentit submergé par la douleur. Sa compassion devint une insoutenable torture.

— Qu'est-ce qui est arrivé à Biologie 455 ? voulut savoir Eau 631.

— Elle sera certainement bientôt de l'autre côté du canal, parmi les tiens, je suppose, répondit 237 Présidente.

Eau 631 était sur le point de demander ce qu'elle comptait faire de lui, mais elle ajouta :

— La guerre est déclarée.

Devant le regard interloqué d'Eau 631 et de 117 Ingénierie, elle poursuivit :

— Nos armées vont s'affronter d'un instant à l'autre. Tu devrais partir, Eau 631. Tu es libre. Va rejoindre celle que tu es venu chercher si courageusement. Elle a été délivrée par les tiens et ramenée chez toi.

Eau 631 n'attendit pas davantage. Il se dirigeait déjà vers la sortie, mais il s'arrêta et regardant Bartol, il demanda :

— Je peux prendre Danseur, ou vous voulez le garder ?

Bartol continuait à vociférer, mais dans sa colère il oubliait de le faire dans le microphone. 237 Présidente parut hésiter. On ne sut jamais quelle décision elle aurait prise, car c'est à ce moment-là que Métallurgie 2007 sortit en trombe en emportant l'humain entouré autour de son bras gauche et le traducteur dans sa main droite.

79. Ça me bouleverserait !

— Je me demande comment tu oses te présenter toi-même devant moi ! s'indigna Président 234.

Un garde venait d'introduire Métallurgie 2007 dans son bureau, où il était en discussion avec le commandant de son armée.

— Il faut que je te parle en privé de toute urgence !

— Moi aussi ! Ça tombe bien ! Je veux te dire deux mots avant de te faire découper en petits morceaux !

— Tu ne le feras pas quand tu m'auras écouté.

Le président s'adressa au militaire :

— Laisse-nous un instant s'il te plaît. Ça ne sera pas long.

Le stratège, qui portait un regard curieux et méprisant sur l'individu à l'allure négligée qui les dérangeait en un moment si important, sortit sans commentaire et referma la porte derrière lui.

— Alors ? lumino-gesticula le président sur un ton rageur.

— Je suis venu te voir en coup de vent pour te dire que...

— Comment ça, en coup de vent ? T'imagines-tu que je vais te laisser t'en aller ? Je te rappelle que tu m'as vendu la paix fort cher et...

— Justement ! Je suis là pour tenir ma promesse. Écoute ! Je n'ai pas beaucoup de temps.

— Je t'écoute, mais je ne vois pas com...

— Surtout, n'attaque pas. N'attaque pas ! M'entends-tu ?

— Est-ce là tout ce que tu avais à me dire ? s'écria Président 234 à si haute lumino-gesticulation que son interlocuteur en eut les pédoncules de communication un instant assourdis. Je suis obligé de donner l'assaut ! Je n'ai pas le choix ! Si je ne le fais pas, tous me prendront pour un Ovoïde mou qui ne peut les représenter ! Il ne restera que quelques incurables pacifistes pour approuver mon inaction. Les Défenseurs Nationalistes ont si bien manœuvré que quatre-vingts pour cent de la population attend que j'intervienne militairement pour restaurer leur fierté.

— Je vais m'occuper de ça. Quand as-tu prévu d'engager le combat ?

— Dès qu'il fera suffisamment nuit. Vu que mon dernier commando a réussi à libérer les savants, plus rien ne me retient.

— Bien ! Si tu n'attaques pas avant la fin du jour, tout sera réglé. Je dois te laisser…

— Où crois-tu aller ? s'écria le président alors que son visiteur mettait déjà une main sur la poignée de la porte. Je te rappelle que tu m'as vendu la paix et que tu m'as donc volé. Il est hors de question que je te laisse libre. Je préfère t'enfermer et réfléchir à ce que je ferai pour te punir plus tard !

— Oui, je t'ai vendu la paix. Mais nous ne sommes pas encore en guerre tant que les premiers combats ne sont pas engagés. Donc si tu as vraiment le sens de l'honneur, conviens qu'il n'y a pas déjà lieu de considérer que j'ai failli. Si tu m'enfermes, tu ne me laisses aucune chance de t'apporter ce que je t'ai promis. Laisse-moi partir et tu n'auras plus besoin de l'armée, ni de me punir.

Président 234 était très en colère, mais Métallurgie 2007 savait persuader.

— Va ! dit-il. Je jure que si tu m'as menti, tu périras de mes propres mains !

Métallurgie 2007 ignora la menace pour lancer avant de disparaître :

— Au fait, j'ai ramené l'humain !

***

Administration 562 était sur le point de recevoir chez lui quelques notables, tous membres du parti des Défenseurs Nationalistes. Venant de revêtir un de ses plus élégants bandeaux-vêtements, il s'apprêtait à choisir un bocal de lichen du meilleur cru quand il entendit sonner. Croyant qu'il s'agissait d'un de ses invités en avance, il se pencha par la fenêtre et vit Métallurgie 2007 qui attendait en bas devant sa porte.

Que me veut ce type ? se demanda-t-il en descendant l'escalier. Vient-il pour renégocier le prix de la guerre ?

Il ouvrit et salua froidement :

— Bonjour. Je te prierais de me dire ce que tu veux rapidement, car je n'ai pas de temps à perdre. J'attends du monde.

— Bonjour. Je serais très court. Mais ce que j'ai à te révéler ne doit être connu que de toi.

Administration 562 le fit entrer à contrecœur, se promettant de le mettre dehors s'il s'éternisait trop. Il n'avait pas envie que ses amis rencontrent ce personnage à cause duquel ils apprendraient le contraire de ce qu'il leur avait fait croire : que les informations selon lesquelles ceux d'en face avaient capturé deux biologistes venaient de lui-même.

— Parle, dit-il dès que la porte se fut refermée.

— Je te conseille de tout mettre en œuvre pour empêcher Président 234 d'attaquer.

— Quoi ! Mais pourquoi ? Tu es fou !

— Parce que j'ai découvert quelque chose d'extrêmement grave qui change tout ! Si nous attaquons maintenant, nous sommes sûrs et certains de perdre la guerre et nous serons alors sous la domination de l'ennemi ! C'en sera fait de notre civilisation ! Nous aurons tous des fenêtres rectangulaires !

— Pourquoi dis-tu ça ? Qu'est-ce que ça peut te faire, à toi ? Tu m'avouais toi-même que tu n'agis que pour ton propre intérêt ! D'où vient ce patriotisme inattendu qui te pousse à vouloir sauver notre civilisation ? Je te demande de sortir, j'attends du monde.

— Sais-tu pourquoi ceux d'en face nous ont ravi deux biologistes ?

— Non ! Mais je n'en ai cure… Ils ont très bien fait puisque grâce à ça nous allons pouvoir massacrer ces sauvages !

— Ils avaient besoin d'eux pour mettre leur arme au point.

— Hein ? Quelle arme ?

— Hélas ! se lamenta Métallurgie 2007 sur un ton dramatique qui eût berné le plus méfiant. Une arme terrible. Une arme biologique. Une arme contre laquelle nous ne pouvons rien faire pour l'instant. Si nous entrons en conflit, nous sommes fichus. Je ne sais pas précisément quels sont ses effets, mais je suis certain qu'elle est très dangereuse ! J'ai entendu dire là-bas qu'elle a le pouvoir de reconnaître les gènes afin de nous anéantir. Nous et seulement nous ! 237 Présidente n'attend qu'une chose, c'est que nous attaquions les premiers pour nous exterminer par milliers et réduire les survivants en esclavage.

Administration 562 fut décontenancé ; son érudition en génétique se résumant à la seule connaissance de ce mot, il lui était tout à fait impossible d'estimer la probabilité d'existence d'une telle arme.

Il demanda cependant :

— Dans ce cas, si ce que tu dis est vrai… Pourquoi 237 Présidente ne donne-t-elle pas l'ordre de nous envahir puisqu'elle est certaine de gagner ?

— Parce qu'elle a ses propres pacifistes sur le dos qui lui reprocheraient un génocide gratuit. Elle attend avec impatience que nous lui fournissions un cas de légitime défense. Pourquoi voudrais-je éviter la guerre après te l'avoir vendue, renonçant donc à toucher l'argent de notre marché, si je n'étais pas moi-même terrorisé ?

Ce dernier argument finit par ébranler Administration 562. Il était visiblement atterré.

— Je te laisse, dit Métallurgie 2007, une expression de panique agitant ses pédoncules de communication. Je vais me terrer je ne sais où en espérant que cet affrontement n'aura pas lieu.

Le chef du parti des Défenseurs Nationalistes le regarda s'éloigner en sentant sa propre peur monter en lui.

Peu de temps après, il recevait ses amis et, dès leur arrivée, il leur tint ce langage :

— Chers amis. Je viens d'apprendre de mes informateurs secrets un fait de la plus haute importance. Le moment est extrêmement grave. Notre civilisation a plus que jamais besoin de nous pour la sauver. Nous avons fait fausse route, nous devons rebrousser chemin. Nous devons à tout prix éviter la guerre, car...

***

Pendant qu'Administration 562 expliquait à ses lieutenants pourquoi il était préférable de remettre à plus tard leur vif désir de soumettre l'autre culture, Métallurgie 2007 traversait encore une fois le canal pour rencontrer le fondateur des Nationalistes Libres. Au moyen d'un discours très proche de celui qu'il avait tenu à son homologue qu'il venait de voir, il réussit lui aussi à le convaincre qu'il serait de l'intérêt de sa civilisation de ne pas faire la guerre.

Presque à la fin de leur conversation, 99 Armée avait demandé :

— Qu'est-ce qui te pousse à me mettre en garde contre ce prétendu danger, puisque tu es d'en face ? Qu'est-ce que cela peut te faire que nous soyons exterminés et que les tiens triomphent ? Veux-tu me faire croire que tu serais un de ces pacifistes qui culpabiliserait si son peuple venait à être responsable de la disparition d'un autre ?

— Ça me bouleverserait !

— Qu'est-ce qui te bouleverserait ?

— Que votre civilisation disparaisse. Que vous soyez exterminés.

— Allons donc ! Pourquoi ? C'est la question que je te pose.

— Ce n'est pas parce que je suis un pacifiste. C'est seulement parce que j'ai de la rancœur envers ma propre nation.

— Tiens donc ! Pourquoi ça ?

— Parce que celle que j'aimais plus que tout au monde, celle qui m'inondait chaque jour de bonheur, celle à qui je devais tout, celle qui écrivait mes textes et mes lumino-musiques, celle qui donnait un sens à ma vie, celle sans qui je ne suis aujourd'hui qu'une loque à la dérive complètement intoxiquée au Doux Nuage, cette personne unique dont l'absence me ronge a été tuée par l'armée de mon pays lors de la dernière guerre dans laquelle nos peuples se sont affrontés. Elle s'appelait 766 Jardinage.

Il y avait eu tant d'émotion dans le rayonnement des pédoncules de communication du chanteur oublié que 99 Armée avait pour la première fois, à son souvenir, ressenti comme un arrière-goût d'absurdité dans la cause qu'il défendait depuis si longtemps avec tant de rage et de haine.

80. Un étrange sentiment qui ressemblait déjà à de la nostalgie

Libérés par la deuxième tentative d'exfiltration, les deux scientifiques et Écologie 982 étaient en ce moment dans le laboratoire de biologie. Eau 631, revenu seul, les avait rejoints. Les deux humains y étaient aussi. Cara, parce qu'elle avait été libérée en ce lieu par le commando, Bartol, parce qu'à la surprise de tous, Métallurgie 2007 l'avait conduit là avant de disparaître sur l'instant, mais en promettant de revenir vite. Cette promesse était importante pour Bartol. Il avait confié que l'Ovoïde l'avait bien traité et qu'il avait énigmatiquement prétendu qu'il se devait de rétablir la paix entre les deux rives du canal.

Après son départ, il y avait eu une deuxième surprise. Poussés par leur vif désir de poursuivre leur travail près des humains extraordinaires, 239 Biologie et 117 Ingénierie étaient venus en espérant être acceptés. Il leur avait suffi de faire un détour pour traverser le canal loin des militaires des deux bords, qui s'entassaient sur les rives, et de demander ensuite leur chemin pour trouver le laboratoire de biologie. Le vieux savant les avait accueillis avec chaleur et enthousiasme.

Les deux espèces pouvaient communiquer grâce aux traducteurs, celui que l'ancien chanteur avait emporté et celui qu'avaient pris les deux migrants. La nuit venait de tomber. Bartol et Cara expliquaient qu'ils espéraient être considérés comme des êtres libres et qu'on les laisserait s'en aller, où bon leur semblerait, dès qu'ils le décideraient.

Aucun des Ovoïdes présents ne vit d'objections à cette légitime prétention. On leur proposa même de les escorter jusqu'où ils voudraient pour les protéger des quelques dangers extérieurs à la ville au moment précis où ils en formuleraient la demande.

Cara avait été étonnée de constater que, contre toute attente, Bartol ne paraissait pas si pressé de rentrer chez lui. Il disait que c'était important pour lui de revoir Métallurgie 2007 avant de partir.

Rassurés de savoir qu'ils pourraient partir dès qu'ils en auraient envie, les humains se mirent à parler beaucoup plus librement avec les êtres de ce monde. Fut abordé un sujet qui leur brûlait les lèvres depuis longtemps. Ce fut Bartol qui commença en s'adressant aux six Ovoïdes :

— Vous devez tous vous douter que nous savons que vous consommez de la chair humaine… J'ai vu des choses horribles là où j'ai été mis en cage pour la première fois !

Des regards embarrassés furent échangés du haut des pédoncules oculaires. Ce fut manifeste même pour les solairiens, qui avaient fini par savoir interpréter quelques mimiques des Ovoïdes.

— Nous sommes désolés de vous choquer, finit par répondre Biologie 237. Notre espèce a toujours fait cela, c'est vrai. Comment aurions-nous pu prévoir que… Je suis horriblement gêné de vous dire ça, mais, pour nous, les humains ont toujours été des animaux et heu… Avez-vous des animaux dans votre monde d'origine ?

— Oui, dit Bartol. Bien sûr.

— N'en mangez-vous aucun ?

— Plus aucun depuis longtemps ! assura le Terrien.

Il allait ajouter « quand nous étions primitifs, oui paraît-il, mais à présent nous ne le faisons plus ». Il se ravisa cependant et garda ces paroles pour lui.

— Oui, enfin ! intervint subitement Cara. Plus aucun depuis longtemps ! Longtemps, c'est relatif ! À l'échelle de l'existence de notre espèce, c'est la durée d'un éclair ! C'est vrai que si certains d'entre nous le font peut-être encore, le fait est devenu extrêmement rare. Il faut cependant reconnaître que nous nous comportons comme une espèce dominante sans trop de morale à l'égard des autres animaux solairiens. Si nous avons presque cessé de nous en nourrir, ce n'est que pour des raisons économiques et pratiques, mais ce que nous leur faisons subir est souvent pire que de les manger. Nous modifions leurs gènes à notre guise pour en faire tout ce que nous en voulons, pour nous distraire la plupart du temps. Nous en faisons des montures, des nains, des monstres, des objets de décoration, toutes sortes de jouets pour nous ou nos enfants. Nous ne nous préoccupons que du sort de quelques-uns qui sont souvent choyés par des maîtres en mal d'affection, qui les traitent comme s'ils étaient leurs enfants. Ce cruel trafic d'êtres vivants génère d'énormes profits engrangés par une société aussi puissante qu'immorale appelée Génética Sapiens.

Il y eut un murmure lumino-gestuel dans l'assistance. Cara avait parlé d'un trait en prenant soin de ne pas croiser le regard de Bartol. Surpris par cette tirade inattendue, celui-ci ajouta presque timidement à l'adresse des Ovoïdes :

— Oui, bon… quoi qu'il en soit, en ce qui concerne les humains ici, il est étonnant de constater que certains sont consommés, alors que d'autres servent d'animaux de compagnie ! Qu'est-ce qui détermine cette différence de traitement alors qu'il s'agit de la même espèce ?

Une vague de confusion fit frémir les pédoncules de communication, mais aucune réponse ne fut donnée. Là encore, Cara vint au secours des Ovoïdes :

— Comme certaines espèces chez nous, par exemple, dit-elle ? Il n'y a pas si longtemps, ça existait encore quand j'étais jeune, certains lapins étaient mangés et d'autres étaient apprivoisés. Le choix était tout à fait arbitraire puisque réalisé sur des critères esthétiques on ne peut plus subjectifs. Bon ! Mais c'est vrai qu'aujourd'hui les lapins ne sont presque plus jamais consommés. Grâce à Génética Sapiens, certains sont transformés en biolides géants. Ces animaux-là meurent d'épuisement en portant un homme sur le dos dans des courses cruelles et stupides.

Après cette deuxième intervention de Cara, un silence régna un instant, puis les Ovoïdes posèrent beaucoup de questions sur ce qu'était Génética Sapiens. Elle laissa à Bartol le soin de le leur expliquer.

Bien que les traducteurs s'exprimassent dans un langage encore rudimentaire, dans un sens comme dans l'autre, les deux espèces se comprenaient de mieux en mieux et s'enrichissaient mutuellement en échangeant leurs connaissances.

*

Président 234 n'en crut pas ses capteurs électromagnétiques, organe correspondant aux oreilles chez un humain, quand, d'une même parole, Administration 562 et ses quatre amis les plus influents du parti des Défenseurs Nationalistes lui recommandèrent de ne pas attaquer. Lorsqu'ils s'engagèrent à cesser toute pression en faveur de l'intervention militaire et qu'ils promirent même d'aider discrètement les pacifistes, il se demanda quelle sorte de magie avait pu utiliser Métallurgie 2007.

237 Présidente ne fut pas moins étonnée quand elle reçut une délégation des Nationalistes Libres, 99 Armée en tête. Qu'ils voulussent la paix était déjà surprenant ! Qu'ils la lui recommandassent avec tant d'insistance était tout simplement surréaliste. Qu'ils promissent en plus d'aider les pacifistes en toute discrétion, c'était à ne plus rien comprendre à la politique !

*

C'était presque le milieu de la nuit dans la ville sous la colline. Le portail du jardin n'était pas fermé. Métallurgie 2007 le franchit et sonna à la porte du laboratoire. Biologie 455 ouvrit.

— Bonsoir ! Je veux voir Danseur, dit-il sans attendre.

— Viens ! Entre !

Il la suivit à travers les différentes salles jusque dans celle où ils étaient tous. Les six Ovoïdes et les humains étaient toujours regroupés autour d'un traducteur. Dès que Métallurgie 2007 se montra, l'humain vint à lui. Le chanteur oublié crut lire sur l'étirement de la gueule de l'animal qu'il était content de le voir. Bien qu'il n'en fut pas certain, cela lui fit plaisir. Alors qu'ils étaient tous deux isolés pour un court moment, il lui donna discrètement le bracelet. L'humain le mit dans une de ses poches et accentua la tension de ses lèvres. Métallurgie 2007 qui ne s'était jusqu'à présent jamais vraiment intéressé à ces animaux se convainquit que cet étirement de la gueule correspondait réellement à une manifestation de satisfaction ou même de joie. Il ne lui manque que la lumino-gesticulation, se dit-il, mais grâce à la machine, il l'a un peu.

Bartol s'approcha de Cara et demanda à l'écart du traducteur :

— Quand souhaites-tu partir, ma chérie ?

— Le plus vite possible serait le mieux ! Mais si tu veux rester encore un petit peu...

Sans le formuler clairement en elle-même, elle pensait que, quoi qu'il en fût, cette aventure, malgré ses désagréments, avait eu le mérite de les rapprocher. Si bien qu'elle s'étonna de constater qu'elle n'était plus à cinq minutes près. Il ne l'avait jamais appelée « ma chérie » dans leur monde !

— Promettons à nos amis de revenir les voir dès que nous pourrons et partons, proposa-t-il.

— D'accord...

Chez nous, il y a Sandrila Robatiny malheureusement, songea-t-elle, mais nous ne pouvons pas pour autant passer notre existence ici...

— Amis Ovoïdes, nous souhaitons vous laisser un moment pour prendre des nouvelles de notre monde, articula Bartol près du microphone. Nous reviendrons vous voir, nous en avons envie.

Métallurgie 2007 suivait avec attention les lumino-articulations de l'appareil :

— ... Nous revenir voir vous. Nous vouloir. Nous pas pouvoir retrouver chemin chez nous si vous pas aider nous. Nous besoin aller là où nous capturés par Ovoïdes chasseurs.

— Je peux m'en occuper ! lança Métallurgie 2007 sur un ton péremptoire qui eût davantage convenu à donner un ordre qu'à faire une proposition.

On se tourna vers lui.

— Je sais où Danseur a été capturé, précisa-t-il. Je ramènerai seul les deux humains à cet endroit.

— Pourquoi toi seul ? s'étonna Eau 631. Je peux, moi aussi, me renseigner pour connaître le lieu où il a été capturé par Électronique 1012.

— Oui, pourquoi ? Ajoutèrent le vieux biologiste et sa laborantine.

— Parce que, moi, je le sais déjà et surtout parce que je préfère les accompagner seul.

En formulant cette réponse, Métallurgie 2007 regarda l'humain en tapotant discrètement son bracelet sur son poignet gauche d'un de ses doigts de la main droite.

L'Ovoïde fut heureux de constater qu'il avait été compris :

— Moi pas vouloir fâcher autres vous. Mais moi content si Chanteur escorter nous, seul, jusque endroit moi capturé.

Métallurgie 2007 s'entendit appeler Chanteur avec un mélange de bonheur, d'amertume et de dérision.

Être totalement oublié par ceux de son espèce et être nommé Chanteur par un animal ! Quoique cet humain et sa femelle n'étaient pas vraiment des animaux, de toute évidence ! Danseur avait même un bracelet auquel il tenait beaucoup. Un objet qui était précieux parce qu'il avait été offert par sa compagne. Sa compagne qu'il aimait visiblement !

Les regards se portèrent sur Métallurgie 2007, qui semblait troublé. On pensa que Danseur avait choisi d'être escorté par lui pour l'unique raison qu'il devait exprimer là de la reconnaissance pour l'Ovoïde qui l'avait ramené d'en face.

***

Tout le monde était tombé d'accord pour accompagner les humains jusqu'à la sortie de la ville et pour laisser ensuite Métallurgie 2007 se charger de les amener au lieu convenu. Sur le chemin, les humains furent de nouveau un sujet d'étonnement pour les quelques Ovoïdes qu'ils rencontrèrent le matin de très bonne heure, encore en pleine nuit. Il n'y avait que cinq gardes en faction à la porte qui les regardèrent sortir avec une manifeste curiosité pour les deux animaux humains.

Bartol et Cara se retrouvèrent à l'extérieur avec soulagement. Jusqu'à présent, rien n'était venu contrarier leur espoir de liberté et il devenait de plus en plus raisonnable d'y croire.

Dans le ciel piqueté d'étoiles, ne traçant aucune constellation connue par Bartol ou Cara, brillaient deux astres. L'un formait un croissant presque au zénith, l'autre était aux trois quarts plein à quelque quarante degrés au-dessus de l'horizon.

Sous leur pâle lumière et devant le pont enjambant le canal qui redevenait rivière, le groupe s'arrêta un moment. Chaque Ovoïde, à l'exception de Métallurgie 2007, salua les humains. En dépit de la difficile perception de l'altérité, due à toutes les différences séparant les deux espèces, tout le monde sentit que l'émotion était aussi forte d'un côté que de l'autre.

***

Le bel animal, que Cara avait décidé d'appeler « mégalapin », malgré le manque d'enthousiasme de Bartol qui avait proposé « lapincornu », arrêta de courir.

Chanteur était apparemment un habile cavalier, autant qu'il fût permis d'utiliser ce terme s'agissant d'un mégalapin ou d'un lapincornu. En effet, l'Ovoïde avait dû retenir les deux humains assis devant lui sur sa monture, car ceux-ci n'avaient cessé de menacer de tomber durant le trajet, heureusement pas très long. Il saisit le traducteur qu'il avait mis dans une sacoche et lumino-gesticula devant l'objectif de la machine.

— Être ici ! prononça cette dernière.

Chanteur aida les humains à descendre et ajouta :

— C'est bien là que vous vouliez venir, n'est-ce pas ?

En regardant autour d'eux dans la forêt humide, Bartol et Cara aperçurent dans la clarté double-lunaire le petit étang et le gros arbre trapu facilement reconnaissable.

— Oui, Chanteur, dit Cara. C'est bien ici que nous voulions venir. Merci.

Elle commençait aussi à s'attacher à lui.

— Alors nous allons nous séparer. Dans un instant, je ne vous reverrai plus. Je dois vous dire quelque chose avant que vous disparaissiez.

Les deux humains le regardèrent interrogativement.

— Je me suis débarrassé des têtes qui étaient accrochées au mur dans ma maison, confia l'Ovoïde. Je suis sûr que vous avez dû les voir. Mon père était chasseur... Je... Comment dire ?...

— Nous comprenons, Chanteur. Nous ne t'en voulons pas.

— J'espère vous revoir un jour.

Ils promirent de faire ce qu'ils pourraient pour ça.

L'Ovoïde remonta sur sa monture et partit sans autre cérémonie, sans se presser et sans se retourner. Tandis qu'il s'éloignait lentement en se dissolvant dans la pénombre, ils le regardèrent avec un étrange sentiment qui ressemblait déjà à de la nostalgie.

— Sais-tu que nous sommes absents de notre monde depuis dix-sept de ses jours ? demanda Cara.

— Non ? Sans nucle...

— J'ai oublié de te le dire.

— J'ai oublié de te le demander. Dix-sept !

— Oui.

— Allons-y, dit-il en la saisissant par la main. Il ne faudrait pas se faire recapturer par des chasseurs !

Tiens, remarqua-t-elle, il a remis le bracelet ! Il ne l'avait donc pas perdu.

Une douce gaité nappa son cœur.

Ils coururent vers le large tronc et entrèrent dans le trou.

81. La seule créature dans l'Univers à savoir faire cela

Suivi par Cara, Bartol se retrouva chez lui en émergeant du trou dans le miroir.

— Abir, vous voilà ! s'écria-t-il.

La représentation du prétendu gravipilote était debout au milieu de la pièce dans sa combinaison rouge sombre.

— Oui, répondit-il, on n'eût pu plus laconiquement.

— Que, qu'est-ce que mais… ?

— Je détecte une question dans vos paroles, mais si vous pouviez la préciser, ça m'aiderait à y répondre.

— Ha ! parce qu'en plus vous vous payez ma tête ! cria le Marsalè, dont l'humeur venait instantanément de tourner au vinaigre.

— En plus de quoi ?

Une escouade de sentiments de colère, de révolte et d'indignation monta à l'assaut de la raison de Bartol.

— Calme-toi, murmura Cara en posant une main sur son bras.

Elle put sentir qu'il tremblait de rage.

Il fit un effort démesuré pour retrouver son contrôle, aidé en cela par le contact de Cara et par la conviction qu'il ne pouvait que s'humilier davantage dans un affrontement avec cette image de quelque chose qui le dépassait tant.

— Votre arrogance ne grandit pas ce que vous représentez, Abir, dit-il. En vous comportant comme ça, vous me faites penser à un tigre qui roulerait des biscoteaux devant une souris anémiée ! Vous êtes RI DI CULE ! vous m'entendez, les puissants Symbiosiens ?

— Non, ceux que vous appelez les Symbiosiens ne vous entendent pas. Pas en ce moment, en tout cas. Et je vous assure que je ne suis pas arrogant ; mes créateurs n'ont pas jugé utile de m'équiper de cette fonction. J'espère que par la suite votre mémoire retiendra que vous vous êtes vous-même spontanément comparé à une souris anémiée et que je n'ai en rien évoqué une telle ressemblance.

— Qui êtes-vous exactement, Abir ? demanda Cara, certes pour satisfaire sa curiosité, mais aussi afin de changer de sujet dans l'espoir d'aider Bartol à retrouver son sang-froid.

— Je ne suis qu'une partie d'une sonde spatiale envoyée en mission par les Symbiosiens. Une sonde spatiale, comme vous en lancez vous-même, mais techniquement beaucoup plus sophistiquée, bien sûr.

— Quel est le but de cette sonde, Abir ? poursuivit Cara en entraînant Bartol par la main et en l'invitant à s'asseoir à côté d'elle près de la table basse imitation roche martienne.

Il n'y avait plus aucune trace du trou dans le miroir. Les colibris piaillaient à tue-tête. Commentaient-ils le retour de leur maître ? Bartol leur adressa un grognement autoritaire qui leur imposa miraculeusement silence.

— Le but premier n'est pas très facile à expliquer.

— Essayez, s'il vous plaît.

Pendant que Bartol se taisait, son regard torve dirigé vers Abir, ce dernier dit :

— Dans les successives couches de l'évolution, on peut constater qu'il y a le minéral. Au-dessus, le vivant osmotrophe qui s'enracine dans le minéral. Au-dessus, le vivant hétérotrophe, qui comporte entre autres le règne animal dont vous faites partie ; les hétérotrophes ne pourraient pas vivre sans les osmotrophes. Au-dessus encore, il y a le numérique qui ne pourrait exister sans les machines inventées, construites et entretenues par vous. Ainsi chaque couche ne peut exister sans celle qui la supporte.

— Et alors ?... lâcha Bartol sur un ton bourru. Pas la peine de prendre ce ton docte pour énoncer un lieu commun aussi soporifique, grande géanture !

— Alors, j'en viens à faire une analogie pour expliquer à Cara quel est le rôle principal de la sonde Symbiose. Vous, les humains, vous avez considérablement amélioré vos conditions de vie en cultivant le règne végétal dont vous dépendez tant. Symbiose cultive à sa manière la couche dont ses créateurs dépendent, celui des êtres matériels pensants, capables de produire et d'entretenir des machines sans lesquelles la couche numérique ne pourrait pas exister.

— Ceux qui ont conçu Symbiose sont des êtres numériques ? s'écria Cara.

Elle s'efforçait de rassembler dans son esprit tout ce que Bartol lui avait dit au sujet de la numérisation.

— Oui. Ainsi que le sont devenus un petit nombre d'entre vous, comme le sait déjà Bartol grâce à son ami Quader. À la manière d'un botaniste-cultivateur qui étudierait de nouvelles plantes découvertes lors de ses pérégrinations, qui les croiserait, qui essayerait de les mettre en terre ici ou là, Symbiose observe des espèces, expérimente leurs interactions. Il conserve également des individus, parfois pour les répandre ailleurs, comme on garde et sème des graines pour éviter qu'une espèce ne s'éteigne.

— Votre analogie du jardinier est bien belle, Abir, mais elle ne vous innocente pas des immondes horreurs que nous avons vues dans votre sonde de géantissime psychopathe ! Avec tous vos pouvoirs, vous pourrez nous contraindre sans aucun doute, mais vous n'aurez jamais l'estime du lombric que je suis pour vous ! Je me doute que vous en avez cure, mais c'était juste pour vous faire remarquer que tant que la puissance ne peut pas tout obtenir, l'Univers peut encore être sauvé !

— Quelle est donc cette histoire de lombric ? voulut savoir Cara.

— C'est seulement ce que nous sommes pour lui ! marmonna le Marsalè.

— Je ne sais pas pourquoi Bartol est resté bloqué sur cette idée, dit Abir.

S'adressant à l'intéressé, il demanda :

— De quelles immondes horreurs parlez-vous ?

— Ne faites pas celui qui ne s'en doute pas, hein ! Je viens d'un lieu où les humains vivent comme des animaux domestiqués ou exploités. Certains sont même dévorés par les créatures qui les dominent !

— Pourquoi m'en tenez-vous pour responsable ? Ce n'est pas moi qui les dévore.

— Vous pourriez intervenir !

— Uniquement parce que ce sont vos congénères ? Valent-ils mieux que toutes les autres formes de vie que vous exploitez pour votre plaisir ? Le comportement d'Amis Angémos serait-il beaucoup plus recommandable que celui des êtres que vous avez rencontrés ?

L'air renfrogné, Bartol garda le silence.

— Les agissements d'Amis Angémos sont parfaitement abjects, déclara Cara.

Abir enfonça le clou :

— Pensez-vous que les humains qui vivent avec ceux que vous avez nommés les Ovoïdes soient plus à plaindre que ceux qui, dans leur propre monde, parmi les leurs, finissent dans le ghetto ?

Ne sachant que répondre à cela, Bartol demanda :

— Quoi qu'il en soit, à quoi cela vous a-t-il servi de nous montrer ça ?

— C'est peut-être toi qui as insisté pour y aller, intervint Cara.

— Peut-être, en effet, attesta Abir. Mais votre entêtement a été utile à quelque chose.

— Géantissimement ravi d'avoir aidé le jardinier ! Mais à quoi ai-je été utile ?

— Une nouvelle guerre était apparemment sur le point d'éclater entre les deux rives du canal. Elle aurait eu lieu pour une raison ou une autre, un de ces jours. Grâce à vous, cette perspective semble écartée pour un moment.

Bartol perçut dans son esprit :

« Essentiellement grâce à votre bracelet perdu qui a tant touché Métallurgie 2007 ! »

— Ah bon ! S'étonna Cara. Comment se fait-il que nous y soyons pour quelque chose ?

— Votre passage a eu cette influence tout à fait imprévisible.

— Imprévisible même pour vous ?

— Même pour moi. Pas plus que je n'avais prévu que Vouzzz sauverait votre monde de la destruction.

Bartol apprécia la manière dont Abir avait répondu à Cara, sans lui mentir tout en établissant une complicité avec lui. Pour autant, cela ne diminua pas beaucoup l'antipathie instinctive qu'il ressentait pour cette entité, mi-chose, mi-personne.

— Sinon, vous nous avez parlé du but principal de Symbiose, dit-il. À part faire du jardinage, quelles sont donc ses autres missions ?

— Il me manque un mot dans votre langue pour l'expliquer. Disons que Symbiose construit, à proximité des étoiles, des stations interstellaires qui permettent de se rendre de l'une à l'autre presque instantanément. Partant de la dernière étoile autour de laquelle il se trouvait, pour arriver près du Soleil, Symbiose a voyagé durant une trentaine d'années, selon le mode classique que vous connaissez, c'est-à-dire par translation dans l'espace. À présent qu'une station interstellaire est installée ici, il pourrait accomplir le chemin inverse en quelques secondes.

— Et près de quelle étoile était-il avant d'arriver ici ? Proxima Centauri probablement, non ?

— Non. Nous n'arrivions pas de ce côté. Il s'agit du système double que vous nommez 61 du Cygne, à un peu plus de onze années-lumière.

— Pour quelle raison les humains sont-ils restés à ce niveau, dans le monde que nous venons de voir ? voulut savoir Cara.

— Ils auraient probablement évolué à peu près comme sur Terre, en l'absence de compétiteurs aussi performants que les Ovoïdes. Nous avons observé que plusieurs facteurs sont en rapport avec la rapidité d'évolution d'une espèce. Comme l'ont supposé vos penseurs, les organes de préhension sont très importants, et vous avez pu constater vous-mêmes que les Ovoïdes ont des mains considérablement plus efficaces que les vôtres. Mais le moteur prépondérant qui favorise la vitesse d'évolution d'une espèce, c'est la proportion d'individus innovateurs. Chez vous, quelques rares sujets s'écartaient du chemin pour n'en faire qu'à leur tête. Ce pouvait être par exemple pour manger quelque chose que les autres membres de la tribu ne consommaient jamais. Celui qui faisait ça prenait le risque de mourir empoisonné, mais il pouvait aussi offrir à ses congénères une information précieuse : cette chose peut nous nourrir. Cet exemple peut se multiplier à l'infini. Tous ces gens qui n'en firent qu'à leur tête, se comportant comme des dévoyés de la routine, comme des iconoclastes d'existences tracées, furent vos inventeurs et vos découvreurs, en un mot vos élites. Ils étaient la levure de votre forme de vie. On comprendra que plus une espèce se compose d'individus expérimentateurs, plus elle évolue vite. Mais il ne faut pas que tous le soient, car l'espèce se mettrait en danger. Il importe qu'une proportion notable de ses membres suivent la sécurité en ne faisant jamais rien d'autre que ce qui s'est déjà fait. La sélection darwinienne a fait disparaître les espèces qui prenaient trop de risques et aussi celles qui n'en prenaient pas assez. Ces dernières sont souvent éliminées par les changements de leur milieu auquel elles sont incapables de s'adapter puisqu'elles n'évoluent pas, ou elles sont dominées, voire néantisées, par une espèce moins conservatrice. Seules restent en lice les formes de vie comportant une proportion de novateurs suffisante sans être excessive, donc.

La chose qui s'était présentée sous le nom d'Abir Gandy se tut deux secondes avant de poursuivre :

— Il se trouve que les humains sont très misonéistes ; la plupart ont peur de tout ce qui est nouveau ; ils sont dans une confortable sécurité. Les Ovoïdes ont parmi eux une proportion beaucoup plus grande d'individus expérimentateurs. Leur évolution a été fulgurante par rapport à la vôtre, principalement pour cette raison. Leur société avait beaucoup plus de cette levure dont je vous parlais.

— Ont-ils atteint la numérisation eux aussi ? demanda Cara.

— Oui.

Bartol prit la parole sur un ton peu amène :

— Dites-moi, chose qui n'est qu'une partie d'une sonde conçue par les Symbiosiens et qui a l'apparence d'Abir, vous avez dit que dans votre activité de jardinage, vous emportez des échantillons d'espèces pour les planter ailleurs, n'est-ce pas ?

— Oui.

— Comptez-vous le faire pour les humains solairiens ? Cette pauvre espèce à si faible teneur en levure ?

— Oui.

— Ah ! Ignoble félon ! Je vous ai démasqué ! Vous allez capturer un certain nombre d'entre nous pour les emporter je ne sais où ! C'est géantissimement ignoble !

— Je ne vais capturer personne. Symbiose n'emportera que des volontaires, comme l'étaient tous les individus de toutes les espèces suffisamment évoluées pour avoir exprimé clairement leur accord.

— Les Vouzzziens et les Ovoïdes étaient donc des volontaires ?

— Leurs ancêtres, oui.

— Nous n'avons pas beaucoup communiqué de cela avec les Vouzzziens, mais j'ai constaté que les Ovoïdes ne savent pas qu'ils vivent dans Symbiose.

— Ils y sont depuis si longtemps que l'origine de leur présence à son bord est devenue pour eux une sorte de légende. Certains cependant ont des arguments pour penser qu'elle a au moins un fond de vérité. Biologie 237 est l'un d'entre eux.

— Connaissez-vous individuellement toutes les créatures présentes dans votre sonde ? demanda Cara.

— Toutes sans exception.

— Au point de savoir ce qu'elles pensent, ce qu'elles font...

— Oui. À tout moment. En ce moment même, j'ai conscience de ce que fait et exprime chacune d'entre elles. Ainsi que de tous les phénomènes physiques qui concernent Symbiose. Rien ne m'échappe, de la moindre information météorologique, d'un monde ou de l'autre, à un végétal qui prolifère ou dépérit ici ou là.

— Pourquoi sommes-nous les deux seuls à apprendre tout ça ? s'étonna Bartol.

— Vous êtes très loin d'être les seuls. Entre autres, tous vos amis proches qui étaient déjà dans Symbiose le savent. Je le leur ai appris durant votre absence. À l'instant présent, certains sont d'ailleurs en train de parler avec moi pour me demander des précisions, surtout au sujet du voyage interstellaire que je leur ai proposé de faire.

— Ah ! Et nous alors ? Pourquoi ne pas nous le proposer ? Pourquoi ce favoritisme ? s'emporta Bartol.

— Je vous le propose bien volontiers, car votre personnalité est très intéressante à étudier, mais si vous pouviez cesser de vous irriter contre moi à la moindre occasion, notre communication gagnerait en efficacité. De plus, il est tout à fait inapproprié que je vous inspire des réactions émotives, qu'elles soient positives ou négatives, dans la mesure où je ne suis pas un être vivant en mesure de les apprécier et d'y répondre. Je sais que vous me pensez arrogant, mais je ne suis pourtant pas plus capable de l'être que votre table, vos chaussures ou votre bracelet.

La raison de Bartol réalisait cela sans peine, mais ce qui dans un être humain est autre chose que de la raison eut du mal à dominer son antipathie pour cette personne factice. Il se demanda si cette chose qui pour lui était simplement Abir, avait intentionnellement parlé du bracelet à quelque fin sournoise ou du moins calculée. N'était-ce qu'une coïncidence que ce mot figurât parmi les trois pris comme exemple ou ce choix était-il destiné à lui faire comprendre quelque chose ? Quoiqu'il en fut, il avait du mal à apprécier cette chose, qui venait de lui rappeler qu'elle en était une en s'exprimant paradoxalement d'une manière si humaine.

Bien que ses connaissances lui missent à l'esprit que l'informatique humaine passait depuis longtemps déjà le fameux test de Turing avec succès et qu'il était impossible conséquemment de faire la différence entre un interlocuteur humain et un logiciel, il ne pouvait s'empêcher de soupçonner cette chose d'être réellement vivante, au moins d'une certaine manière.

— Donc, vous nous proposez d'embarquer à bord de Symbiose pour un voyage interstellaire ? voulut se faire confirmer Cara.

— Oui.

— Et de quel type de voyage s'agit-il ? Un voyage du type que vous appelez classique, par translation dans l'espace, ou d'un bond presque instantané ?

— D'un bond presque instantané, de la station stellaire que nous venons d'installer ici, jusqu'à la station stellaire de notre destination.

— Et quelle est donc cette destination ? demanda Bartol.

— Je ne peux vous le dire pour l'heure, parce que cela n'a pas encore été décidé.

— Pas décidé ! Et nous, comment nous décider à partir dans votre sonde de jardinier géantissimement vaniteux si nous ne savons même pas où elle nous conduira ?

— Je ne vois pas en quoi le nom que vous donnez à l'étoile de notre destination pourrait influencer votre choix puisque de toute manière que ce soit l'une ou bien l'autre vous ne connaissez rien du ou des mondes que vous pourriez découvrir autour d'elle. En quoi des sons ou quelques signes écrits que vous relirez à cet astre pourraient-ils vous apporter des informations pertinentes pour déterminer votre choix ?

Bartol serra ses poings et crispa ses mâchoires dans son effort pour rester calme.

— Je vais vous dire une chose, Abir. Quoi que vous prétendiez, je vous soupçonne d'être vivant ou au moins d'être conscient, de posséder un esprit en fait, voilà ce que je veux dire…

— Qui sait ? Si vous le pensez… Votre appréhension du concept d'esprit est si imprécise que rien n'empêche, en effet, de supposer que j'en ai un.

— Je veux pour preuve le fait que vous cherchez à m'humilier dans chacune de vos réponses. Alors voilà ce que je voulais vous dire. Je ne vous aime pas. Quoi que, ou qui que, vous soyez, je vous trouve détestable. Quoi que, ou qui que, vous soyez je finirais par vous clouer votre grande bouche en vous démontrant que même un petit lombric Terrien peut être, d'une certaine manière, au moins votre égal. Pour mieux me faire comprendre, je vous offre une métaphore. Imaginez un tout petit insecte qui rend un lion fou de rage en bourdonnant dans le creux de son oreille.

— Si ce n'est que votre désir de bourdonner métaphoriquement dans mon oreille vous rend encore plus intéressant à étudier, que puis-je répondre à ça ?

— Étudiez-moi à votre guise, Abir. Étudiez-moi à l'envi. Moi aussi, je vous étudie, croyez-moi.

Cara reprit la parole :

— Tout à l'heure, vous avez choisi de nous donner une image de l'évolution en évoquant des couches : minéral, vivant biologique… numérique. En expliquant que chacune dépend de la précédente, n'est-ce pas ?

— Oui.

— Connaissez-vous une autre couche au-dessus du numérique ?

— Je sais qu'il en existe une, mais je suis tout à fait incapable de vous en parler.

— Pourquoi ? demanda Bartol, s'immisçant dans ce nouveau sujet en essayant de contrôler sa voix pour qu'elle gardât le ton le plus neutre possible.

— Parce que vous n'avez pas le niveau pour comprendre quoi que ce soit en la matière.

— Visquerie, Abir ! Je vous hais de tout mon cœur !

— Je ne saisis pas les raisons de votre passion pour moi.

Cara changea de nouveau de sujet :

— Parmi ceux que nous connaissons, qui a dit oui pour partir vers une autre étoile ?

— Deux seulement ont exprimé un choix ferme et définitif : Quader Abbasmaha et Sandrila Robatiny.

Bartol se leva.

— Je reviens, dit-il à Cara.

Elle se retourna pour le regarder entrer dans sa chambre, ce lieu où régnait le plus extraordinaire de tous les désordres qu'il lui fut donné de voir durant toute sa vie.

— Si c'est le moment que tu as choisi pour faire du rangement, tu aurais pu attendre un peu, plaisanta-t-elle dans l'espoir qu'il lui expliquât à quoi rimait cette soudaine disparition.

Mais il revenait déjà.

— Je viens simplement de remettre mon nucle chargé, dit-il. Je constate que nous avons été absents dix-sept jours.

— Oui, je te l'avais dit.

— J'avais oublié. Quader et Sandrila ont dû se demander où j'étais passé !

— Je les ai rassurés en leur expliquant que vous étiez, vous Bartol, à bord de Symbiose. Je me suis senti obligé de le faire parce qu'ils entreprenaient des recherches pour vous retrouver.

— Merci ! dit Bartol, sur un ton moins renfrogné, mais sans réelle cordialité.

À la suite de ces mots, il perçut un message mental :

« Sandrila Robatiny a fait une enquête très efficace à l'issue de laquelle elle a constaté que Cara Hito avait également disparu. Elle m'a demandé si elle était avec vous. J'ai simplement répondu « pas à ma connaissance », car au moment où elle m'a posé cette question, vous ne vous étiez pas encore retrouvés dans le monde des Ovoïdes. »

Il devient urgent que je parle avec Sandrila pour mettre les choses au point, se dit le Marsalè.

— Merci pour ça aussi, dit-il, d'une manière laissant poindre un peu plus de conviction.

— Quoi, ça aussi ? s'étonna Cara.

Le Marsalè libéra un de ces grognements qui n'appartenait qu'à lui. Celui-ci dut battre tous les records de complexité en terme de modulation sonore et réussit le prodigieux exploit de ne vouloir absolument rien dire tout en donnant l'impression d'être une réponse acceptable. Il était la seule créature dans l'Univers à savoir faire cela.

***

Fin du tome 5

***

Table des matières

ilsera.com